AR Y LEIN

gan

Bethan Gwanas

Argraffiad cyntaf: Hydref 2004

ISBN 0 85284 324 5

Dymuna'r cyhoeddwyr gydnabod cymorth
Adrannau Cyngor Llyfrau Cymru.

Cyhoeddwyd gan Hughes a'i Fab,
Parc Tŷ Glas, Llanisien,
Caerdydd, CF14 5DU.

Cynhyrchydd y llyfr: Luned Whelan

Golygydd Cynorthwyol: Aled Islwyn

Lluniau: © Richard Rees; Sioned Eleri Williams

Daw'r dyfyniad o **Wild Wales** gan George Borrow
o argraffiad cyfredol Bridge Books.
Diolch i Alister Williams.

Hoffai'r awdur gydnabod
cefnogaeth yr **Herald Gymraeg**.

Argraffwyd gan:
Argraffwyr Cambrian
Llanbadarn Fawr
Aberystwyth
Ceredigion
SY23 3TN

CYFLWYNIAD

Ym mis Mai 2002, cafodd Bethan Gwanas alwad ffôn gan Richard Rees o gwmni teledu Telesgôp. Cwestiwn digon anghyffredin oedd ganddo, sef: "Bethan, fyddet ti'n hoffi teithio rownd y byd?" Dyna gwestiwn dwl i'w ofyn i fenyw â chymaint o awch am antur a phrofiad yn ei gwythiennau, a derbyn wnaeth Bethan ar amrantiad.

Roedd Richard wedi cael fflach o ysbrydoliaeth wrth ddarllen atlas rhyw ddiwrnod. Sylwodd fod llinell ledred 52° ar fap o'r byd yn rhedeg trwy dref Llanymddyfri, yng ngorllewin Cymru. Wrth edrych ar y llefydd eraill sy'n gorwedd ar y llinell, dechreuodd Richard gynllunio cyfres deledu i ddilyn y llinell yr holl fordd o gwmpas y byd. Gan ei fod yn gweithio i gwmni teledu Telesgôp yn Llandeilo, cyflwynodd Richard y syniad i S4C, ac fe'i derbyniwyd.

Wrth chwilio am gyflwynydd, cofiodd Richard iddo ddarllen llyfr gan Bethan o'r enw **Dyddiadur Gbara**, yn olrhain hanes Bethan yn Nigeria ar VSO. Mae Bethan ei hun yn cofio darllen dyfyniad yn rhywle: "Cadwch ddyddiadur, oherwydd un diwrnod, mi fydd yn eich cadw chi." A dyna ddolen gyntaf y gadwyn: o ddyddiadur ar ffurf llyfr i gyflwyno cyfres deledu i gadw dyddiadur ar ffurf llyfr o'r daith. Cawn glywed am y llefydd yr ymwelodd â nhw yn Lloegr, yr Iseldiroedd, yr Almaen, Gwlad Pwyl, Rwsia, Canada, Alaska ac Iwerddon. Dyma ddyddiadur unigryw menyw unigryw – mwynhewch!

Y CRIW

Mae cyfeiriadau cyson yn y llyfr at y criw o Deledu Telesgôp a aeth gyda Bethan ar hyd y llinell. Dyma sut maen nhw'n edrych, a gair byr amdanyn nhw.

Richard Rees

Richard oedd yn gyfrifol am ddyfeisio'r gyfres yn y lle cyntaf. Gyda'i wybodaeth eang o fywyd gwyllt, a'i ddiddordeb mewn daearyddiaeth, roedd yn gweld posibiliadau cyffrous iawn i daith o'r fath. Roedd nifer o'r storïau a'r lleoliadau'n apelio'n fawr ato. Mae wrth ei fodd yn teithio i unrhyw le, er ei fod yn gweld eisiau ei deulu, Elin a Ffion, yn fawr. Mae Richard wrth ei fodd yn pori dros fapiau ac yn ymchwilio stori **Enigma**. Ffotograffydd ardderchog.

Sioned Eleri Williams

Teithiwr mwyaf profiadol y criw. Sioned oedd yn cadw Bethan yn gall ar y teithiau i gyd, yn ogystal â gofalu am iechyd a diogelwch, a gyrru dros *drumpeln*. Sioned fu'n trefnu, ac yn poeni pan âi pethau o chwith, ar ran pawb. Pan nad yw'n teithio, mae Sioned yn mwynhau gwneud gwelliannau i'w chartref, darllen a bwyd da. Mae hi, fel Richard, yn ffotograffydd brwd a dawnus.

Jonathan Lewis

Mae Jonathan yn dod o Rydaman. Bu'n gymorth hanfodol i Richard yr holl ffordd o amgylch y llinell. Llwyddodd Jonathan i ddysgu geirfa newydd i Bethan, a blesiodd y ddau yn fawr. Rhyfeddodd e at allu Bethan i fwyta bwydydd o bob math ac arbrofi gyda'r dieithr. Mae hiwmor sych Jonathan yn gwneud i bobl chwerthin heb ddisgwyl gwneud, yn enwedig mewn lifftiau.

TAITH UN

6 Ebrill - 2 Mai 2003

Dydd Sul 6 Ebrill 2003

Llanymddyfri: *"The pleasantest little town in which I have halted in the course of my wanderings."* George Burrow, 1854.

Wel! Dyma fi. Dwi wedi dechrau teithio rownd y byd. Mae'n anodd credu hynny ar hyn o bryd a finnau ar fy mhen fy hun bach efo dim byd i'w wneud mewn gwesty yn Llanymddyfri. Fi oedd yr unig un yn cael swper yma, ond roedd 'na ddau hen foi ffarmwraidd yn y gornel yn siarad Saesneg "ŵ-âr-aidd" dros beint. Doedd gen i fawr o awydd dechrau sgwrs efo nhw. Be' fyswn i'n ddeud? "Helo, dwi ar fy ffordd rownd y byd"? Mi fysan nhw'n meddwl 'mod i'n hurt bost – neu'n ddynes amheus ei moesau yn trio'i lwc yn Llanymddyfri. A does 'na'm pwynt ffonio neb achos does 'na'm byd i'w ddeud eto. Dwi wedi gwylio rhyfel Irac ar y bocs a rŵan dwi'n mynd i 'ngwely. Mae'n rhy hwyr i mi boeni os ydw i wedi pacio bob dim. Mae'n rhaid 'mod i, achos mae'r cês 'na'n pwyso tunnell. Y cês mae Dad yn ei ddefnyddio i fynd ar dripiau'r côr i Awstralia ydi o; homar o beth fyddai'n haws ei reoli tase'r olwyn heb ddisgyn i ffwrdd. Gobeithio bydd 'na le iddo fo yn y car.
Es i'n reit emosiynol wrth fynd dros Fwlch yr Oerddrws ar y ffordd yma. Roedd pob man yn edrych yn fendigedig yn yr heulwen, canghennau coed moel a'u nythod brain yn sefyll allan yn ddramatig yn erbyn yr awyr digwmwl, a'r mynyddoedd bron fel petaen nhw'n fy ngwatwar: "Yli braf ydi hi yma! Weli di fyth unrhyw le fedar gymharu efo fan 'ma. Be' sy ar dy ben di'n ein gadael ni, y lemon gwirion?"
Yr ysfa am antur, beryg, y sialens. A'r ffaith 'mod i'n cael mynd rownd y byd – a chael fy nhalu am wneud hynny! Wnes i 'rioed feddwl y byddwn i, o bawb, yn cael y fath gyfle. Genod bach tenau yn eu hugeiniau cynnar sy'n cael gwneud pethau fel 'ma, does bosib, nid rhyw glompen flêr yn ei phedwardegau fel fi.
Dwi'n nerfus braidd. A bod yn onest, dwi'n cachu plancia'. Dwi'm wedi cael llawer o brofiad teledu. Be' os bydda i'n methu cofio be' dwi isio'i ddeud? Be' os bydda i'n blydi anobeithiol?
Digon o hynna. Fyddi di'n iawn, hogan. Cer i gysgu.

Dydd Llun 7 Ebrill 2003

Roedd y lleill i fod i gyrraedd am 10 bore 'ma. Ho ho. Doedd 'na'm golwg ohonyn nhw. Ond don i'm yn poeni, ron i'n newid ac ailnewid fy meddwl ynglŷn â be' i'w wisgo o hyd, ac ron i'n gorfod gwisgo colur, wrth gwrs. Wel, doedd 'na neb wedi deud wrtha i 'mod i'n gorfod, ond mae pobl wastad yn taenu'r slap ymlaen ar y teli, tydyn? Ac mae gen i bloryn yn codi ar fy nhrwyn. *Typical...*

Mi gyrhaeddon nhw toc wedi 11 – wedi cael trafferth ffitio pob dim i mewn i'r ceir. Y-o... Gawson nhw haint pan welson nhw faint fy nghês i. Ond dwi angen dillad glân fwy na nhw, tydw? A haearn smwddio – a sychwr gwallt! Ond mae pob dim i mewn rŵan. Mae'r gêr ffilmio i gyd yn Mondeo mawr yr hogia', sef Richard, sy'n ddyn camera ar y daith yn ogystal â chynhyrchydd ar y gyfres, a Jonathan, sy'n gofalu am yr ochr sain a gwneud rhywfaint o ffilmio. Mae'r bagiau i gyd yn Fusion bach Sioned, y cyfarwyddwr, a fi – jest. Er mwyn ffitio'r cwbl i mewn, dydan ni ddim yn gallu gwthio seddi'r blaen yn ôl rhyw lawer, a does 'na'r un ohonon ni'n gorrach, felly 'chydig yn gyfyng ydi hi ar y coesau. Mae'r ffaith ein bod ni'n stopio'n aml i ffilmio yn fendith.

Ond wedi ffilmio trwy'r dydd, rydan ni wedi cyrraedd Aberhonddu, a fan 'ma 'dan ni'n aros heno, mewn lle clyd iawn o'r enw The Coach House. Cawson ni baned o groeso'n syth, a chacen gri a bara brith efo darn o bapur yn egluro be' oedden nhw yn Saesneg. Syniad da. Rhyfedd fel mae rhywun yn gorfod mynd i ardaloedd mwy Seisnig Cymru i weld twristiaid yn cael eu haddysgu ynglŷn â'n harferion ni.

Ond dwi'n dysgu tipyn am Gymru hefyd o ran hynny. Don i'n gwybod dim am Llywelyn ap Gruffydd Fychan nes i mi weld y gofeb iddo fo wrth ymyl adfeilion y castell ger y maes parcio. Fo oedd y *Braveheart* Cymreig mae'n debyg; y gŵr lwyddodd i arwain Harri IV ar ras wyllt o gwmpas mynyddoedd Sir Gâr er mwyn rhoi cyfle i Owain Glyndŵr a'i fyddin ddianc. Ond yn 1401, mi gafodd ei ddal a'i ladd mewn ffordd ffiaidd: mi dynnon nhw ei du mewn o allan a rhwygo'i gorff yn bedwar darn, wedyn mi anfonodd Harri IV ei weddillion wedi eu halltu i drefi eraill yng Nghymru fel rhybudd o'r hyn fyddai'n digwydd i unrhyw un oedd yn cefnogi Glyndŵr. Mae'n gofeb wironeddol effeithiol, tipyn smartiach na'r un bathetig i Owain Glyndŵr yng Nghorwen. Mi fues i'n beirniadu stwff dysgwyr 'Steddfod Meifod cyn swper, ac mi fyddai'n well tasen i wedi cadw at y dysgwyr yn hytrach na'r swper. Mi gawson ni fwyd mewn lle Eidalaidd neis iawn ond mi wnes i gamgymeriad yn dewis y pasta efo'r caws *Gorgonzola*. Dwi'm yn teimlo'n dda iawn. Mi ddylwn i fod wedi cofio nad ydi *Gorgonzola* a finna'n dallt ein gilydd. Dwi'n ei hoffi o'n arw, ond dydi o ddim yn fy hoffi i.

Dydd Mawrth 8 Ebrill 2003

Bu fy stumog yn perfformio'r **Ride of the Valkyries** trwy'r nos, a'r lle chwech yn fflysio ar yr awr, bob awr, trwy'r nos, felly ches i fawr o gwsg. Na'r creadur druan oedd yn y llofft uwch fy mhen i. Dwi'n edrych a theimlo fel brych. Mae'n fore braf ond yn oer, ac mi rewodd popeth yn gorn dros nos, felly dwi'n poeni am fy nghactus yn Rhydymain. A'r fuschias. Mi wnes i golli wy 'di ferwi dros fy nghrys amser brecwast. Lwcus mai un du oedd o, achos ron i'n gorfod gwisgo'r union grys hwnnw y diwrnod hwnnw, oherwydd yr hyn maen nhw'n ei alw'n "ddilyniant" (y busnes edrych 'run fath mewn golygfeydd penodol). Mae'n rhaid i mi ddysgu bwyta'n daclusach. Ond dwi wedi cael ordors i beidio gwisgo du eto beth bynnag. O, wel, dyna hi wedi ta-ta ar drio edrych yn deneuach nag ydw i.

Mi fyddwn ni wedi teithio 16,173 o filltiroedd rownd y byd erbyn diwedd y ffilmio, ond dydi hynna ddim yn cynnwys yr holl weithiau dwi'n gyrru'n ôl a 'mlaen ar fy mhen fy hun er mwyn i'r lleill fy ffilmio i'n pasio arwyddion, mynd trwy drefi a phentrefi bach difyr, a hynny drosodd a throsodd, am fod 'na lorri wedi 'nghuddio i ar y funud ola', neu am 'mod i wedi mynd heibio'n rhy gyflym/araf. Mi fydda i wedi gwneud mwy o filltiroedd na neb!

Mi fuon ni yn y Gelli Gandryll heddiw - rhywle sydd wrth fy modd i go iawn oherwydd yr holl siopau llyfrau, ond y tro yma, ges i weld pethau nad on i erioed wedi eu gweld o'r blaen. Mi ges i fynd i stafelloedd ucha'r castell er mwyn cael siot uchel o'r dref, ond er cystal yr olygfa trwy'r ffenest, roedd fy llygaid i fel soseri oherwydd cynnwys y stafell, sef llond gwlad o lyfrau, wel, "amheus" fyddai'n ddisgrifiad teg. Rhai'n "artistig", mae'n siŵr, ond sawl un yn bornograffi llwyr. Mae 'na nifer o bobl yn casglu llyfrau fel 'na mae'n debyg. Ia, mae "*I'm a collector*" yn swnio'n fwy parchus, tydi?

Ond mae 'na fwy i'r Gelli na llyfrau. Gawson ni amser difyr iawn, llawer mwy difyr nag on i wedi'i ddisgwyl a bod yn onest, yng nghwmni Georgina "Galwch fi'n George" Able a'i siop tai doli, a'r clwb o bobl sydd i gyd fel hi, wedi mopio'n rhacs ar dai bychain fel 'na. Roedd y manylder yn anhygoel, a chan fod prynu dodrefn a dillad bychain, bach mor ddrud, roedden nhw'n dysgu ei gilydd sut i wneud eu stwff eu hunain. Roedden nhw'n gwau dillad efo prennau coctêl, yn gwneud gwrychoedd a gerddi efo gwymon wedi'i sychu; a 'dach chi'n gwybod y pethau bach plastig dal menyn 'na dach chi'n eu cael mewn tai bwyta? Efo 'chydig o baent du, maen nhw'n gwneud barbeciws gwerth chweil! A myn coblyn, ron i'n nabod un o aelodau'r clwb: Eirian o Sir Fôn, arferai ddysgu efo 'nghyfnither yn Nhywyn. Ydi, mae'r byd 'ma'n fach, ond heno, a finnau â dros 16,000 milltir yn dal o 'mlaen i, mae'n teimlo'n anferth.

"Georgina "Galwch fi'n George" Able a'i siop tai doli...
wedi mopio'n rhacs ar dai bychain fel 'na." (t.4)

Dydd Mercher 9 Ebrill 2003

Dwi'n cyfarfod cymeriadau a hanner ar y daith 'ma; pobl fel Kevin Minchew sy'n gwneud seidar jest y tu allan i Tewkesbury. Gwas sifil oedd o, cyn penderfynu fod yr hen grefft o wneud seidar a *perry* (alcohol wedi ei wneud o ellyg) yn diflannu o'r ardal. Un neu ddau o siediau bach di-nod sydd ganddo fo, a'r berllan fach leia 'rioed, ond mae'n llwyddo i wneud bywoliaeth ac mae o wedi ennill llwyth o wobrau bellach. Ges i flas ar ambell botel, ac roedd o'n wirioneddol neis. Cryf, ond neis, yn enwedig y *perry*. Mae Kevin yn byw efo'i fam mewn bwthyn bach del sy'n flodau i gyd, ac mae'r tŷ bach y tu allan; neu'r *Thunderbox* fel roedd o'n ei alw. Bechod nad oedd hi'n dymor afalau tra oedden ni yno. Roedd popeth, y teclyn pren i wasgu'r ffrwythau'n slwtsh, y *stills* a'r poteli gweigion yn llychlyd a disymud. Ond mi wnes i wir fwynhau ei gwmni o – a'r *perry*. Mi brynais i botel ar gyfer yr adegau hynny pan fydda i ei angen. Rydan ni'n aros yn y Manor House Hotel yn Moreton in Marsh heno. Lle crand ofnadwy ydi hwn – ond od. Mae'r staff (sydd i gyd â gwallt melyn ac yn dod o Dde Affrica) yn honni mai yn stafell Sioned a finna mae ysbryd Dame Creswycke, y cyn-berchennog, yn crwydro ganol nos. Ond welais i 'rioed stafell llai sbŵci yn fy myw, a phan fuon ni'n trafod efo aelod arall o'r staff am yr ysbryd, *"Oh yes, she's in Room 8,"* medda fo. Ond

Stafell 16 ydan ni. Dwi'n meddwl fod rhywun pwysicach na ni wedi bwcio Stafell 8 a'u bod nhw'n trio'n twyllo ni. Ond beryg mai stori handi ar gyfer twristiaid dwl ydi hi'n y lle cynta.

Mae rhyfel Irac drosodd yn ôl y newyddion. Ond mae'n anodd deud. Mae'n debyg fod Saddam a'i *henchmen* wedi eu lladd gan fom neithiwr – ond does 'na ddim prawf o hynny hyd y gwela i.

"Ges i flas ar ambell botel, ac roedd o'n wirioneddol neis... yn enwedig y perry." (t.5)

Dydd Iau 10 Ebrill 2003

Bletchley Park heddiw, safle hynod bwysig yn ystod yr Ail Ryfel Byd, fu'n gyfrinachol tan y 1970au. Doedd gen i fawr o ddiddordeb yn yr hanes cyn mynd yno a bod yn onest, ond roedd Richard yn gorlifo efo brwdfrydedd, a do, mi ges i agoriad llygad. Os gwelsoch chi'r ffilm **Enigma**, byddwch chi'n gwybod yr hanes, ond rhag ofn na welsoch chi hi, dyma'r stori'n fras: Roedd yr Almaenwyr yn defnyddio peiriannau o'r enw *Enigma* i yrru negeseuon mewn côd, ac roedd Prydain ar dân eisiau torri'r côd hwnnw, ond yn gyntaf, rhaid oedd cael gafael ar un o'r peiriannau 'ma. Mentrodd tri o filwyr Prydain eu bywydau trwy nofio i mewn i un o longau tanddwr yr Almaenwyr a chipio un o'r peiriannau cyn i'r llong suddo. Ond dim ond un lwyddodd i ddod oddi yno'n fyw, sef Tommy Brown, a dim ond 16 oed oedd o ar y pryd. Roedd o'n arwr, ond mi fu'r creadur bach farw ei hun ychydig flynyddoedd wedyn, mewn tân yn ei gartref. Beth bynnag, wedi cael gafael ar y peiriant, roedd yn rhaid ceisio torri'r côd. Roedd y Llywodraeth eisoes wedi sefydlu Station X yn Bletchley Park, lle roedd pobl glyfra'r wlad, yn fathemategwyr, academyddion, arbenigwyr gwyddbwyll a chroeseiriau wedi cael eu hel i weithio'n gyfrinachol. Yn eu mysg roedd Alan Turing, y dyn ddyfeisiodd y cyfrifiadur cyntaf, ac Ian Fleming, awdur llyfrau James Bond. Mi fuon nhw'n gweithio'n galed i geisio torri côd yr enigma, a phan 'dach chi'n ystyried fod 'na 158 miliwn miliwn o bosibiliadau, mae'n anodd meddwl lle oedd dechrau. Dyna pryd ddyfeisiodd Alan Turing y *Bombe* – peiriant electro-fecanyddol arweiniodd at *Clossus*, y cyfrifiadur cyntaf erioed – oedd yn gallu torri'r posibiliadau i lawr i filiwn.

Ond merch ifanc o'r enw Mavis a lwyddodd i weithio allan y neges gyntaf. Un o griw oedd yn gallu siarad Almaeneg oedd Mavis, yn gweithio efo prennau mesur bychain â llythrennau arnyn nhw, yn eu symud i fyny ac i lawr trwy'r dydd, bob dydd, nes oedden nhw'n gallu gweld gair dealladwy. Mae hi'n dal yn fyw heddiw, ac mi fuaswn i wedi bod wrth fy modd yn gallu sgwrsio efo hi, ond doedd na'm amser. O, wel.

Mi ges i 'nhywys o gwmpas gan Frank Carter, dyn ofnadwy o glên a gwybodus, ac mi ddangosodd i mi sut roedd y peiriant *Enigma'*n gweithio. Roedd o'n edrych fel cyfuniad o hen gyfrifiadur a thil siop (y peiriant, nid Frank) ac roedd o'n syml ond yn gymhleth ar yr un pryd. Ydi hynna'n gwneud synnwyr? Beth bynnag, mae 'na fynd mawr ar hen beiriannau *Enigma* rwan, ac mi ges fy nghyflwyno i ambell un o'r *cranks* (disgrifiad Frank) sy'n talu prisiau anhygoel amdanyn nhw. Mi ges i 'nghornelu gan un oedd yn ysu am ddangos ei *Enigma* diweddara i'r byd a'i frawd, ond er bod fy niwrnod yn Bletchley wedi bod yn rhyfeddol o ddiddorol, doedd gen i'm cymaint o ddiddordeb â hynna. Mi lwyddais i ddianc i'r siop, sy'n llawn stwff Station X, yn llyfrau, ffilmiau, gêmau, mygiau, beiros a llieiniau sychu llestri efo *Enigma* drostyn nhw i gyd. Mi brynodd Richard hanner y siop.

Dydd Gwener 11 Ebrill 2003

Heddiw rydan ni yn Letchworth Garden City, sef y 'dref arddwriaethol' gyntaf, mae'n debyg, a gafodd ei sefydlu yn 1903. Does 'na'm dwywaith nad oedd o'n syniad gwych, gofalu fod 'na ddigonedd o goediach a gwyrddni ar hyd y lle, a bod gan bob tŷ ei ardd ei hun. Y gobaith oedd creu'r dref berffaith; pawb yn iach a hapus, heb deimlo unrhyw fath o annhegwch cymdeithasol am fod y meistri a'r gweithwyr yn byw lled gardd oddi wrth ei gilydd. Ond nath hynny ddim gweithio, meddai un ddynes wrtha i. Roedd y *pecking order* yn bodoli er gwaetha popeth. Mae hynny i'w ddisgwyl, tydi? Mae unrhyw un sydd wedi cael ei wneud yn un o'r bosys ar ôl bod yn un o'r gweithwyr yn teimlo'r peth yn syth. Dydi'r 'hogia' jest ddim yn eich trin chi'r un fath – rydach chi'n un ohonyn 'nhw' bellach. Heddiw, mae 'na ran fawr o'r dref yn strydoedd llydan, braf, yn goed i gyd, efo tai *detached* smart iawn yr olwg. Roedd un stryd o'r enw *Broadway* yn arbennig o smart.

"Tua faint fyddai gwerth y tai yma rŵan?" gofynnais. "Rhyw filiwn yr un?" "Naci, agosach at ryw £3-4 miliwn," oedd yr ateb. Mae'n debyg fod y lle yn prysur droi i fod fel pob tre arall sydd o fewn cyrraedd Llundain. Mae prisiau'r tai yn codi'n hurt, pobl ddiarth yn symud i mewn a chymeriad y dre yn newid yn llwyr. "Pobl fohemaidd, ecsentrig oedd yn byw yma erioed," meddai un ddynes wrtha i. "Rebeliaid eu cyfnod oedden nhw; mi fyddai pobl o drefi eraill yn heidio yma mewn bysus i weld pobl od Letchworth yn crwydro'r strydoedd heb fenig a hetiau. Ond mae'r hen gymeriadau yn marw allan, a phawb yn *clones* o bawb arall rŵan." Un o'r cymeriadau mwya difyr i mi eu cyfarfod yn Letchworth oedd Terry Gray, sy'n edrych ar ôl hen ffatri Spirella rwan, ond oedd yn arfer bod yn is-olygydd y **Times**. "Ron i'n casau'r lle!" meddai. Doedd o ddim yn or-hoff o'i fos, Rupert Murdoch, ac mi adroddodd hanes hwnnw'n rhoi'r sac i un boi am besychu. "Roedd y creadur wedi cael ffit o besychu mewn cyfarfod," meddai, "ac mi ofynnodd am gael gadael y stafell, ond mi nath Murdoch wrthod. Mi fu'r creadur yn dioddef trwy'r cyfarfod cyfan, ac ar ei ddiwedd o, mi sgwennodd Murdoch siec am £10,000 iddo fo, a deud *"You're fired."* Ond y pesychwr oedd yn gwenu yn y diwedd – mi gafodd swydd ar y **Guardian** y dydd Llun canlynol!"

Dydi ffatri Spirella ddim yn gwneud staesiau mwyach, mae'r gofyn amdanyn nhw wedi mynd, a merched yn fodlon gadael i bob dim hongian allan. A da o beth ydi hynny. Doedd gwasgu'ch hun i mewn i bethau fel 'na ddim yn iach, does bosib, dim mwy nag oedd rhwymo traed merched bach Tseina mewn bandejus. Y pethau rydan ni ferched wedi eu gwneud i ni'n hunain, ac i'n gilydd, dros y blynyddoedd er mwyn harddwch... Ta waeth, swyddfeydd crand yn llawn o'r dechnoleg ddiweddara sydd wedi cymryd lle'r staesiau. Mae'r rheiny bellach wedi eu cloi yn warws yr amgueddfa, ac ron i'n gorfod gwisgo menig bach gwynion er mwyn eu cyffwrdd. Bobol, roedden nhw'n bethau diolwg, a dwi'n hynod, hynod falch na fu raid i mi erioed wisgo'r fath ddrychiolaeth, yn enwedig mewn pinc lliw samwn.

Mae Letchworth yn dre od iawn; yn gymysgedd o bobl hyfryd, fohemaidd; gwiwerod duon (sy'n wirioneddol ddu, nid jest yn wiwerod llwyd budron) – a iobs. Roedd ein gwesty ni'n afiach, yn drewi o fresych, cwrw a stwmps sigarèts, ac roedd 'na gopi annifyr iawn o'r cylchgrawn **Mayfair** yn fy wardrob i. I feddwl nad oedd tafarndai yma o gwbl tan y 1960au (roedd hi'n dref ddi-alcohol llwyr tan hynny), mae pethau wedi newid yn arw. Ches i fawr o gwsg am fod 'na lanciau chwil ulw yn cadw twrw yn y stryd y tu allan trwy'r nos, a phan es i am dro cyn swper, don i ddim yn gyfforddus iawn oherwydd yr holl griwiau o iobs swnllyd, bygythiol yr olwg oedd ar hyd y lle. Na, dwi'm yn meddwl y dof fi'n ôl i fama eto.

Dydd Sadwrn 12 Ebrill 2003

Mi gafodd Sioned a finna gamddealltwriaeth ieithyddol ar y landin bore 'ma. "Pryd mae brecwast?" gofynnais. "Naw," meddai hi. "O, grêt," medda fi, "a finna'n meddwl mai am wyth fysa fo." Edrychodd yn rhyfedd arna i. "Wyth yw hi," meddai. Y? Edrychais yn rhyfedd arni hithau. "Dwi'n gwbod hynny," dywedais yn araf, "a 'di brecwast ddim am awr arall." "Nagyw, mae brecwast NAWR!" O...

Roedd y daith i Felixstowe yn un hir, ddiflas, a doedd yr olwg gynta o'r dre ddim yn rhyw ffafriol iawn: pier cronclyd, arwyddion *Bingo* melyn a choch ar hyd y lle, stondinau cŵn poeth a byrgyrs a chant a mil o hen bobl yn eistedd ar feinciau a golwg ddigon digalon arnyn nhw. Ond fel yr aeth y diwrnod yn ei flaen, mi ddois i'n eitha hoff o'r lle: y plentyn yn taflu cerrig i'r môr, drosodd a throsodd am oriau, a'i fam jest â chysgu; y dyn yn paentio ei gwt traeth yn las golau gofalus yn barod am yr haf; y rhesi o gytiau traeth amryliw ar hyd y traeth; y bwydlenni lliwgar efo wyau wedi'u piclo a phys slwtsh. A Gypsy Margo. Mi es i at y ddynes dal, Bet Lynch-aidd efo'r syniad y gallai hi ddeud fy ffortiwn ar fy nhaith o amgylch y byd.

"*No. Don't want anything to do with television – no camera, nothing. It's unlucky, see.*" Digon teg, ond es i'n ôl ati nes ymlaen ar ôl gorffen ffilmio, i ofyn iddi ddarllen fy llaw beth bynnag, heb gamera, dim byd. Na, sori, dim peryg. Ond mi ddymunodd yn dda i mi ar y daith " *– and what part of Scotland are you from?*"

Mae porthladd Felixstowe yn anferth, a'r llongau sy'n angori yno bron yr un mor frawychus o fawr. Dwi'n dal ddim cweit yn deall yr apêl, ond mae 'na bobl sy'n treulio'u dyddiau yn gwylio'r llongau, yn nodi eu henwau, amseroedd cyrraedd a gadael, yn union fel gwylwyr trên. Mi ges i gyfarfod tri ohonyn nhw: Peter, Brian ac Eddie – a Sam, yr hogan ifanc sy'n cadw'r stondin byrgyrs sy'n eu cadw i fynd. Roedden nhw'n ddynion annwyl tu hwnt, a'r tri ohonyn nhw'n f'atgoffa braidd o gymeriadau **Last of the Summer Wine**. "Pam 'dach chi'n gneud hyn?" gofynnais. "*Because there's nowt else to do in Felixstowe...*" Rydan ni'n aros yn Harwich heno, ac mae'r gwesty 'ma'n gwasgu pobl i mewn fel sardîns. Mae Sioned druan wedi cael y llofft lleia'n y byd, efo un o'r pethau plastig 'ma yn y wal, sy'n doilet a chawod a bob dim: os ydi hi'n eistedd ar y lle chwech, mae ei gên dros y sinc a'i thraed yn y gawod. A dydi'r lle ddim yn rhad! Dwi'n amau'n fawr a welwn ni westy cweit mor farus â hwn ar y cyfandir.

Llun: Richard Rees

"*Because there's nowt else to do in Felixstowe...*" (t.9)

Dydd Sul 13 Ebrill 2003

Mae 'na lwyth o hen oleudai yn Harwich, rhai'n gwneud affliw o ddim heblaw bod yn addurniadol, a rhai yn amgueddfeydd. Es i i weld yr un ucha (pum llawr, 90 troedfedd), o'r enw **High Lighthouse** (pwy fysa'n meddwl?), amgueddfa breifat sy'n edrych yn ôl ar hanes radio a theledu, efo cyfnod gwahanol ar bob llawr. Tony O'Neill sy'n rhedeg y lle, cyn aelod o'r **Bo Diddly Diddly and the Onion Band**, a stwff Gwyddelig roedden nhw'n ei chwarae mae'n debyg. Byddai ei dad yn gweithio efo radar felly roedd 'na radios dros y tŷ i gyd pan oedd o'n blentyn, ac o fan 'no y daeth y diddordeb: "*But I'm an enthusiast, not an anorak.*"

Mi wnes i gymryd at Tony; roedd o yn ei bedwardegau hwyr ddywedwn i, a golwg smociwr trwm arno fo, efo croen oedd bron yn felyn, ond mae'n debyg ei fod o newydd roi'r gorau iddi ers deufis. Roedd o'n eitha tebyg i sipsi hefyd, efo'i fwstas a'i wallt tywyll a'r cylch arian yn ei glust. Roedd o wedi treulio tair blynedd yn ail-wneud y goleudy yn yr amgueddfa, ac yn byrlymu efo hanes y lle. Mi fu'n dŷ cyngor am gyfnod, a bu cwpl heb blant yn magu twr o blant maeth yno. Mae'n rhaid ei fod o'n lle bendigedig i gael eich magu, ac mi fyddech chi'n ffit os dim byd arall. Roedd y grisiau 'na'n lladdfa.

Rhywun arall fu'n byw yno oedd putain o'r enw *Lighthouse Lil*. Vera oedd ei henw iawn, ac er ei bod hi wedi marw ers dwy flynedd, a hynny heb deulu, doedd Tony'n dal ddim isio sôn amdani ar y teledu am fod ganddo ormod o barch ati. Chwarae teg iddo fo – a dyma fi'n difetha'r cwbl drwy sôn amdani yn y llyfr 'ma. Mi fyddai'n cerdded heibio'n aml wrth fynd â'i chi am dro, medda fo, ffag yn ei cheg a'i gwallt hir, gwyllt yn chwifio yn y gwynt. Mi fyddai o wastad yn ei gwahodd i ddod i mewn i gael gweld sut roedd y lle wedi newid, ond na, "Gormod o atgofion," meddai Vera bob tro, gan godi llaw a cherdded heibio.

Mi gawson ni fynd i'r hen gaer Napoleonaidd efo gŵr lleol o'r enw Bernie Saddler, ac roedd y lle'n llawn o wirfoddolwyr oedd yn brysur atgyweirio'r lle. "Maen nhw'n dod yma bob dydd, ym mhob tywydd," medai Bernie. Mi wnes i ddigwydd sôn mai mewnfudwyr sy'n tueddu i wneud pethau felly yng Nghymru, ac mai ychydig iawn o bobl leol sydd â digon o ddiddordeb yn eu hanes eu hunain. Wedi pendroni 'chydig, "Mae'r un peth yn wir rownd ffor' 'ma, erbyn meddwl," meddai. "Wedi symud i mewn mae pob un o'r rhain." Tydi o'n drist mai dim ond pobl o'r tu allan sy'n gweld gwerth hen adeiladau? A threnau bach stêm? A hen goedwigoedd? Mi allwn i fynd 'mlaen a 'mlaen...

Rydan ni'n dal y fferi i'r Iseldiroedd heno, ac mi fyddwn ni'n cyrraedd am bum munud i hanner nos. Mi fydd gyrru ar yr ochr dde yn y tywyllwch yn hwyl...

Dydd Llun Ebrill 14 2003

Roedd cyrraedd y gwesty yn hwyl garw. Ni'r genod oedd yn arwain – fel arfer. Er mai'r hogia oedd wastad ar flaen y gad ar ddechrau'r daith, maen nhw wedi bod yn tueddu i fynd ar goll, a gan eu bod nhw'n rêl dynion, wnân nhw ddim cyfadde hynny, dim ond gadael i Sioned a finna fynd ar y blaen heb i neb ddeud dim. Rydan ni'n tueddu i gael gwell hwyl arni.

Ta waeth, tro Sioned oedd hi i yrru tro 'ma, a finna'n ceisio darllen y map. Rŵan, nid gorliwiad ydi deud bod Sioned yn yrrwraig ofalus. Mae hi'n ofnadwy, ofnadwy o ofalus – ond dwi'm yn siŵr pa mor werthfawrogol o hynny oedd y ciw hirfaith y tu ôl i ni yr holl ffordd o'r fferi i Scheveningen. Ond ar y *drumpels* oedd y bai. Twmpathau tawelu traffig ydi'r rheiny (dwi newydd ffonio Adran Priffyrdd Cyngor Gwynedd i gael gwybod be' ydi'r term Cymraeg swyddogol. Tydi o'n enw gwych?) sef y lympiau camelaidd 'na yn y ffordd sydd i fod i wneud i chi arafu. Ond gan fod Sioned yn mynd yn hynod araf fel oedd hi, dwi'm yn siŵr a oedd angen iddi stopio cyn bob un wan jac ohonyn nhw, cyn dringo drostyn nhw'n ara bach yn y gêr cyntaf. Ron i'n dechrau gweld y peth yn hynod ddigri a bod yn onest, a phob arwydd: 'LET OP! DRUMPEL!' yn gwneud i mi gael y gigls mwya ofnadwy. "Watsia dy hun, Sioned. *Drumpel* arall." Roedd Sioned druan

wedi cael ei thrwmpeleiddio'n llwyr erbyn y diwedd.
Roedd cadw ar ochr dde'r ffordd yn rheswm arall dros yrru mor araf, wrth gwrs. Roedd y cylchfannau'n iawn, ond doedd y croesffyrdd anferthol, cymhleth, aml-lwybrog ddim mor amlwg, yn enwedig os oedden ni eisiau troi i'r chwith. Roedd 'na lwybrau tram ar ganol bob un, ac roedd hi'n anodd deud pa lwybr i'w gymryd. Tase 'na geir o'n blaenau ni, mi fyddai'n haws wrth gwrs, ond roedd pob un cerbyd posib y tu ôl i ni! Roedden ni'n chwysu braidd erbyn hyn. Mi drodd Sioned i'r chwith yn y diwedd, a chadw ar y llwybr ar y chwith.
"Ym... ydi hon yn ffordd ddeuol?" holais yn betrusgar. Nac oedd, doedd hi ddim. Mi lwyddodd Sioned i symud i'r dde – jest cyn y wal oedd yn rhannu'r ffordd yn ddwy. Ffiw! Roedd gweld arwyddion Scheveningen yn ryddhad mawr, ond doedd ganddon ni ddim clem sut i gyrraedd y gwesty. Mi ffoniais i'r *Badhotel* (o diar...) ar y ffôn symudol. Roedd Saesneg y boi atebodd yn o lew ond ddim yn wych, a doedd ganddo fo na ni ddim clem lle roedden ni. "Dilynwch y *tramlines*," meddai. "Ia, ond pa ffordd? I fyny ta lawr?" gofynnais. "Dibynnu lle 'dach chi." "'Dan ni'm yn gwbod!"
Trwy ryw wyrth, mi gyrhaeddon ni'r gwesty erbyn un y bore, ac ar ôl gwagio'r ceir i gyd, mi gyrhaeddon ni'n gwelyau yn agosach at ddau. Mi wnes i ddeffro am bedwar, roedd y golau, y teledu, popeth yn dal ymlaen...
Er gwaetha'r enw, dydi'r *Badhotel* ddim yn ddrwg o gwbl. A deud y gwir, mae'n hyfryd. Ches i 'rioed wely mor anferthol yn fy myw. Mae'r bwrdd twristiaeth lleol yn talu i ni aros yma am bedair noson, chwarae teg iddyn nhw. A dyna weld gwahaniaeth rhyngom ni a nhw yn syth. Chawson ni nunlle am ddim yng Nghymru na Lloegr.
Doedden ni ddim yn gorfod ffilmio heddiw, diwrnod rhydd! Iechyd, roedd hi'n braf gallu codi'n hamddenol a pheidio gorfod meddwl. Diwrnod o ddilyn fy nhrwyn oedd hi, ac mi gafodd fy ffroenau (a fy stumog) wledd yn y bwffe brecwast; roedd popeth dan haul ar gael yno, yn ugain math o fara gwahanol, ffrwythau ecsotig a iogwrts a chigiach yn cynnwys rhyw fath o gig moch tenau efo tsilis ynddo fo. Mi ddeffrais i wedyn, myn coblyn. Roedd yr amrywiaeth o de ymysg y gorau i mi ei weld erioed hefyd. Te sinamon ges i'n y diwedd, ac roedd o'n hyfryd. Pam fod y pethau 'ma wastad yn blasu'n well pan 'dach chi dramor? Os bydda i'n yfed te od adre, dydi o ddim hanner cystal. Ydi'r dŵr yn wahanol neu rwbath? Neu jest y ffaith eich bod chi oddi cartre sy'n eich gwneud yn fwy parod i flasu pethau gwahanol? Ta waeth, mi wirionais i ar y bara melys efo afalau yn y toes hefyd. Dwi'n teimlo fod fy sgert yn dynnach yn barod. Mi fydda i fel hocsied erbyn diwedd y daith 'ma os na watsia i.
Mi benderfynais i olchi fy nillad budron wedyn, a defnyddio *laundry service* gwesty am y tro cynta yn fy myw. Ond mi ges i ffit pan welais i'r prisiau: £1.75 am olchi nicar! A £1.00 am bob pâr o sanau! Er nad y fi

fyddai'n talu, ron i'n gweld hynny'n hurt, felly mi olchais fy nillad isa yn y sinc. Fydda i byth yn mynd i nunlle heb fy **Travel Wash**. Mae Sioned wedi dal y trên i Utrecht i weld ei ffrind, Heulwen, sy'n byw yno; mae Richard wedi mynd i grwydro ac mae Jonathan yn cysgu. Es i am dro ar hyd y traeth.

Tref glan môr Blackpool-aidd ydi Scheveningen, a dim ond yr Iseldirwyr sy'n gallu ynganu'r enw'n iawn – rhywbeth fel Shrchreveningen, ac mae'n debyg fod modd deud pwy oedd yr ysbïwyr Almaeneg yn ystod yr Ail Ryfel Byd dim ond wrth ofyn iddyn nhw ynganu'r enw.

Mae'n debyg mai dim ond 25 diwrnod heulog y flwyddyn maen nhw'n eu cael yma, ond roedd hi'n fendigedig o braf heddiw. Yn anffodus, mae hi hefyd yn wyntog iawn yma (sy'n egluro'r holl felinau gwynt), felly mae cerdded ar hyd y traeth yn brofiad a hanner, ac yn un eitha pleserus os 'dach chi'n mwynhau sialens, a hanner tunnell o dywod i fyny'ch ffroenau. Ond heddiw, er gwaetha'r elfennau, roedd yr Iseldirwyr yn benderfynol o wneud y gorau ohoni. Chwarae teg, os oeddech chi'n llwyddo i ddod o hyd i gysgod rhag y gwynt yn rhywle, roedd hi'n wirioneddol boeth. Roedd 'na lond gwlad o bobl yn dinoethi - bron yn llythrennol - i dorheulo. A bu bron i mi faglu dros gwpwl ifanc oedd yn gorwedd yn fechdan gnawd yn y tywod, a hwnnw'n chwipio a chwyrlïo drostyn nhw. Ond doedden nhw ddim fel tasen nhw'n poeni. A deud y gwir, roedden nhw fel petaen nhw'n ymgolli fwy-fwy i mewn i'w bechdan. Wedyn es i'n embarasd mod i'n sbïo, ac mi symudais ymlaen reit handi, i ymuno yn y confoi hir o loncwyr, perchnogion cŵn, cyplau canol oed a merched mawr troednoeth yn cario'u Doc Martens anferthol, duon gerfydd eu careiau.

Welais i neb yn mentro i mewn i'r môr. Doedd o ddim yn edrych yn atyniadol iawn, a'r ewyn yr un lliw yn union â'r traeth. Roedd y rhan fwya o bobl yn eistedd yn y caffis awyr agored hanner canllath o'r môr, yn ferched smart ofnadwy efo sbectolau haul drud, a'u hwynebau'n gacen o golur. Cymaint o golur, don i ddim yn gweld pam roedden nhw'n trafferthu i ddal eu hwynebau ar yr ongl yna at yr haul. Beryg i'r stwff doddi, tydi? Ond dyna fo, be' wn i? Dwi'n gwbod affliw o ddim am steil, ac o'r hyn wela i, mae'r Iseldirwyr yn bobl llawn steil. A'r hyn sy'n braf ydi nad ydyn nhw'n cyfyngu eu hunain i ddillad duon fel pawb arall yn Ewrop, maen nhw'n mwynhau lliwiau, ac yn edrych yn ffantastig mewn oren, pinc, melyn a choch. Efallai mai dylanwad y tiwlips ydi o.

Ta waeth, dwi wedi bod yn trio dysgu 'chydig o'r iaith. A 'chydig fydd hi mae arna i ofn. Mae diolch yn ddigon hawdd: '*Dank u wel*' - neu 'danc w fel' i chi a fi. A '*dag*' neu '*dach*' ydi '*helo*' a '*ta-ta*.' Ond mae isio lefel 'A' i ddeud fod rhywbeth yn flasus: '*Het heeft erg gesmaakt*' ydi hwnnw, ac os dwi'n cofio'n iawn, mae o'n swnio rhywbeth fel '*hyt haefft erch chesmeict*'. Ond y ffordd maen nhw'n ei ddeud o, mae o'n dod allan fel '*hythaeffterchchesmeict*'. A hynny ar diwn do-mi-so-doaidd. Mae'n ddigon i wneud i hogan dagu ar ei the rhew (sy'n flasus iawn, iawn yma gyda llaw).

Ron i wedi clywed fod pawb yn yr Iseldiroedd yn siarad Saesneg, ond dydi hynny ddim yn wir, gyfeillion. Iawn, mae pawb sy'n gweithio mewn gwesty neu dŷ bwyta neu sydd dan tua deg ar hugain, yn weddol rhugl, ond does 'na'm dal efo pawb arall - sy'n grêt. Dwi mor falch 'mod i'n byw mewn oes lle nad ydi'r iaith Saesneg wedi cymryd drosodd yn llwyr. Ond wedi deud hynny, ges i dipyn o siom pan es i mewn i siop lyfrau a gweld bod y rhan fwya o'r nofelau yn gyfieithiadau o Loegr a'r Unol Daleithiau. Beryg fod yr Iseldirwyr, fel y Cymry, yn diodde o ddiffyg hunan hyder, sy'n arwain at ddiffyg hyder yn safon eu hawduron eu hunain. Allwch chi enwi awdur o'r Iseldiroedd? Na finna.

Dydd Mawrth 15 Ebrill 2003

Heddiw, mi ddysgais mai dim ond rwtsh ydi'r stori 'na am yr hogyn bach yn achub yr Iseldiroedd rhag cael eu boddi'n llwyr drwy stwffio'i fys i mewn i dwll yn un o'r *dykes*. Stori wneud o'r Unol Daleithiau ydi hi. Realiti'r sefyllfa fel mae hi heddiw ydi bod y wlad yn bendant yn dal mewn peryg o gael ei llyncu gan y môr. Mi fu 'na drychineb yn 1953, pan fu farw 1800 o bobl oherwydd i storm ddod o'r gogledd-orllewin yr un pryd â llanw uchel y gwanwyn. Er mwyn osgoi hyn yn y dyfodol, crewyd y *Nieuwe Waterweg,* sef darn anferthol o beirianwaith sy'n gorwedd yng ngheg yr afon Maas. Mae 'na ddwy fraich enfawr, wen – y ddwy yr un faint â thŵr Eiffel – sy'n cau'n awtomatig os bydd y môr yn cyrraedd lefel arbennig. "Ond pryd mae hynny'n debygol o digwydd mewn gwirionedd?" gofynnais. "Rhyw dro yn ystod y 10,000 mlynedd nesa..."

Aeth Richard a Jonathan yn sownd yn y lifft heno. Ron i'n cerdded ar hyd y cyntedd ar y chweched llawr, pan welais i eu pennau nhw'n bobio i fyny ac i lawr yn y ffenest fechan sgwâr – oedd yr un lefel â fy mhengliniau i. Roedd eu cegau nhw'n mynd fel pysgod aur, bechod. Felly mi wnes i biso chwerthin a rhedeg i nôl fy nghamera. Nid yr ymateb roedden nhw wedi ei ddisgwyl. Ond erbyn i mi gyrraedd yn ôl, roedd y lifft wedi symud, damia.

Roedden ni i gyd yn y lifft eto'n nes ymlaen, pan sylwon ni ar enw gwneuthurwyr y lifft. Schindler. "Ha!" meddai Jonathan, "Schindler's lifft...."

Dwi wedi dysgu mwy o Iseldireg:

super sai - hynod ddiflas
super chwt - hynod dda
art shticke bedankt - diolch yn fawr iawn iawn iawn

"...crewyd y Nieuwe Waterweg, sef darn anferthol o beirianwaith sy'n gorwedd yng ngheg yr afon Maas. Mae 'na ddwy fraich enfawr, wen..." (t.14)

Dydd Mercher 16 Ebrill 2003

Draw i Naaldwijk ddoe, tre fechan sydd reit ar linell ledred 52° ac yn ddigon del, ond dim byd arbennig – heblaw am y biniau sbwriel yn y ganolfan siopa dan do. Mae 'na rywbeth ynddyn nhw sy'n gollwng arogl arbennig wrth i chi basio, sydd i fod i wneud i chi wario mwy yn y siopau: arogl bisgedi, sinamon a ballu dros gyfnod y Nadolig, blodau yn y gwanwyn a chnau coco yn yr haf. Mi fues i â 'nhrwyn reit wrth un o'r biniau, ond waries i'r un geiniog. Ella bod annwyd arna i.

Roedden ni'n ffilmio rhes o hen dai bach del pan ddigwyddodd Richard ddechrau sgwrsio efo dwy hen ddynes ar fainc. Roedd un yn siarad Saesneg rêl boi, ac erbyn deall, mi fu hi'n *nanny* i bobl grand yn Surrey yn ei hieuenctid. "*Wales? Yes, I've been to* Betws y Coed!" meddai. Mi gawson ni wahoddiad i'w thŷ hi a chyfarfod ei pharot: 'Iowdow rhywbeth' oedd ei enw o, ac un digon blydi swnllyd oedd o hefyd. Roedd hithau'n gallu siarad fel pwll y môr, ac mi gawson ni wybod ei bod yn disgwyl i'w mam ("*94 and she's had three heart attacks already*") farw er mwyn iddi hi (a'r parot) gael symud i fyw i Bortiwgal. Roedd Naaldwijk yn rhy oer a gwlyb o beth coblyn iddyn nhw.

Heddiw, mi fuon ni'n yr Hague, neu Den Haag (Haach) i ddefnyddio'r enw cywir. Ron i wedi disgwyl tre fawr hyll, ddiwydiannol am ryw reswm, ond bobol bach, ron i'n anghywir. Mae'n ddinas hardd, grand, ddrud, efo 150 o siopau hen bethau costus. Mae'n debyg bod 'na ddywediad sy'n cymharu tair prif ddinas yr Iseldiroedd: Amsterdam ydi'r ddinas lle 'dach chi'n mynd allan gyda'r nos ac yn gwario'ch pres; Rotterdam ydi'r ddinas lle 'dach chi'n gweithio'n galed a gwneud eich pres, a Den Haag ydi lle 'dach chi'n cysgu.

Ia, mi allai weld pam eu bod nhw'n deud hynna, does 'na neb ar frys garw yma, fawr ddim dynion mewn siwtiau busnes yn rasio heibio â'u ffonau symudol yn sownd wrth eu clustiau na dim byd felly. Ond mae 'na ystyr pellach i'r dywediad gan mai yma mae pencadlys y Llywodraeth.

Roedd canol y dre'n llawn camerâu a newyddiadurwyr heddiw oherwydd cyhoeddi dedfryd y boi gafodd ddeunaw mlynedd o garchar am ladd Pim Fortuyn, y gwleidydd ddaeth o nunlle i fod ar fin cipio canran sylweddol o seddi yn y Senedd yn 2002. Hwn oedd y llofruddiaeth gwleidyddol cyntaf yma ers William o Orange yn 1702, neu felly on i wedi'i ddeall. Ond dwi newydd ddarllen yn rhywle arall mai marw o niwmonia wnaeth o. Dwi wedi drysu braidd.

Mi ges i gwmni Anneke Bruning pnawn 'ma – dynes sy'n tywys ymwelwyr o gwmpas y ddinas bob hyn a hyn. Dwi'm yn meddwl ei bod hi angen y pres rhywsut. Roedd golwg reit ariannog arni: gwallt melyn perffaith heb fod yn rhy felyn, siwt goch, ddrud a dim gormod o fwclis. Roedd hi'n hynod wybodus beth bynnag, yn fy nallu efo hanes a straeon bach difyr, e.e. mae pobl yr Iseldiroedd yn deud bod y Den Haagwyr yn bôsars, a'u bod nhw'n cerdded o gwmpas efo cêsus feiolin – sy'n llawn o datws.

Mae 'na lot i'w weld yn y ddinas hon, ond oherwydd diffyg amser, mi gawson ni'n cyfyngu i ganol y dre yn unig, sy'n ddigon difyr ynddo'i hun. Mae'r canolfannau siopa wedi eu dylunio'n wych, efo darnau ffug o hen adeiladau'r hen dre wedi eu plethu trwy adeiladau mwy modern, a'r cyfan yn edrych mor naturiol.

Am ei bod hi'n ddiwrnod mor boeth, roedd pawb allan ar y terasau yn yr hen ran o'r dre yn syth ar ôl gwaith, yn sipian cwrw (hynod flasus) yn hamddenol yn eu crysau a'u teis. Roedd 'na bishyns yn eu mysg nhw, was bach, ond faint o *bet* na chawn ni eu gweld nhw ar y rhaglen? Dau ddyn sydd y tu ôl i'r camera 'na, a fyddan nhw'm yn sylwi ar y dynion del, dim ond y merched. Dwi wedi trio'u cael nhw i ffilmio ambell ddyn, ond maen nhw'n honni bod hynny'n teimlo'n rhyfedd. Hmm...

Mae 'na steil bendant i'r ddinas, a hynny, o bosib, am mai yma mae'r teulu brenhinol yn byw. Mae'r Frenhines Beatrice yn hynod boblogaidd yma, meddai Anneke, ond dydi'r wasg ddim yn busnesa i mewn i hanes personol y teulu fel maen nhw ym Mhrydain. Ond efallai nad ydi'r rhain mor debyg i opera sebon yn y lle cyntaf. Mi ofynnais i Anneke i enwi Iseldirwyr enwog sy'n dal yn fyw – heblaw am bêldroedwyr. Doedd hi'm yn gallu meddwl am neb heblaw'r teulu brenhinol. Rydan ni'n gwneud reit dda yng Nghymru 'ta, o ran ein sêr rhyngwladol. Dim ond 5 miliwn ohonan ni sydd, a mae 'na bron i 17 miliwn yn fan 'ma. Sy'n f'atgoffa i - maen nhw'n deud bod 'na fwy o feics na phobl yma. Ond sut mae hynny'n gweithio? Oes gan bawb ddau feic yr un neu rywbeth? Neu ydi'r canals yn llawn o feics sydd wedi boddi? Mae 'na lot yn cael eu dwyn mae'n debyg, ond dydyn nhw ddim yn feiciau mynydd drud fel sydd gynnon ni. Mae'r rhan fwya o'r beics 'ma'n rêl croncs; ond dyna fo, prin fod angen cant a mil o gêrs ar gyfer gwlad mor grempogaidd.

Llun: Sioned Eleri Williams

"... yn disgwyl i'w mam farw er mwyn iddi hi (a'r parot) gael symud i fyw i Bortiwgal." (t.15)

Dydd Iau 17 Ebrill 2003

Ffatri llestri Delft heddiw. Dwi'm yn ffan mawr o'r stwff, ond roedd gweld sut maen nhw'n gwneud y cwbl yn eitha difyr. Maen nhw'n gwneud y crochenwaith glas a gwyn yma ers y 1650au, a'r stwff traddodiadol sy'n dal i werthu orau. Mi ges i sgwrs efo Wilma Plaisir a'i mam sy'n gweithio drws nesa i'w gilydd yn paentio platiau ac ati. Mi symudon nhw yma o Dde Affrica un flynedd ar ddeg yn ôl, ac er fod Wilma yn gweithio yma ers tair blynedd a hanner, mae'n cymryd deg mlynedd i fod yn 'feistr baentiwr', mwy na doctor, ond nad ydi'r cyflog cystal. Mae'n dal i gael gwersi nos bob wythnos er mwyn ehangu ei sgiliau.

Mi wnes i ddigwydd sôn wrth ei mam 'mod i wedi synnu gweld a chlywed cymaint o Saesneg yma – hysbysebion a sloganau Saesneg ym mhob man, ac mae hyd yn oed y ffilmiau ar y teledu yn uniaith Saesneg, heb is-deitlau weithiau, a chyflwynwyr teledu yn defnyddio peth wmbreth o Saesneg. Mi ddywedodd nad oedd dylanwad y Saesneg chwarter mor gryf yma ddeg mlynedd yn ôl, a bod hyn wedi digwydd yn ystod y tair blynedd dwytha. Yr hyn sy'n fy synnu i ydi nad oes neb i'w weld yn poeni am y peth. Ond dyna fo, efo 17 miliwn o bobl yn siarad Iseldireg, prin fod yr iaith mewn peryg – eto.

Dydd Gwener Ebrill 18 2003

Anghofia i byth mo Gouda - neu 'Chawda' os am ei ynganu'n iawn - ac mae'r 'aw' yn yr enw yn arwyddocaol iawn. Roedden ni'n aros mewn gwesty eitha plaen; un heb faes parcio - na lifft. Doedd ganddon ni ddim dewis ond parcio sbel i ffwrdd, yr ochr arall i'r afon. Rŵan, am fod ganddon ni gymaint o stwff drud yn y ceir, rydan ni'n eu gwagio nhw, yn cario pob bocs, pob bag (ugain a mwy), bob nos i mewn i'n llofftydd. Ond y tro 'ma, am ein bod ni jest â nogio, mi adawson ni chydig o bethau yn y gist, oedd yn gamgymeriad drud.

Fore heddiw, mi gawson ni frecwast am 7.30, yn barod i gychwyn am 8.15. Am 8.05, aeth Jonathan draw at y car cyn ni. Am 8.12, mi ffoniodd o: "*Holy *@£%!* Maen nhw wedi mynd!" Sef y ceir. Y Mondeo a'r Fusion. Y cwbl oedd ar ôl oedd llond gwlad o wydr a sticer Towy Ford Motors. Aeth Sioned draw at Jonathan i wneud yn siŵr nad oedd o'n drysu, ac aeth Richard at yr heddlu. Ges i ordars i aros lle ron i ac edrych ar ôl y camera. Ho hym. Dim ceir? Ron i'n eu dychmygu nhw'n llosgi'n ulw yn rhywle yn nociau Rotterdam, yn gweld ein hunain yn gorfod dod adre ar y bws bythefnos yn gynnar. A damia, ron i wedi gadael llond rycsac o ddillad tywydd oer yn y gist. O na! Fy nghôt newydd, fy *fleece*, fy het gowboi... Ond roedd Sioned druan wedi gadael ei 'bag bob dim' yn y car, yn llawn dogfennau pwysig.

Yn y cyfamser, roedd Richard yn cael trafferthion efo'r heddlu. Roedd y ferch tu ôl y ddesg yn mynnu ei fod o'n llenwi *damage report*. Yntau'n ceisio esbonio na allai o wneud hynny, gan nad oedd o'n gwybod be' oedd y *damage* eto. Aeth hyn ymlaen a 'mlaen a'r ddau yn dechrau gwylltio efo'i gilydd.

"Sa i'n gallu dweud beth yw'r *damage!*" meddai Richard (eto), "achos sa i'n gwbod lle mae'r ceir!"

"O!" meddai'r ferch ar ôl eiliad o glic, "ganddon <u>ni</u> mae'r ceir..."
Roedden nhw wedi dod o hyd iddyn nhw am ddau y bore, a phump o'r ffenestri'n rhacs. Felly roedden nhw wedi eu cludo nhw i ryw warws pwrpasol. Ffiw. Felly, gyda chymorth dyn lori ludw hynod glên, i fwrdd â ni i achub y ddau gerbyd trist. Roedden ni mor falch o weld llwyth o'n stwff ni'n dal ynddyn nhw - gan gynnwys y *jib* camera drudfawr, a fy nghôt a fy *fleece* i. A'r CDs i gyd. Be'? Lladron ffysi? Ond erbyn gweld, Bryn Fôn oedd ar dop y peil. Ond doedd 'na'm golwg o fag Sioned, na fy rycsac i oedd yn llawn capiau cynnes, menig ac ati, na *charger* fy ffôn symudol, na dillad cynnes Jonathan. Ond wyddoch chi be'? Roedden ni'n gorfod talu ffortiwn i gael y ceir yn ôl. Dwi'n gweld hynna'n system annheg braidd, bron yn amheus. Ta waeth, draw â ni wedyn i le ffenestri ceir lle doedd ganddyn nhw'm ffenestri i ffitio. Dalon ni ffortiwn arall am bethau plastig sy'n methu agor. Dim ond tâp du sy'n eu dal nhw'n sownd, a phan 'dan ni'n mynd dros 50, mae 'na gyfeiliant ychwanegol dijeridŵaidd i'r CDs. Ta waeth, "Rhaid i'r sioe fyned rhagddi!". Felly tra oedd Sioned a Jonathan yn cael trefn ar hynny i gyd, aeth Richard a minnau yn ein blaenau i ffilmio, er nad oedd gynnon ni feicroffon call (oedden, roedd y meics radio yn y gist hefyd). Roedden ni wedi ffonio'r lle wafflau ers ben bore i ddeud be' oedd wedi digwydd ac y bydden ni'n hwyr, ac erbyn hyn roedden ni'n edrych ymlaen at gael wafflen fawr, fflyffi. Ond och a gwae! Nid wafflau felly oedden nhw, ond *stroopwafels*, sy'n debyg i wafflau Tregroes, y rhai fflat sy'n cael eu gwneud yng Ngymru, ac sydd ar werth ym mhob man bellach. Mi wnaethon ni'r eitem beth bynnag, a chael llond plât ohonyn nhw wedyn - i ledddfu'r siom.

Mi fuon ni'n ffilmio eitemau eraill drwy'r dydd, ac mi brynais i *charger* newydd, un llawer gwell na'r un oedd gen i, ac o'r diwedd, tua 6, draw â ni at yr heddlu eto i wneud adroddiad, a myn coblyn i - dyna lle oedd fy rycsac i! Mi wnes i ddawns fach - cyn agor y bag a gweld mai dim ond stwff Sioned oedd ynddo fo. Doedd 'na'm golwg o 'mhethau i. Ac yn waeth byth, roedd cath wedi piso dros y bag. Drewi? Does ganddoch chi'm syniad. Roedd yr heddlu'n falch o gael ei wared o.

Jest fel roedden ni'n gorffen yr adroddiadau, mi ddoth 'na blismon arall i mewn - efo mwy o'n stwff ni, wedi dod o hyd iddyn nhw ryw ddeg munud i ffwrdd mewn car. Bellach, dim ond *charger* y ffôn, sgarff a menig dwi wedi eu colli. Mae Sioned wedi colli £50, Jonathan wedi colli camera a doedd 'na'm golwg o'r meics radio na'r *walkie talkies*. Rydan ni wedi cael rhai newydd erbyn hyn.

Rhaid cyfadde, roedden ni reit falch o adael Gouda. Mae'n dref hyfryd a'r bobl yn annwyl iawn, ond y dwyn fydd yn aros yn fy nghof i mae arna i ofn. Bechod, a finna wedi mwynhau fy mlas cyntaf erioed o faedd gwyllt a'r holl wahanol fathau o gaws Gouda; wedi mwynhau cwmni Maurits Tompot yn Eglwys Sant Janskerk (dydi eglwysi ddim yn fy niddori ryw lawer a bod yn onest, ond roedd Maurits yn gymeriad a hanner, rhywle rhwng escentrig a nytar), ac wedi cael fy nrysu'n lân gan Anke-Thea, un o'n fficsars lleol ni am ei bod hi'n stopio bob munud i dynnu lluniau o hen ddraeniau. Pawb at y peth y bo...

Rydan ni wedi cyrraedd Arnhem rŵan, a gwesty mawr efo maes parcio reit wrth y drws. Dwi newydd orwedd mewn bath o fybls am hir, hir, cyn dringo allan a thaflu'r rycsac i mewn wedyn, efo llwyth o stwff bybls ychwanegol, siampŵ, **Dettol** a hanner potel o olew coeden de (*tea tree*). Roedd ei oglau o yn y car ar y ffordd yma yn troi arnon ni, felly gwell i hyn weithio.

Dydd Sadwrn Ebrill 19 2003

Gorfod codi'n gynnar, gynnar bore 'ma er mwyn cyrraedd Parc Cenedlaethol De Hoge Veluwe erbyn 07.50 ar y dot. Roedden ni'n cyfarfod y warden, Henk Ruseler, er mwyn ffilmio'r anifeiliaid gwyllt cyn i'r giatiau agor a gadael miloedd o aelodau'r cyhoedd i mewn. Ron i'n hoffi golwg Henk yn syth; dyn tal, ffit efo wyneb yr awyr agored a llygaid gwirioneddol hypnotig. Mae o'n teithio cryn dipyn ac yn fynyddwr. Ond Sioned aeth yn y landrofer efo fo! Mi fuon ni'n crwydro'r parc mewn confoi; Henk a Sioned yn y blaen, yr hogia efo'r camera wedyn, a finna'n dilyn ar fy mhen fy hun bach yn y Fusion. Yn anffodus, doedd yr anifeiliaid ddim isio dod allan i chwarae heddiw, ac er i'r lleill weld ceirw coch, erbyn i mi ddod rownd y gornel, roedden nhw wedi hen ddiflannu. Ond mi welais i'r *mouflons*, rhyw fath o ddefaid gwyllt, yn rasio ar goblyn o sbîd yn y pellter. A dyna ni, dyna'r cwbl welson ni – a dim hyd yn oed carnau ôl carw ar ffilm. Mae 'na ambell i faedd gwyllt i fod yma hefyd, ond mae'r rheiny bron yn amhosib i'w gweld beth bynnag.

O wel! Roedd yr ymwelwyr yn heidio i mewn bellach, i grwydro'r 42km o lwybrau cerdded a beicio sy'n y parc. Mae 'na fil o feiciau gwynion yma i'w benthyg am ddim, ond maen nhw'n feiciau od ar y naw, yn teimlo fel *unicycles*, bron. A dydi'r brêcs ddim lle byddech chi'n disgwyl iddyn nhw fod. Maen nhw yn y pedalau, a'r funud 'dach chi'n pedlo am yn ôl, mae'r beic yn stopio'n stond, sy'n gallu bod yn dipyn o sioc. Ond buan mae rhywun yn dod i arfer – nes i chi anghofio. Bu bron iawn i mi hedfan dros yr *handlebars* unwaith, pan es i braidd yn rhy coci. Ond wedi'r anffawd bychan hwnnw, mi ges i fodd i fyw yn pedlo ar hyd ochr y llyn a thrwy'r goedwig. Ron i'n gallu teimlo 'nghorff yn dod yn fyw eto, achos dydan ni'm wedi cael cyfle i wneud unrhyw fath o ymarfer corff hyd yma, dim ond eistedd a sefyll a chysgu. Mi ges i gyfle i sgwrsio efo Henk o'r diwedd hefyd. Mmm... dyn difyr. Dwi'm wedi cyfarfod dyn cweit mor ddifyr ers oes pys, ond mae ei deip o wastad yn briod. *C'est la vie*. Ond cyn pen dim, roedd o'n gorfod ein gadael ni, a dim ond pan ddiflannodd o dros y gorwel yn ei landrofer y dywedodd Sioned ei fod o'n ddyn sengl. AAAAAAA!!!!

Felly ron i wedi pwdu braidd pan aethon ni i'r amgueddfa Kroller Muller. Ond mae'n lle difyr ofnadwy, yn enwedig os 'dach chi'n ffan o waith Vincent Van Gogh.

Anton a Helene Kroller Muller oedd perchnogion y stad lle mae'r parc, a'u bwriad nhw oedd gadael rhodd fawr i'r genedl, yn gymysgedd o natur a diwylliant. Felly aeth o ati i hel digon o dir, ac aeth hi ati i hel y gwaith celf. Wedyn, yn 1930, mi adawon nhw'r cwbl i'r wlad ar yr amod y byddai amgueddfa'n cael ei hadeiladu ar y safle. Roedd Helene wedi mopio'n rhacs efo gwaith Van Gogh – a 'Goch' ydi'r ynganiad cywir, nid 'Goff', iawn? – a chan ei bod hi'n ddynes gyfoethog iawn, iawn, mi brynodd 91 o'i baentiadau a 185 o'i ddarluniau. A heddiw, mae'r cwbl, yn ogystal â rhai o weithiau Picasso, Renoir a Manet i'w gweld yn yr amgueddfa yma. Mae 'na hefyd ardd o gerfluniau, un o'r mwyaf o'i bath yn Ewrop. Mae 'na siop yno hefyd, ond welais i moni hi gan i mi gael fy ngadael yng ngofal y camera tra oedd y lleill yn siopa.

Ond mi ges i ddiwrnod eitha da ar y cyfan, addysgiadol iawn, a dwi hyd yn oed wedi dysgu gair Cymraeg newydd: 'noblan'.

Jonathan (sy'n dod o Rydaman) ddywedodd "Wy'n noblan!" bore 'ma, ac mi edrychais yn hurt arno. Oer oedd y creadur. Felly 'dwi'n fferru' neu'n 'rhewi' mae o'n ei feddwl, a dwi wedi gwirioni efo fo. Mae o'n un o'r geiriau hwntw-aidd 'na fel 'lapswchan' a 'cwtsh' sydd jest yn berffaith, geiriau y dylen ni'r gogs eu mabwysiadu er mwyn iddyn nhw gael eu defnyddio'n genedlaethol.

Dydd Sul 20 Ebrill 2003

Dydi tref Arnhem ddim yn dlws iawn. Roedd hi'n arfer bod, nes iddi gael ei chwalu'n rhacs yn yr Ail Ryfel Byd. Mae rhai hen adeiladau'n dal i sefyll, ac erchyllterau newydd o wydr a choncrit yn taflu cysgod drostyn nhw. Ond mi fu'n rhaid ailadeiladu'r dre ar frys er mwyn rhoi to dros bennau pobl, a doedd 'na'm pres. Does 'na'm pres i ailwneud y dre fel roedd hi rŵan, chwaith.

Os gwelsoch chi'r ffilm **A Bridge Too Far** erioed, pont Arnhem oedd y bont honno. Bu brwydr ofnadwy yma rhwng yr Almaen a byddinoedd Prydain a Gwlad Pwyl ym mis Medi 1944. Cynllun y Prydeiniwr, y Cadfridog Bernard Montgomery, oedd *Operation Market Garden*, ac roedd o i fod i ddod â'r Ail Ryfel Byd i ben cyn y Nadolig y flwyddyn honno. Er bod pobl wedi ceisio ei ddarbwyllo na fyddai'n gweithio, roedd Montgomery'n benderfynol. Y bwriad oedd i'r milwyr Prydeinig weithio'u ffordd o wlad Belg i Arnhem i rwystro'r milwyr Almaenieg rhag dychwelyd i'r Almaen, fyddai wedyn yn galluogi'r fyddin Brydeinig i symud i'r gorllewin at Berlin a dod â'r rhyfel i ben. Dal efo fi? Beth bynnag, roedd tua 10,000 o hogia' Prydain a chriw o Wlad Pwyl i fod i barasiwtio i mewn i Arnhem, a chadw'r Almaenwyr yn brysur wrth y bont am ryw ddeuddydd tra'n disgwyl i fwy o filwyr Prydain a'r Unol Daleithiau frwydro'u ffordd tuag atyn nhw o Wlad Belg.

Ond weithiodd o ddim. Roedd criw Gwlad Belg yn gorfod croesi pedair ar ddeg o bontydd i'w cyrraedd, a'r rheiny wedi'u malurio, ac ar ben y cwbl, mi ddigwyddon nhw ddod ar draws rhai o filwyr gorau'r Almaen. Yn y cyfamser, roedd y dynion oedd wedi parasiwtio i mewn i Arnhem yn y cach go iawn. Dim ond bwyd ar gyfer deuddydd oedd ganddyn nhw, ac er iddyn nhw lwyddo i ddal eu tir am wyth niwrnod, mi gafodd dros 17,000 ohonyn nhw eu lladd. Wedyn, mi ddoth yr Almaenwyr dros y bont, dinistrio Arnhem a'r trefi cyfagos yn llwyr, a lladd cannoedd o'r trigolion. Mi ges i sgwrs efo Mrs Jos Caspers-Bensdorp am yr hanes. Mae hi'n 76, ac yn ofnadwy o smart a gosgeiddig rŵan, ond merch ysgol ddwy ar bymtheg oed oedd hi ar y pryd. Roedd hi'n cofio'r diwrnod y cyrhaeddodd y cannoedd ar gannoedd o barasiwts yn iawn. "Roedd hi'n olygfa fendigedig eu gweld nhw'n disgyn o'r awyr," meddai, "ac roedden ni gyd mor hapus i'w gweld nhw, yn meddwl ein bod ni'n mynd i gael ein rhyddid eto. Ond nid felly y bu, wrth gwrs. Mi wnaethon ni ddiodde'n arw wedyn. Doedd ganddon ni ddim byd, ac roedden ni'n crafu byw o ddydd i ddydd ar ambell daten a thorth o fara. Dwi'n cofio cyfnewid bocs o fatsys am wy. Roedd rhai o'r ffermwyr yn fodlon rhoi bwyd i ni, ond roedd 'na rai eraill yn gas ac yn dan din iawn.

"Doedd fy mhlant a fy wyrion byth isio siarad am y rhyfel, doedd ganddyn nhw ddim diddordeb. Dim ond fy nghyfoedion oedd yn deall. Ond mae rhyfel Irac wedi cyffwrdd rhyw swits yn y bobl ifanc. Mae gweld y diodde ar y teledu wedi dod â'r cyfan yn fyw iddyn nhw, a rŵan maen nhw'n dechrau deall ac isio gwybod.

"Wrth gwrs, mae chwedeg mlynedd wedi pasio bellach, a phan dwi'n cyfarfod Almaenwyr ifanc, does na'm problem o fath yn y byd, ond pan dwi'n cyfarfod Almaenwyr yr un oed â fi... mae'n anodd."

Roedd Alice, sy'n gweithio i'r bwrdd twristiaeth lleol yn cytuno. "Dwi'n dywysydd ers tair blynedd ar ddeg bellach," meddai, "ac yn ystod y cyfnod yna, dim ond dau fws o Almaenwyr dwi wedi eu harwain o amgylch hen feysydd y gad. Plant ysgol 16-18 oed oedd y criw cynta. Ron i ar y meic, yn egluro yn Almaeneg mai fan acw lladdwyd miloedd ac yn y blaen. A dyma griw o hogia yn y cefn yn dechrau chantio, 'Ni ydi'r gora, ni ydi'r gora, ac mi wnawn ni o eto.' Wnaeth yr athrawon ar y bws affliw o ddim i'w stopio nhw. Felly mi wnes i ofyn iddyn nhw roi'r gorau i weiddi'r ffasiwn bethau. Dywedais fod pobl yr Iseldiroedd wedi diodde'n ofnadwy yn ystod y rhyfel, a plis, fydden nhw'n parchu hynny? Ond toc wedyn, dyma nhw'n dechrau arni eto. Mi wnes i ofyn eto iddyn nhw beidio, a deud y byddwn yn gadael y bws os oedden nhw'n dal ati i ymddwyn fel 'na. Dyma nhw'n dechrau chantio am y trydydd tro. 'Reit, stopiwch y bws!' medda fi, ac i ffwrdd â fi, yng nghanol nunlle. Mi redodd un o'r athrawon ar fy ôl i: 'Allwch chi ddim gwneud hyn!' meddai hwnnw. 'Gallaf,' meddwn yn syth, 'ac os nad ewch chi o 'ma a gadael llonydd i mi, mi fedra i wneud lot mwy!' Ron i wedi gwylltio'n gandryll. Mi wnes i ffonio'r swyddfa i egluro 'mod i wedi gadael y bws. 'Does dim rhaid i chi fy nhalu i,' meddwn, 'ond gnewch yn blydi siŵr bod y diawled yna'n talu...'

"Yr ail dro, criw o hen bobl oedden nhw, y rhan fwya â diddordeb, ac yn dangos parch. Ond roedd 'na un hen ddynes yn ofnadwy, yn gweiddi a phrotestio: 'Dwi'm isio clywed hyn! Dwi'm isio gweld! Does wnelo fo ddim byd â fi!' fel pe tae hi'n gwadu bod y fath erchyllterau wedi digwydd o gwbl."

Mae'r berthynas rhwng pobl Arnhem a'r Almaenwyr yn mynd i fod yn un go od am sbel eto. Yn 1994, mi gynigiodd maer Arnhem y dylid gwahodd Almaenwyr draw i'r dre, i gofnodi'r hanner can mlwyddiant. Ond mi bleidleisiodd pobl Arnhem yn gryf yn erbyn y peth. "Ar ôl be' wnaethon nhw i ni? Na, mae'n rhy fuan..." Mae'r creithiau'n dal i frifo, ac oherwydd yr olwg sydd ar y dre o hyd, mi fyddan nhw'n greithiau'n gweledol am flynyddoedd i ddod.

Mae'r fynwent yn sicr yn graith weledol arall, ond nid yn yr un ystyr. Fues i 'rioed mewn mynwent ryfel o'r blaen, ac mi ges fy llorio gan y llonyddwch a'r tawelwch a'r rhesi ar resi o gerrig beddi gwynion yn sgleinio yn yr haul. Cerrig beddi bechgyn oedd yn 19 ac 20, a rhai tristach fyth efo 'A Soldier' arnyn nhw.

Mae 'na blac ar y wal, wedi ei roi gan filwyr Prydain a Gwlad Pwyl, yn deud eu bod nhw wedi dod yno i geisio rhyddhau pobl Arnhem, ond mai'r cwbl lwyddon nhw i'w wneud oedd gwneud pethau'n llawer gwaeth iddyn nhw, 'ond wnaethoch chi 'rioed ddal dig.'

Mi welais i gwpl ifanc, tua'r un oed â fi, iau o bosib, yn cofleidio a chrio o flaen un o'r beddi, a hen ddyn a golwg wedi torri arno yn eistedd yn grynedig ar fainc a chymryd oes i danio sigarèt. Nid y mwg oedd yn gyfrifol am y dagrau yn ei lygaid. Ron i'n teimlo fel *voyeur* braidd, 'mod i ddim fod i fod yno, felly mi es.

Dydd Mercher 23 Ebrill 2003

Rydan ni yn yr Almaen. Roedd croesi'r ffin ddoe yn brofiad rhyfedd. Doedd 'na'm man dangos pasports na dim felly, jest arwydd yn deud ein bod ni yn yr Almaen, a dyna ni; o fewn mater o ychydig lathenni, roedd yr iaith yn newid, rhifau'r ceir, steil y tai, pob dim heblaw'r tirwedd. Don i methu dod dros pa mor lân a thaclus oedd ffermydd yr Iseldiroedd, ond mae rhai'r Almaen yn daclusach fyth. Mae hyd yn oed y tractors yn sgleinio, does 'na'm ôl baw ar affliw o ddim. Sut maen nhw'n ei wneud o? Y stop cynta oedd tre hynafol Munster, rhywle arall gafodd ei falu'n rhacs yn ystod y rhyfel. Mi gafodd 92% o'r dre ei llorio ar ôl cael ei bomio 102 o weithiau, a'i hail adeiladu wedyn yn y pumdegau hwyr, ond yn wahanol i Arnhem, maen nhw wedi ei chodi bron yn union fel oedd hi. Pres preifat o rywle, mae'n debyg.

Ta waeth, mi gawson ni drafferth dod o hyd i'r *Rathaus* (Neuadd y Dre) felly ron i'n gorfod siarad Almaeneg i holi'r ffordd. Roedd o'n dipyn o sioc i 'mrêns i achos dyna lle ron i'n dechrau cael mymryn bach o grap ar Iseldireg, yn *het heeft erg gesmaaktio* rêl boi, ac yn sydyn, roedd popeth yn *Deutsch*. Rŵan, dim ond lefel 'O' Almaeneg sydd gen i - a mae 'na dros ugain mlynedd ers hynny. Ron i'n gallu gofyn cwestiynau'n iawn, ond pan ges i lond ceg o ateb, aeth hi'n *Sprechen Sie Englisch?*' reit handi. Ond mae'r daith 'ma fel cwrs Wlpan, a bob dydd, gyda phob sgwrs, dwi'n gwella, yn deall mwy, ac yn ennill hyder. Mae o'n brofiad rhyfedd, fel tase'r cwbl wedi bod dan glo ym mhen pella 'mhenglog i, ac yn sydyn yn llifo allan. Diawch, ron i'n gallu cynnal sgyrsiau reit gymhleth heddiw.

Ond yn ôl at Munster. Mae 'na 18,000 o bobl yn byw yno, 55,000 o fyfyrwyr yn astudio'n y Brifysgol, a 100,000 o feics yn gwibio ar hyd y lle ac yn beryg bywyd os nad oes ganddoch chi lygaid yng nghefn eich pen. Don i'm yno'n ddigon hir i allu dod i unrhyw gasgliad ynglŷn â'r lle, ond ron i'n hoffi cwpl o'r straeon am hanes y lle. e.e. chwedl y ceiliog. Roedd y dre dan warchae ryw dro ganrifoedd yn ôl, ac roedd trigolion Munster ar fin ildio am eu bod nhw'n llwgu. Dim ond un ceiliog oedd ar ôl, a hwnnw ar fin cael ei bluo, ond mi lwyddodd i ddianc i dop y muriau oedd yn amgylchynu'r dre, lle gwelwyd o gan y gelyn: "*Mein Gott!*" meddai nhwtha. "Os oes 'na geiliogod yn crwydro o gwmpas y lle mae ganddyn nhw hen ddigon i'w fwyta. Does 'na'm pwynt i ni ddal ati efo'r gwarchae." Felly i ffwrdd â nhw ac fe achubwyd y dre a'i phobl. A dyna pam fod 'na geiliog aur crand yn y *Rathaus*.

Mi ges i weld sgerbwd llaw yno hefyd. Mae 'na ddwy stori amdani; roedd hi un ai'n perthyn i gyfreithiwr anonest gafod ei gosbi drwy dorri ei law i ffwrdd (ond dyw'r cyfreithwyr ddim yn rhy hoff o'r stori yna - dyw cyfreithwyr byth yn anonest...); neu roedd hi'n perthyn i foi oedd wedi marw, a'u bod nhw wedi gorfod torri'r llaw i ffwrdd a'i chludo i'r llys er mwyn profi bod y dyn dan sylw wedi marw. Ron i wedi drysu braidd ynglŷn â'r stori hon nes i'r ddynes egluro nad oedd 'na rewgelloedd o gwmpas bryd hynny, a chan nad oedd modd mynd â'r corff cyfan i'r llys, roedd ei law o'n gwneud y tro. Y-hy. Clir fel mwd.

Mae'n debyg fod Munster wedi'i hamgylchynu gan Munsterland, sydd yn gestyll a phalasau Tylwyth Teg-aidd i gyd, rhyw gant mae'n debyg, ond welson ni'r un. Dim amser.

Ymlaen â ni i Bad Pyrmont, tre fu'n boblogaidd efo'r *jetset* ganrifoedd yn ôl, oherwydd y dŵr arbennig sydd i fod i wneud i chi deimlo ugain mlynedd yn iau. Doedd fy argraff gynta o'r lle ddim yn un ffafriol: roedd pawb dros 80 ac yn ddigon blin yr olwg, a phob siop yn gwerthu sgidia *orthopaedic*. Nid fod 'na unrhyw beth o'i le ar hynny, ond roedd y diffyg plant a phobl ifanc reit *creepy*, yn enwedig o ystyried mai Hamelin oedd y stop nesa. Ond wrth i'r haul godi'n uwch, mi ddoth 'na blant o rywle, a mwy o bobl glên oedd yn ein cyfarch yn llawen.

Mi stopiodd un dyn ar gefn beic i holi be roedden ni'n neud. Felly dyma fi'n llwyddo'n herciog i egluro. "*Aus Wales?*" meddai'r dyn. "Diawl, mae gynnon ni Gymro'n byw yn dre!" (neu rywbeth cyffelyb yn Almaeneg). A do, mi lwyddon ni i gael gafael arno fo – Cymro Cymraeg myn coblyn: Alan Williams o Aberffraw. Mi ddoth o yma efo'r fyddin yn 1964, a syrthio mewn cariad efo hogan leol. Mae ganddyn nhw ddau o blant bellach - a'r Ddraig Goch yn chwifio'n yr ardd (mi gafodd y polyn yn anrheg ar ei ben-blwydd yn 50). Mi fuon ni draw am baned, a chael y croeso rhyfedda. Ydi, mae o'n hiraethu am Gymru weithiau, ond mae o'n mynd yn ôl i Fôn bob blwyddyn ac mae Côr Cefni wedi bod draw i Bad Pyrmont deirgwaith. A dydi o'm yn bwriadu mynd yn ôl i Gymru i ymddeol chwaith; mae o'n hapus fan 'ma a dwi'm yn ei feio fo. Mae'n dlws, mae'n lân, ac mae'r dŵr llesol yn eich cadw'n ifanc.

Mi fues i'n cerdded ar hyd yr *Hauptallée* wedyn, yn dilyn ôl troed *jetset* y gorffennol fyddai'n cerdded i fyny ac i lawr efo'u parasols yn sipian dŵr iachus y ffynnon ar dop yr allt. Heddiw, mae modd yfed dŵr o wahanol ffynhonnau - pob un â mwynion gwahanol ynddo sy'n llesol i wahanol anhwylderau. Mi ges i wydraid o *Hellenequelle*, sydd i fod yn dda i'r galon, y stumog a'r cymalau. Jest y peth ar gyfer fy mhenglin giami i felly. Dwi wedi dotio at y brwsys glanhau'r lle chwech yn y gwesty; mae ganddyn nhw gynffon fach ychwangeol i olchi o dan y bowlen. Hynod drefnus, hynod Almeinig.

Dydd Iau 24 Ebrill 2003

Gyrru i Hamelin (neu Hameln yn Almaeneg) heddiw, trwy goedwigoedd hyfryd a heibio i ambell i gastell. Dyma fan geni llond gwlad o hen chwedlau, gan gynnwys Sinderela, Hansel a Gretel – a'r un am y Pibydd Brith, wrth gwrs.

Mae Hameln yn dlws ofnadwy ac yn dre dipyn llai na Munster, felly ron i'n teimlo'n hapus fy myd yma'n syth. Dwi ddim yn gallu ymlacio'r un fath mewn trefi mawrion, ond dyna fo, hogan y wlad ydw i ynde? Dwi'm yn siŵr os dwi'n licio'r ffaith fod 'na gymaint o nwyddau taci, pibydd-brithaidd yn blastar dros y dre, cofiwch. I ddechrau, mae 'na lwybr o lygod wedi'i baentio ar y tarmac o'r maes parcio i ganol y dre; wedyn mae cerfluniau o lygod a'r Pibydd Brith ym mhob man; bara a bisgedi ar siâp llygod; siopau'n llawn lluniau, teganau, pensiliau a.y.y.b. yn llygod i gyd, nes ron i wedi 'laru cyn hyd yn oed gweld y *Rattenfanger Glockenspiel*. Cloc anferthol ydi hwnnw, sy'n canu a pherfformio stori'r Pibydd Brith deirgwaith y dydd. Mae o'n grêt ar gyfer plant, cofiwch. Roedd 'na griw ohonyn nhw o 'nghwmpas i wedi eu hudo'n llwyr drwy'r cwbl. A phan gyrhaeddodd y Pibydd Brith go iawn (boi sy'n cael ei gyflogi i wisgo i fyny mewn teits a chanu ei glarinet trwy'r dre), aethon nhw'n wyllt! Roedd o'n wych efo nhw, ac yn aros mewn cymeriad trwy'r cyfan. Mae'n debyg ei fod o'n rêl seren yn lleol, a hyd yn oed yn cael ei fobio pan aiff o am beint gyda'r nos yn ei ddillad bob dydd. Ond mi ges i dipyn o sioc o ddeall mai Americanwr oedd o. Mi ddoth Michael Boyer yma efo'r fyddin, a do, mi syrthiodd yntau mewn cariad efo hogan leol... a phan welodd o fod swydd y Pibydd Brith yn cael ei hysbysebu, mi aeth amdani, ei chael, a dysgu chwarae'r clarinet reit handi. Mae o'n siarad Almaeneg yn rhugl erbyn hyn wrth gwrs, ac yn fwy o Almaenwr nag o Americanwr. A deud y gwir, doedd o'n amlwg ddim yn rhy hapus i gyfadde mai Americanwr oedd o. Ond beryg fod a wnelo hynny gryn dipyn â rhyfel Irac. Mae 'na brotestio mawr yn erbyn y rhyfel ym mhob man yma, ac roedd hi'r un fath yn yr Iseldiroedd.

Ond yn ôl at y Pibydd. Mae'n anodd deud be' ydi cefndir hanesyddol y stori'n union, ond mae'n bosib fod 'na ddwy stori wir wedi cael eu plethu'n chwedl. Roedd llygod mawr yn bendant yn bla yn Hameln yn ystod yr Oesoedd Canol, ac roedd 'na bobl yn cael eu talu i ddifa'r llygod. Hefyd, roedd pobl yr ardal yn cael eu hannog i symud i Ddwyrain Ewrop – Prwsia, Morafia, a Phomerania – er mwyn coloneiddio'r gwledydd hynny tua'r un adeg. Mae rhai'n credu bod trigolion trefi'n cael eu galw'n 'blant y dref' bryd hynny, ac mai cyfuniad o'r cyfan oedd stori'r Pibydd Brith. Beth bynnag ydi'r gwir, mae'r chwedl bellach yn gyfrifol am ddod â heidiau o blant a thwristiaid i mewn i'r dref, ac mae 'na rywbeth braf iawn am hynny. Ymlaen â ni wedyn dros y ffin nad yw bellach yn bodoli (mater o farn ydi hynny, hefyd), am ochr ddwyreiniol yr Almaen a thref Magdeburg.

Chwalwyd 90% o ganol y dre hon mewn cyfnod o 39 munud o fomio yn 1945. A hyd yma, dyma lle rydan ni wedi cael y croeso mwya eto. Mae'r Bwrdd Croeso lleol wedi talu i ni gael gwesty mawr hyfryd - efo pwll nofio! Roedd y swper yn anhygoel, mae fy llofft i'n anferthol, y gwely â digon o le i bump a dwi'n mynd i gysgu fel babi...

*"Mae o'n grêt ar gyfer plant, cofiwch. Roedd 'na griw ohonyn nhw
o 'nghwmpas i wedi eu hudo'n llwyr drwy'r cwbl."* (t.26)

Dydd Gwener 25 Ebrill 2003

... ac mi wnes. Mi godais am 06.15 er mwyn gallu mynd i'r pwll nofio cyn
brecwast, ac roedd o'n fendigedig – a'r bwffe oedd i frecwast hefyd. Ches
i 'rioed gymaint o ddewis yn fy myw. Dwi wrth fy modd yn cael llwyaid
bach o bob dim, hyd yn oed os nad oes gen i syniad mwnci be' ydi o. Mae
hyn yn creu penbleth mawr i Jonathan, sy'n fwytwr reit geidwadol. "Oes
rhywbeth ti ddim yn bwyta?" gofynnodd mewn braw wrth fy ngweld i'n
blasu rhyw fath o bysgodyn amrwd. "Oes, bêcd bîns a *mousse* siocled."
Wir yr, dwi'n casau'r stwff. Rhowch i mi bysgodyn amrwd unrhyw adeg.
Ond mae Jonathan yn meddwl 'mod i'n wallgo bost, wrth gwrs.
Mi fyddwn ni'n cael cwmni hogan annwyl ofnadwy o'r enw Karolina Konik
tra byddwn ni yma. Hogan leol ydi hi ac mi gafodd dipyn o sioc pan
ddywedon ni wrthi fod Hitler wedi cael ei gladdu yma (unwaith, dros dro).
Wyddai hi - na fawr neb arall - ddim oll am y peth. Wyddwn i ddim
chwaith, nes i mi ddarllen y nodiadau yn fy ffeil, ond roedd Richard yn
gwybod ers blynyddoedd. Mae o i mewn i esgyrn a chyrff a hanes a rhyw
betha fel 'na.
Y farchnad oedd y *stop* cyntaf bore 'ma. Doedd 'na'm marchnad yma cyn
i'r ddwy Almaen uno, er mai Sgwâr y Farchnad ydi enw'r lle. Dim ond rhai
mathau o lysiau a ffrwythau oedd ar gael bryd hynny, a dim ond adeg y

Nadolig y bydden nhw'n cael pethau ecsotig fel bananas - ond byddai'n rhaid ciwio am oriau i'w cael nhw. Mae hi mor wahanol yma rŵan. Mae ganddyn nhw lawer mwy o ddewis na sydd ganddon ni (wel, yn Sir Feirionnydd o leia), a mae 'na dipyn gwell siâp ar y ffrwythau. Roedd y papayas yn anferthol, yn debycach i'r rhai ron i wedi arfer efo nhw yn Nigeria na'r pethau bach pidli welwch chi yn Tesco. Roedd hyd yn oed yr afalau ddwywaith mwy na'n rhai ni, ac roedd y blodfresych yn gwneud i rai gartre edrych fel sbrowts. Pam? Ydi'r ffaith fod yn rhaid croesi'r môr yn ffrwyno maint ffrwythau a llysiau?

Roedd Richard isio dringo i fyny i dop yr eglwys er mwyn gallu ffilmio'r dref o fan 'no, ond mae'n goblyn o uchel a dydi Jonathan druan ddim yn rhy dda efo uchder. Felly aethon ni'r genod i fyny yn ei le i gario'r *tripod*. Roedd fy mhengliniau'n wan fel jeli erbyn cyrraedd y top, ond ron i angen chwysu ar ôl y brecwast 'na. Mi bwyntiodd Karolina at yr hen adeiladau Stalinaidd a adeiladwyd er mwyn plesio'r gyfundrefn Gomiwnyddol. "Dydan ni'r bobl leol ddim yn hoff iawn ohonyn nhw oherwydd hynny," meddai. Ond maen nhw'n smart iawn o'u cymharu â'r blociau fflats bocsaidd cyfagos.

Mae 'na ddiweithdra ofnadwy yma yn y dwyrain, a phobl ifanc yn heidio i weithio yn y gorllewin. Mae'r gorllewin ar hyn o bryd yn talu 5% yn ychwanegol at eu trethi arferol er mwyn helpu i atgyfodi'r dwyrain, ond ron i wedi clywed am hyn eisoes gan ddynes yn Hameln. Cwyno oedd hi: "Dim ond am ddwy flynedd oedd o i fod," meddai, "ond rydan ni'n dal i'w dalu o! Ac mae cwmnïau'n buddsoddi fan 'no yn lle'n fan 'ma, wedyn mae eu ffatrïoedd nhw i gyd yn newydd sbon a fedrwn ni'm cystadlu."

"Be' oedden nhw'n ei ddeud amdanon ni yn y gorllewin?" gofynnodd Karolina.

"Ym... wel, cwyno am y dreth 'ma, braidd..."

"Dyna fo, yli," meddai Karolina'n flin, "dydyn nhw'n dal ddim yn meddwl amdanon ni fel un wlad." Beryg ei bod hi'n iawn.

Un o feibion enwocaf Magdeburg ydi Otto van Guericke, y dyn ddyfeisiodd y pwmp *vacuum*. Mae 'na amgueddfa gyfan iddo fo yma, ac un ddigon difyr ydi hi hefyd, hyd yn oed i rywun gafodd 29% yn Ffiseg yn Nosbarth 3 (ia, fi). Otto oedd y person cyntaf erioed i brofi ei bod hi'n bosib tynnu aer allan o ofod, rhywbeth roedd yr athronwyr wedi mynnu oedd yn amhosib. Yn ei arbrawf cyntaf, mi ddefnyddiodd Otto wyth ceffyl i drio gwahanu dau hanner sffêr anferthol oddi wrth ei gilydd, ac mi fethon nhw wrth gwrs, gan ddangos y nerth sydd gan *vacuum*. Na, doedd hyn yn gwneud dim synnwyr i mi chwaith nes i mi weld yr arbrawf yn cael ei ail-greu (ar raddfa fechan a heb y ceffylau) yn yr amgueddfa. A chan 'mod i wedi neidio allan o 'nghroen efo'r glec pan wahanodd y sffêr hwnnw, dychmygwch sut effaith fyddai arbrawf cynta Otto wedi ei gael ar bobl Magdeburg tase fo wedi defnyddio 16 ceffyl!

Rhaid i mi ddeud, mae Magdeburg yn lle delfrydol i fynd â phlant sydd â diddordeb mewn gwyddoniaeth, hanes ac ati. Efo'r pres sy'n dod mewn i atgyfodi'r ardal, maen nhw wedi creu parc gwirioneddol dlws efo trên bach i fynd â chi o un pen i'r llall, wal ddringo, lle i sglefrfyrddio, rhyw fath o sleid hir ar gyfer slediau (ron i jest â marw isio mynd ar hwnnw ond doedd 'na'm amser) a'r *Jahrtausendturm*, y côn pren mwya yn y byd, sy'n cofnodi hanes a datblygiad dyn dros chwe mil o flynyddoedd; mil o flynyddoedd ar bob un o'r chwe llawr. Does 'na'm byd yn Saesneg yno, felly mae'n help os gallwch chi siarad tipyn o Almaeneg, ond mi allwch chi gael eich tywys o gwmpas am ddim gan arweinwyr clên ofnadwy sy'n siarad Saesneg perffaith.

Aeth Karolina â ni allan i swper wedyn, mewn hen eglwys sydd bellach yn dŷ bwyta gwirioneddol dda. Roedd y fwydlen yn reit ddifyr hefyd. Es i am y *Beef Fillet with Butter swinged may rape and parise*. Na, doedd gen i'm clem be' i'w ddisgwyl ond roedd o'n fendigedig.

Mi fuon ni'n sgwrsio cryn dipyn efo Karolina, ac mi ddywedodd ei bod hi a'i chyfoedion wedi cael eu dysgu'n drylwyr iawn am yr Ail Ryfel Byd yn yr ysgol. "Mi gawson ni'n cyflyrru i deimlo'n euog am y peth," meddai, "ond mae o wedi creu dryswch mawr i 'nghenhedlaeth i. Wedi'r cwbl, doedden ni ddim yma ar y pryd, nid ein bai ni oedd o. Mae Americanwyr ifanc yn cael eu dysgu i fod yn falch o'u gwlad, ond rydan ni'n cael ein dysgu i beidio â bod, ac mae'n gyflwr meddwl sy'n drysu rhywun."

Rhyfedd... mae 'na elfen o hynna'n digwydd yn Lloegr rŵan, on'd oes? A be' mae rhai o ddynion ifanc dryslyd Lloegr yn ei wneud ynglyn â dirywiad *Rule Britannia*? Maen nhw'n symud yn gynyddol at adain dde gwleidyddiaeth, ac wrth gwrs, dyma lle y tarddodd Natsïaeth...

Dydd Sadwrn 26 Ebrill 2003

Ymlaen i Guben heddiw, tref sydd reit ar y ffin efo Gwlad Pwyl. Aethon ni draw i'r swyddfa dwristiaeth, a chael sioc o weld pwyllgor mawr yn ein disgwyl yno – paned, cacenni a hyd yn oed boi o'r wasg leol. Roedd dyn o'r enw Dr Muller yno i gyfieithu, prifathro'r *Euroschule* lleol. Aeth o i ffwrdd efo'r lleill i ffilmio golygfeydd o'r dre a 'ngadael i efo gweddill y pwyllgor. Doedd gan yr un ohonyn nhw air o Saesneg, a doedd fy Almaeneg i ddim cweit digon da i ddilyn pob gair o hanes cymhleth Guben, ond gyda help geiriadur (a chryn dipyn o actio a chwifio dwylo), mi ddaethon ni drwyddi'n rhyfeddol, a dwi'n meddwl i mi ddallt y rhan fwya. Tan 1945, tre Almeinig oedd Guben, ond yn sydyn, ar ôl yr Ail Ryfel Byd, cafodd dwy ran o dair o drigolion y dre - sef pawb oedd yn byw ar ochr ddwyreiniol yr afon - orchymyn i adael eu cartrefi, gan mai rhan o Wlad Pwyl oedd fanno bellach. Deuddydd oedd ganddyn nhw i symud. Roedd o'n sioc ac yn siom wrth gwrs, a phawb yn eu dagrau o orfod gadael popeth fel 'na. Doedd 'na ddim tai iddyn nhw ar ochr arall yr afon, felly bu'n rhaid i'r mwyafrif adael yr ardal yn llwyr. Aethon nhw ar hyd a lled yr Almaen i chwilio am waith.

Yn y cyfamser, roedd yr un peth yn union wedi digwydd ym mhen pella Gwlad Pwyl. Roedd Rwsia isio'i thir yn ôl, felly bu'n rhaid symud y Pwyliaid hynny i ochr ddwyreiniol Guben, neu Gubin fel y galwyd y rhan honno wedyn. Mi ddangoson nhw'r map i mi - enwau Pwyleg sydd i hen bentrefi a strydoedd Gubin bellach. Wrth gwrs, doedd y Pwyliaid ddim yn hapus o gwbl chwaith yn cael eu gorfodi i adael eu *Heimat* yn y dwyrain fel 'na, a chael eu gollwng fan hyn efo Almaenwyr yr un mor flin y tu draw i'r afon.

Hyd at 1972, doedd 'na ddim cysylltiad o gwbl rhwng y ddwy dre. "Mi fydden ni jest yn sbïo'n flin a drwgdybus ar ein gilydd o du draw'r afon." Ond rŵan, er bod y ffin yno o hyd, ac mae'n rhaid dangos cerdyn adnabod i groesi'r afon, mae croeso i bawb fynd yn ôl ac ymlaen fel y mynnan nhw. "Rydan ni'n mynd yno i siopa, yn enwedig i'r farchnad – mae'n rhatach yno. Ac mae'r bobl ifanc yn heidio yno i'r McDonald's."

Mae 'na arwydd anferthol ar lan yr afon ar ochr Gubin, ond yn wynebu Guben, sy'n cyhoeddi BIG MAC HIER NUR Euro 3.70.

Erbyn heddiw, mae'r cynghorwyr yn trio cael y ddwy dref i gydweithio a chydchwarae, er gwaetha'r gwahaniaeth iaith.

"Sut fyddwch chi'n ymdopi efo prynu yn y farchnad 'ta?" gofynnais. "Yn union fel rydan ni'n cyfathrebu efo chi rŵan!" chwarddodd un o'r merched. "Efo ambell air a'n dwylo ac ati."

Pan ddaeth Dr Muller yn ei ôl, mi gawson ni fynd i weld yr *Euroschule* efo fo. Mae'r disgyblion yn dod o'r Almaen a Gwlad Pwyl (er mai canran fechan iawn sy'n Bwyliaid), ac yn astudio pynciau fel Daearyddiaeth gyda'i gilydd trwy gyfrwng y Saesneg, ond dydyn nhw ddim yn gallu bod yn ffrindiau mawr ar ôl oriau ysgol am fod y disgyblion Pwyleg preswyl yn gorfod bod yn eu stafelloedd erbyn 4.00. Maen nhw'n gorfod gwneud eu gwaith cartref tan 6.00 a bod yn eu gwelyau erbyn 9.00. Fawr o gyfle i gymdeithasu, felly.

Roedd Dr Muller yn cwyno'n arw am safon addysg yma. "*The 13th graders* (18 oed) *had never even heard of the Nurenberg trials!*" meddai'n flin. Doedd pethau ddim yn rhy dda ar athrawon chwaith, meddai o. "Mae'r system yn wahanol o sir i sir," meddai, "ond yn y rhan yma, mae 'na lawer gormod o athrawon, a dim digon o swyddi, ond os wyt ti'n digwydd cael swydd, mae'n swydd am byth, efo nifer o fân fanteision. Ond os bydd dy ysgol yn cau, ti'n gorfod symud i lle mae'r sir yn dy roi di. Hefyd, mi fedran nhw wneud dy swydd yn un rhan amser, efo cyflog rhan amser, ac rwyt ti jest yn gorfod derbyn y peth - a'r rhai ifanc sy'n cael eu rhoi ar hwnnw gyntaf." Mi fyddwn i wedi hoffi holi mwy arno, ond roedden ni'n gorfod symud yn ein blaenau – i Frankfurt.

Pam Frankfurt? Am mai yn fan 'no roedden ni'n cyfarfod ein fficsar Pwyleg: Marek Piezynski.

Doedd ein hargraff gyntaf ohono ddim yn un arbennig o ffafriol. Roedd o fel rhyw jac yn y bocs, yn methu stopio symud na siarad, a gan ein bod ni i gyd wedi blino'n rhacs, roedd trio cynnal sgwrs efo fo yn brofiad poenus, braidd. Beth bynnag, roedden ni i gyd yn llwgu, felly mi ofynnodd o i ddynes y llety gwely a brecwast lle oedden ni'n aros lle allen ni fynd am fwyd. Mi glywais i hi'n deud *rechts* (i'r dde) yn glir, ond mi drodd o i gyfeiriad *links*. Mi wnes i drio trafod hyn efo fo, ond na, roedd o'n gwybod lle roedd o'n mynd, diolch yn fawr, felly *links* amdani. Mi fuon ni'n crwydro'r strydoeddd tywyll di-dŷ-bwyta yn ddiamcan am oes, a Richard, oedd heb fod yn teimlo'n rhy dda ers cwpl o ddyddiau, yn dechrau colli 'mynedd. Wel, a bod yn onest, roedd o'n berwi. O'r diwedd, dyma ni'n gweld arwydd *Bistro*. Haleliwia! Ond lle *kebabs* oedd o, a hwnnw'n lle *kebabs* digon amheus hefyd. Aeth Richard adre ar ei ben, roedd o'n flin ac yn sâl ac wedi cael llond bol ar Marek yn barod. Ond roedd Jonathan, Sioned a finna'n llwgu. Doedd y cigiach ddim yn edrych yn rhy iach, felly mi gawson ni blataid o sglodion yr un - a photelaid o ddŵr. Ond doedd Marek ddim hyd yn oed isio sglodion. *"I'm a very strict vegetarian,"* meddai. A finnau wastad dan yr argraff mai llysiau oedd tatws! Ond roedden ni wedi blino gormod i resymu efo fo, felly dyma lyncu'n saim a dychwelyd i'r gwesty ar ein pennau. Efo Sioned a fi bydd Marek yn teithio... grêt!

Dydd Llun 28 Ebrill 2003

Croesi'r ffin i Wlad Pwyl bore ddoe, a hynny heb y drafferth roedden ni wedi ei ddisgwyl (er gwaetha Marek a'i ffysian diangen). P'nawn rhydd wedyn, ac am ei bod hi'n bwrw glaw, mi wnes i sgwennu am dipyn – yna cysgu'n sownd tan amser swper. Rydan ni yn Zielona Gora rwan, ac mae'r gwesty'n... ym... syml a deud y lleia. Dydyn nhw'm yn cael llawer o ymwelwyr ffor' 'ma mae'n amlwg. Ond o leia mae'r gwasanaeth golchi dillad yn dipyn rhatach - 50c am olchi nicar!

Ges i gawl *borscht* i swper, sef cawl bitrwt. Roedd o braidd yn ddyfrllyd, ond yn ddigon blasus.

Mae'r iaith yn swnio'n grêt ac mi fyswn i'n licio dysgu mwy ohoni ond dydi Marek fawr ddim help. Dwi'm yn meddwl ei fod o'n gweld pwynt i mi ddysgu dim ac yntau efo ni. Ond dwi'n pigo ambell beth i fyny: ambell i *wejscie* a *wyjscie*, *dobra* a *dobry* a *dziekuje*. Mae'r ola 'na'n swnio fel *'tchincwie'* gyda llaw, sef 'diolch.'

Mi fuon ni yn yr amgueddfa leol bore 'ma, i weld arddangosfa arlunydd o'r enw Marian Kruczek. Mi fu o farw yn 1983, pan oedd o'n ddim ond 56 oed, ac mae'n debyg mai bywyd gwyllt o ferched a diod laddodd o. Bu ganddo dair neu bedair gwraig ac mi allai'r ola'n hawdd fod wedi bod yn ferch iddo fo, yn ôl gofalwr yr arddangosfa. Mi welais i lun ohono'n gwisgo het ffelt felen efo pabi coch arni, ac roedd 'na olwg dyn gwyllt, ecsentrig arno fo a deud y lleia.

Ron i licio'i waith o'n syth, ond doedd yr hogia ddim. Roedd 'na gryn dipyn ohono'n wallgo bost, rhyw bethau anifeilaidd, od, wedi eu gwneud allan o hen ffyrc ac offer amaethyddol, haearn, ond ron i'n hoffi'r hiwmor amlwg a'r tynnu coes ffalig. Iawn, efallai na fyddwn i eisiau rhai o'r pethau hynny ar fy silff ben tân, ond roedd 'na ddarnau eraill ganddo oedd yn wirioneddol gywrain a hardd.

Crwydro'r strydoedd wedyn, a gweld mai dyma un o'r ychydig drefi ar y llinell na chafodd ei malurio'n ystod y rhyfel. Mae'r hen, hen adeiladau'n dal yn gyfan, ac yn lliwgar ofnadwy, yn binc a glas a melyn a blodau dros y lle. Mae'r darnau hynny o'r dre'n edrych yn wirioneddol hardd a llewyrchus, ond dim ond i ni droi'r gornel, roedd hi'n amlwg nad oes 'na lawer o arian yma. Mi wnes i sylwi hefyd bod y genod i gyd yn ofnadwy o smart, wedi eu gwisgo'n daclus a golwg drwsiadus arnyn nhw. Ond digon cyffredin oedd y dynion. Yr un hen stori: y genod yn gorfod edrych ar eu gorau bob amser a'r dynion ddim yn gorfod trio.

Roedd y toiledau cyhoeddus yn creu ychydig o benbleth i ni i ddechrau. Doedd na'm arwyddion *Damen* na *Damsk* na dim y tu allan, dim ond cylch a thriongl. Cylch ydi dynes mae'n debyg...

Dydd Mawrth 29 Ebrill 2003

Taith hirfaith, boenus i Lodz (neu 'Lwj'). Wyth awr i wneud 227 milltir. Doedd y ffordd ddim yn dda iawn, ond doedd Marek fawr o help chwaith. Mae o'n mynnu eistedd yn y blaen i ddarllen y map, ond dydi'r boi ddim yn gallu gweld. Fedar o ddim darllen arwydd ffordd nes mae o reit o flaen ei drwyn o, sy'n creu problemau wrth groesffordd, a chitha isio gwybod pa ffordd i fynd, a llwyth o draffig yn bibian a sgyrnygu y tu ôl i chi. Mae o'n amlwg angen sbectol, ond wnes i'm meiddio crybwyll y peth.

Ac mae o fel octopws wrth fy ochr i, ei ddwylo a'i freichiau'n mynd, mynd trwy'r amser, yn ffidlan efo'r aer neu'r gwres o hyd, ac yn hitio'r goleuadau perygl yn eu lle. Asiffeta! A dydi o ddim yn stopio siarad. Wir yr, mae o fel melin wynt ar asid. Ac am y busnes llysieuwr 'ma, mae o'n ffinio ar y *paranoid*. Pan stopion ni am ginio, mi archebodd dwmplenni – dim sôs, dim byd arnyn nhw, meddai, dim ond twmplenni. Iawn, ond pan ddoth y llond plât o beli bychain toeslyd, mi neidiodd ar ei draed gan weiddi mwrdwr a ffrwydro i mewn i gegin y lle, a gweiddi a blagardio yn fan 'no am oes. "Be' oedd?" ofynnon ni pan ddoth o'n ei ôl. "Ron i'n meddwl mai *animal fat* oedd y darnau bach melyn ar ben y twmplenni," meddai. "A dyna oedden nhw?" "Naci, menyn." Mi fwytodd o nhw'n dawel wedyn.

Ond mae o'n gwneud ffys fel hyn ym mhob man, a dwi'n amau'n gryf y caiff o slap gan un o'r cogyddion 'ma cyn bo hir. Mi benderfynodd droi'n llysieuwr yn ei dridegau, mae'n debyg, ac mae'n cyfadde ei fod wedi ymylu ar *compulsive disorder* ar un adeg (ar un adeg?!). "Mi wnes i hyd yn oed drio troi fy nghi, daeargi bach, yn llysieuwr," meddai, "nes i'r milfeddyg ddeud nad oedd hynny'n syniad da." Neith o ddim yfed gwin os nad ydi o'n win llysieuol, am eu bod nhw'n defnyddio jelatin yn y broses o'i neud o, medda fo. A wnaiff o'm cyffwrdd fferins chwaith – oes, mae 'na jelatin ynddyn nhw. Ond mae'n rhaid nad ydyn nhw'n defnyddio jelatin i wneud *vodka* achos mi wnes i ei ddal o'n cwrcwd wrth y car bore 'ma, yn slochian potel o *vodka* mewn bag brown. Ddeudis i'm byd.

Ar wahân i'r octopws manic, roedd y daith yn un ddigon difyr. Mi gawson ni groesi afon ar fferi hen ffasiwn oedd yn gweithio trwy gyfuniad o fôn braich a'r llif, gweld storciaid yn nythu ar ben polion teligraff, ffarmwr yn troi'r tir efo ceffyl ac aradr, pasio ceffyl a throl a dyn yn hau efo llaw - fel rhywbeth allan o'r Beibl (mi welwn ni lawer mwy o hynny yn y dwyrain tlotach, mae'n debyg) - a phuteiniaid ar ochr y ffordd bob tro roedden ni'n pasio coedwig. Gyrwyr loriau sy'n eu codi, meddai Marek, mae 'na loriau lu yn pasio ar hyd y ffordd yma, o Rwsia, Moldova, bob man. Allwn i ddim peidio â sylwi fod ambell un o'r genod hyn yn edrych yn ofnadwy o ifanc. Am fywyd i ferch 17 oed... sefyll ar ochr ffordd yn y gwynt a'r glaw, yng nghanol nunlle, yn disgwyl am yrrwr lori sydd heb gael cawod ers dyddiau. Roedd fy nghalon i'n gwaedu drostyn nhw.

Dinas fawr, brysur ydi Lodz, a digon siabi yr olwg nes i chi gyrraedd stryd hirfaith Piotrkowska. Ar ddechrau'r ugeinfed ganrif roedd hi'n stryd hardd, trendi, yn adeiladau mawr *Art Nouveau* i gyd, ond ar ôl yr Ail Ryfel Byd, mi ddirywiodd yn arw; caewyd nifer o'r siopau ac aeth hi'n stryd ddiflas, dywyll, lwyd. Fel 'na fu hi am ddegawdau, nes i grwp o artistiaid a phenseiri lleol greu mudiad i'w hadfer. Roedd hynny'n ôl ar ddechrau'r nawdegau, a rŵan mae'n rhodfa fywiog eto, yn gaffis a bwytai lliwgar, orielau celf a siopau crand. Mi gafodd blaenau'r hen adeiladau eu glanhau a'u hadnewyddu, a bellach, dyma'r stryd *Art Nouveau* orau yn y wlad.

Ron i'n meddwl 'mod i'n gweld pethau pan hedfanodd ricsio heibio i ni. Don i ddim yn disgwyl eu gweld nhw yng Ngwlad Pwyl, rhywsut. Ond mae'r lle'n berwi efo nhw.

Rydan ni'n aros yn y *Grand*, sydd reit ar ganol Stryd Piotrkowska. Mae'n lle digon rhyfedd, yn anferthol o fawr, efo cynteddau tywyll, gwag a grisiau sy'n ddigon llydan i haid o eliffantod. Mae 'na ddrysau enfawr, brown i bob stafell, sy'n gwneud i'r lle edrych braidd yn debyg i garchar. Ond ew, mae gen i stafell neis. Mae gen i gwilt aur sidanaidd, sgleiniog ar fy ngwely a balconi sy'n sbïo dros y stryd fawr, a synnwn i damed na wnaeth o leia un o'r enwogion fu yma dros y blynyddoedd aros yn yr union 'stafell yma: e.e: amryw o brif weinidogion y wlad, Isadora Duncan, Artur Rubenstein, Yves Montand, y ddau ofodwr Valentina Tereshkova a Valery Bykovsky – a Kirk Douglas (dydi o'm yn ffitio'n naturiol yn y rhestr rhywsut, nacdi?).

Aethon ni allan am swper, a dewis bwyty oedd yn arbenigo ym mwyd traddodiadol y wlad. Mi gawson ni ddarnau o fara a dau botyn o rywbeth i ddechrau. Wedi eu blasu, caws bwthyn digon derbyniol oedd un, ond roedd hi'n anodd penderfynu beth oedd y llall. "*It's lard*," meddai Marek. Doedd o ddim yn bell ohoni: cymysgedd o nionod, darnau o fraster a rhyw gynhwysyn diarth oedd o. Wedyn, mi gafodd Sioned borc efo eirin sych a chabaits coch oedd yn edrych yn fendigedig. Ges i stecan yn nofio mewn garlleg a phowlen o gabaits a *lentils*. Blasus iawn, ond don i'n methu chwythu wedyn.

Llun: Richard Rees

"...a'i drwyn yn sgleinio am fod cyffwrdd â'i drwyn i fod i ddod â lwc dda i chi. Mi wnes i drio, ond mae Marek dal yma." (t.35)

Dydd Mercher 30 Ebrill 2003

Crwydro Stryd Piotrkowska a gweld bod 'na sêr yn y pafin, yn union fel sy 'na yn Hollywood. Roedd cyfarwyddwyr ffilm enwocaf Gwlad Pwyl yno – Polanski, Wajda a Kieslowski. Mae 'na ysgol a stiwdios ffilm yma, ac yn fan 'no y dechreuodd y criw yna eu gyrfaoedd. Mi ges i dipyn o hanes y lle gan Nora o Swydd Donegal. Mi ddoth hi yma i Lodz fel athrawes Saesneg, clywed am yr ysgol ffilm, gwneud cais am grant yn Iwerddon, pasio'r cyfweliad - oedd yn swnio'n blydi anodd - a rŵan mae Llywodraeth Iwerddon yn talu $12,000 iddi ddod yma, ac mi fydd yn gorffen ei chwrs flwyddyn nesa. Mae'n swnio fel cwrs difyr ond caled, ac mae'r myfyrwyr yn gorfod creu ffilm newydd bob blwyddyn, gan ofalu am y sgript, y cyfarwyddo, y cynhyrchu, bob dim. "Ydach chi'n dewis gwneud comedïau o gwbl?" gofynnais, gan fod ganddi hiwmor Gwyddelig, bendigedig o sych. "Na," gwenodd Nora, "mi fyswn i wrth fy modd, ond does neb byth yn gwneud comedïau, maen nhw'n rhy anodd. Mae pawb yn tueddu i fynd am y rhai trist, tywyll am eu bod nhw'n gymaint haws." "Mae'n digwydd efo llyfrau hefyd," meddwn i o dan fy ngwynt. Ron i'n hoff iawn o'r ffaith fod 'na gofebau ar y pafin i wahanol feirdd a cherddorion Lodz. Mae Artur Rubenstein yn eistedd wrth ei biano ac mi allwch chi eistedd wrth ei ochr a rhoi pres mewn slot i glywed un o'i gampweithiau. Mi wnes i drio, ond doedd o'm yn gweithio. Wedyn mae'r bardd Julian Tuwim yn eistedd jest i fyny'r ffordd, a'i drwyn yn sgleinio am fod cyffwrdd â'i drwyn i fod i ddod â lwc dda i chi. Mi wnes i drio, ond mae Marek yn dal yma. Cyn yr Ail Ryfel Byd, roedd 230,000 o Iddewon yn byw yn Lodz, y gymuned fwyaf o Iddewon yn Ewrop - ar wahân i Warsaw. Ym mis Chwefror 1940, mi gafodd pob un wan jac ohonyn nhw eu hel i *ghetto* oedd wedi ei baratoi ar eu cyfer yng ngogledd y ddinas; yr holl filoedd o bobl i mewn i ddarn o dir oedd dim mwy na 4.3 km^2, a chyfartaledd o 3.5 o bobl i bob stafell. Mi gawson nhw ychydig funudau i hel eu pethau, yna'u gwasgu i mewn. Yn y mis Ebrill, codwyd ffens uchel o amgylch y *ghetto*, ac ar Fai y 1af, mi gawson nhw eu cau i mewn yn llwyr. Doedd ganddyn nhw ddim pres na thir amaethyddol, ond roedd yr Almaenwyr yn disgwyl iddyn nhw ofalu am fwydo eu hunain. Mi lwyddon nhw i drefnu eu bod yn gallu gweithio mewn ffatrïoedd (ffatri Oscar Schindler oedd un ohonyn nhw) a chael eu talu mewn bwyd. Ond ychydig iawn, iawn o fwyd gawson nhw, a bob dydd, roedd y trigolion yn teneuo, a mwy a mwy ohonyn nhw'n dioddef o'r pla gwyn, dysentri a teiffoid.

Yn ystod gaeaf 1941, cafodd 20,000 o Iddewon o ddinasoedd eraill y Trydydd *Reich* eu stwffio i mewn i'r *ghetto*, ynghyd â 5,000 o sipsiwn. Felly mae'n siŵr fod pawb yn falch o glywed, fis Ionawr 1942, y bydden nhw'n cael eu gyrru i weithio ar ffermydd yn y wlad. Fe adawon nhw'r stesion fesul mil bob dydd, cyrraedd gwersyll Chelmno, a chael eu lladd yno, yn y tryciau, efo nwy carbon monocsid. Digwyddodd hyn yn achlysurol trwy gydol 1942. Mi gafodd y bobl oedd yn weddill ddwy flynedd i weithio, llwgu a galaru cyn cael eu gyrru eu hunain – i Auschwitz.

Ar 19 Ionawr 1945, fe gyrhaeddodd y Rwsiaid a rhyddhawyd y *ghetto*. O'r 230,000 o Iddewon gwreiddiol, a'r 25,000 gafodd eu hel yno wedyn, dim ond 877 oedd yn dal yn fyw.

Wrth grwydro ardal yr hen *ghetto*, roedd hi'n anodd ofnadwy dychmygu'r holl ddiodde; mae'n edrych mor normal heddiw. Ond roedd yr hen stesion yn fater arall. Mae'n dwll o le, yn graffiti i gyd, a drain a chwyn bron â chymryd drosodd, ac ambell hen esgid ledr yn gorwedd wrth y cledrau. Pan ddoth 'na drên heibio'n ddirybudd, aeth ias i lawr fy nghefn. Roedd o'n mynd i gyferiaid Auschwitz.

Ychydig iawn, iawn o Iddewon sydd yn Lodz bellach. Gwelson ni un hen ŵr yn stopio Simha Keller, arweinydd y gymuned Iddewig, yn y stryd. Mae'n debyg ei fod o'n dal i geisio cael ei dŷ a'i eiddo yn ôl, ond does na'm byd wedi digwydd hyd yma.

Mi wnes i ddigwydd sylwi bod 'na nifer o ddynion wedi siafio'u pennau yn Lodz, yn *skinheads* go iawn. "Y ffasiwn ydi o?" gofynnais i Marek. "Datganiad gwleidyddol," meddai. "Tristwch y peth ydi bod y gair 'Iddew' yn dal yn insylt yma, maen nhw'n dal yn wrth-Iddewig."

Roedden ni'n cael paned yn y gwesty pnawn 'ma, a dyma sylwi fod 'na griw o ddynion mawr, digon brwnt yr olwg, yn creu stwr yn y gornel. Roedden nhw'n gweiddi ar y weinyddes, ac yn amlwg yn ei bygwth. Mi eglurodd Marek i ni be' oedd yn digwydd: nhw oedd y maffia lleol. Mae pob siop a busnes ar hyd stryd Piotrkowska yn gorfod talu'n rheolaidd i'r criw yna, math o yswiriant, "rhag i rywbeth anffodus ddigwydd". Arferai'r un drefn fodoli yn Warsaw, ond maen nhw wedi llwyddo i roi stop arni yn fan 'no. Fe ddaw yr un tegwch i Lodz yn y pen draw, mae'n siŵr, ond yn y cyfamser, mae'r dynion hyn yn cael rhyddid i fwlio fel y mynnan nhw. Roedd Marek wedi gweithio ei hun i stâd go iawn, ac roedden ni gyd yn poeni y byddai o'n dechrau cega ar y dynion 'ma. Fyddai hynny ddim wedi bod yn syniad da. Ron i'n falch o orffen fy mhaned a gadael.

Llun: Richard Rees

"Mae'n dwll o le, yn graffiti i gyd, a drain a chwyn bron â chymryd drosodd, ac ambell hen esgid ledr yn gorwedd wrth y cledrau." (t.36)

Dydd Iau 1 Mai 2003

Teithio 162 o filltiroedd i Lukow (neu Wcwff), stopio yng nghanol nunlle am ginio a chael y trowtyn mwya bendigedig o flasus i mi ei gael erioed – efo bitrwt wedi'i ffrio. A'r cyfan am 5 *zloty*, sef 80 ceiniog!
Cyrraedd ein gwesty yn Lukow, a chael trafferth parcio am fod y dref i gyd yno'n cael parti. *Euro picnic* oedd o, meddan nhw, wedi'i drefnu gan blaid wleidyddol yr SLP i annog y busnes ymuno â'r Gymuned Ewropeaidd 'ma. Roedd 'na fandiau lleol yn canu; merched ysgol yn dawnsio; criw o oedolion yn gwneud rhyw fath o sgetsus (doedd Marek ddim yn amiwsd – hanner y jôcs yn wrth-Semitig, medda fo); pawb yn sglaffio candi-fflos a wafflau ac yn yfed cwrw lleol (oedd yn flasus iawn). Mi ges i siarad efo'r Maer, oedd yn goblyn o ddyn clên ac yn llawn brwdfrydedd ar gyfer y newidiadau mawrion sydd ar y gorwel yn sgil ymuno â'r EU.

Dydd Gwener 2 Mai 2003

Deffro am 5 am ryw reswm, er 'mod i wedi blino'n rhacs. Mae'r holl ddreifio 'ma i gyfeiliant tafod a breichiau Marek yn lladdfa, er 'mod i'n dechrau dod i arfer efo fo rŵan. Mae ei galon o'n y lle iawn a dwi'n dysgu cryn dipyn ganddo fo, chwarae teg. O ia, mae gyrru yng Ngwlad Pwyl yn dipyn o brofiad ynddo'i hun; mae ganddyn nhw system debyg i Iwerddon, sy'n golygu eich bod chi'n symud i'r llain galed os oes 'na gar isio eich pasio chi, ac fel arfer mae'r llain galed honno'n jipins a llanast i gyd, ac yn gorffen yn hynod swta, heb rybudd o fath yn y byd. A heddiw, roedd 'na foi chwil ulw gaib ar gefn beic o'n blaenau ni, yn igam-ogamu dros y lle. Dwi'n synnu'n arw ein bod ni heb gael pyncjar neu drawiad ar y galon cyn rŵan.

Beth bynnag, mi gyrhaeddon ni dref Jona Podlaska mewn un darn, sef y lle pella allen ni fynd yng Ngwlad Pwyl. Mae 'na siopau bach del, ofnadwy o hen ffasiwn yma, lle ges i bedwar ffrwyth am lai na 20c. Mi brynais i ddwy botel fach o *vodka bison* hefyd, gan fod Marek yn deud eu bod nhw'n anrhegion da. Mae'r Pwyliaid fel arfer yn ei yfed efo sudd afal, felly mi wnes i flasu peth, ac ew, mae'n arbennig o flasus.

Ymlaen â ni i fferm geffylau Biala Podlaska, sy'n fyd-enwog am fridio ceffylau Arabaidd. Mae aelod o'r **Rolling Stones** yn cadw ceffyl neu ddau yma, mae'n debyg. Ond yn bwysicach na hynny, mae 'na bolyn coch a gwyn ym mhen pella un o'r caeau, jest cyn yr afon sy'n nodi'r ffin efo Belarus. Dydan ni'm yn cael mynd i fan 'no. Dydi'r boi sy'n rhedeg y wlad ddim isio criwiau ffilmio yno - ond aethon ni draw at y polyn i mi gael ffilmio darn efo'r '*last pole*'. Mi welson ni reolwr y fferm geffylau ar y ffordd yn ôl. "Welsoch chi'r polyn?" gofynnodd. "Do, diolch, wedi ei ffilmio hefyd." "*Oh, it's supposed to be a state secret,*" meddai. Be'? Polyn mewn cae?

Mi ges i drafferth crynhoi be' ron i'n ei deimlo am Wlad Pwyl. Mi wnes i holi Marek beth allwn i ei ddweud. "*I'm confused, you see,*" eglurais. "*So am I,*" gwenodd. Gwlad felly ydi hi. Mae'n od a chymysglyd. Mi wnaethon ni gyfarfod pobl fendigedig o glên, ond mi ddaethon ni ar draws rhai llai dymunol hefyd.

Roedden ni wedi cael gwybod ymlaen llaw ei bod hi'n wlad beryg i geir. Mi fedran nhw ddiflannu dim ond i chi droi eich cefn, a welwch chi byth mohonyn nhw wedyn. Felly, o ystyried hanes ein cerbydau druan, roedden ni'n reit nerfus. Dyna pam y gadawson ni'r ffenestri plastig fel oedden nhw, er mwyn eu gwneud yn llai deniadol i ladron, a gwagio pob briwsionyn allan ohonyn nhw bob nos, wrth gwrs. Mi weithiodd.

Yn y trefi mawrion, mae 'na deimlad o 'isio-isio – rŵan, ar frys!' Dyna sy'n digwydd mewn gwledydd fu'n Gomiwnyddol, mae'n debyg, ond mae'r hen bobl yng nghefn gwlad mwya dow-dow, yn cymryd bywyd fel y daw o ac yn gwneud y gorau allan o 'chydig. Efallai bod 'na rai sydd â natur mwy *entrepreneur*-aidd wedi cymryd gormod o risgiau'n ddiweddar; mi welson ni beth wmbreth o dai mawr (hurt o fawr) wedi hanner eu hadeiladu, ac yn amlwg ar eu hanner ers sbel. Dyna i chi'r gwesty yn Zielona Gora: roedd hwnnw wedi ei adael ar ei hanner ar ôl gweld na fyddai angen gwesty mor fawr wedi'r cwbl. Mi wnaethon ni stopio mewn gwesty arall heddiw, am ein bod ni i gyd yn despret isio pi-pi; roedd 'na estyniad anferthol yn y cefn gafodd ei adeiladu, meddai'r perchennog, am fod busnes mor dda pan ddechreuodd y traffig lifo o'r dwyrain. Ond ers datgan fod angen *visas* i ddod i mewn i'r wlad, mae'r traffig wedi lleihau'n arw a does 'na fawr o neb yn galw yno bellach. Roedd y toiled newydd sbon danlli ddefnyddies i yn amlwg yn genal ci ers misoedd, a'r ci hwnnw'n anferthol yn ôl maint y blewiach, y bowlen fwyd, y mynydd o fwyd oedd ynddo - a'r drewdod.

Mae'r Pwyliaid wedi diodde'n enbyd dros y canrifoedd, oherwydd rhyfeloedd, colli ffiniau ac ati. Maen nhw wedi diodde pob cam posib, gan gynnwys colli chwe miliwn o fywydau yn yr Ail Ryfel Byd; a'r gred ydi y gyrrwyd rhwng 1 a 2 filiwn o bobl fwyaf deallus y wlad i Siberia a'r Arctig Sofietaidd yn 1939-40. Ychydig iawn ddaeth yn ôl oddi yno. Bu'r Almaenwyr a'r Rwsiaid yn eu tro yn gyfrifol am geisio chwalu *élite* y wlad, ond yr hanes gwaethaf oedd pan gafodd 21,800 o bobl, ar orchymyn Stalin, eu hel i mewn i goedwigoedd, eu saethu a'u claddu yno. Dim ond yn 1990 y gwnaeth y Sofietiaid gyfaddef eu 'camgymeriad'. Ond er gwaetha'r holl erchyllterau, mae'r Pwyliaid wastad wedi llwyddo i godi eto, a llwyddo'n rhyfeddol i gadw undod. Hon oedd y wlad gyntaf i dorri'n rhydd o hualau Comiwnyddiaeth, yn profi yr hyn ddywedodd Stalin yn 1944: "Mae troi Gwlad Pwyl yn wlad Gomiwnyddol fel rhoi cyfrwy ar gefn buwch." Maen nhw'n bobl wydn, balch a gweithgar, a phan fyddan nhw'n ymuno â'r EU, mi fydd gwledydd fel Cymru yn cael dipyn o sioc, dybia i. Ta waeth, ar hyn o bryd, mae 'na ddiweithdra garw yma, ac mae popeth yn rhad fel baw - wel, y tu allan i'r dinasoedd mawrion, o leia. Ron i'n llawer hapusach allan yn y wlad nag yn y trefi. Mi wnes i fwynhau croesi'r afon 'na ar y fferi hen ffasiwn, gweld y storciaid yn nythu, gwylio'r ffermwyr yn troi'r tir efo ceffyl ac aradr. Mi ges i flas ar y bwyd hefyd, o'r cawl *borscht* piws i'r salad cabaits coch a'r pysgod bendigedig. Roedd Jonathan yn hapusach hefyd. Maen nhw'n coginio'u cig yn drwyadl yng Ngwlad Pwyl. Bu bron iddo gyfogi ar ei ffiled porc yn yr Almaen. Roedd o braidd yn waedlyd. "Duw, neith o'm drwg i ti," meddwn, "mi fydda i wastad yn licio 'nghig yn binc." "Ie, ond ma' dal i fod pyls 'da hwn..." chwyrnodd Jonathan.

Rydan ni yn Warsaw bellach, ar ôl gyrru 98 milltir yn y glaw. Aeth Marek druan â ni ar goll yn rhacs eto wrth drio dod o hyd i'r gwesty. Fuon ni dros y bont 'na deirgwaith. Mae'n westy braf, beth bynnag, a phobl glên ofnadwy, a adawodd i mi fynd ar y We am ddim i ddarllen fy e-byst. Mi gerddon ni i ganol y dre i chwilio am swper, ond am ein bod ni'n gorfod mynd trwy ryw barc, lle roedd 'na gymeriadau amheus iawn yn llechu yn y cysgodion, mi gawson ni dacsi adre, a myn coblyn i, aeth hwnnw ar goll hefyd.

Mae Marek wedi mynd, a gwynt teg ar ei ôl o. Na, mae hynny'n gas.

Roedd o wedi tawelu ac ymlacio cryn dipyn erbyn y diwedd ac ron i'n teimlo drosto fo, braidd. Ond wela i mo'i golli o. Mae'n anffodus mai ei gofio fo fydda i pan fydda i'n meddwl am bobl Gwlad Pwyl, a finna'n gwybod ei fod o'n mynd ar nerfau ei gyd-wladwyr jest gymaint â'n rhai ni, y creadur.

Mae Sioned a finna newydd ffarwelio efo Richard a Jonathan hefyd. Rydan ni'n dwy'n hedfan adre am bedwar o'r gloch bore fory, am ein bod ni'n gorfod bod yn Rwsia mewn wythnos, ond maen nhw eu dau yn gorfod gyrru'r holl ffordd adre...

TAITH DAU

15 Mai - 17 Mehefin 2003

"Mae Moscow yn fendigedig." (t.43)

Dydd Iau 15 Mai 2003

Dwi yn Moscow ers tridiau, a dwi wedi gwirioni. Dydan ni ddim ar linell 52° fan hyn, ond er mwyn cael ffilmio'r darnau sydd ar y llinell, roedden ni'n gorfod dod i fan 'ma gynta i gael stampio'n pasports a chael y gwaith papur angenrheidiol – sy'n cymryd wythnos! Dwi'm yn cwyno o bell ffordd, dwi wastad wedi bod isio gweld Moscow. Mae 'na ryw ramant Cosacaidd, Omar Shariff-aidd am y lle, ond pethau peryg ydi'r delweddau 'ma, ac ron i'n barod i gael fy siomi (wedi dysgu fy ngwers ar ôl Rio de Janeiro). Ond tro 'ma, dwi'n falch o ddeud, dwi wedi cael fy siomi o'r ochr orau. Mae Moscow yn fendigedig. Neu *zamiechatilni* hyd yn oed (nid fel 'na mae ei sillafu'n yr iaith frodorol wrth gwrs, ond mae'n swnio rwbath tebyg). Roedd yr argraff gynta fel pob siwrne arall o faes awyr i ganol dinas: llanast a diffeithwch, olion o dlodi, hen gytiau pren ac adeiladau gweigion, hyll. Ond roedd 'na adeiladau mawr newydd bob hyn a hyn, ffatrïoedd glân a llewyrchus yr olwg - ac anferth o IKEA. Mae'n debyg fod hwnnw wedi gwneud mor ofnadwy o dda nes eu bod am godi 3 siop arall yma.

Mae Sioned a finna'n aros yn ngwesty Rossia neu ('POCCNR' efo'r N a'r R ffor' rong) sy'n hongliad anferthol, prysur, y gwesty mwya yn Ewrop ar un adeg. Mae o ymhell o fod yn foethus (roedd 'na welyau gwell yng Nglan-llyn yn 1973), ond mae'n lle difyr ar y naw, ac mae'r olygfa o fy 'stafell wely yn fendigedig: dwi'n sbïo dros y Kremlin ac Eglwys St Basil ar y dde ac afon Moscow ar y chwith. Mae'n wledd i'r llygad yn ystod y dydd, yn lliwiau llachar fel rhywbeth allan o **Charlie a'r Ffatri Siocled**, a fin nos, wedi ei oleuo i gyd, mae o'n fwy trawiadol fyth.

Roedd cerdded trwy'r Sgwâr Coch am y tro cynta yn wefr, ac er ein bod ni wedi bod yno sawl gwaith bellach, mae'r teimlad yr un fath bob tro - methu credu ein bod ni yma rhywsut. Dyma lle bu Ivan yr Arswydus yn cyfaddef ei gamweddau yn 1547 ac yn lladd ei elynion; dyma lle cafodd 2000 o filwyr Pedr Fawr eu lladd am godi yn ei erbyn, a dyma lle bu'r holl danciau'n rhowlio heibio yn ystod cyfnod y Rhyfel Oer i atgoffa pwerau'r gorllewin o bŵer milwrol yr Undeb Sofietaidd.

Mi holon ni beth oedd y sgriniau anferthol oedd yn hongian dros rai o'r adeiladau: cyngerdd Paul McCartney fydd yma ar 24 Mai. Fyddwn ni'm yma ar gyfer hwnnw: Siberia'n galw. O, ia, roedd 'na lond gwlad o ferched heglog mewn gwisg ysgol fer iawn yng nghyffiniau'r Sgwâr heddiw. Finna'n meddwl mai trip ysgol oedd o a bod pob merch ysgol yn gwisgo fel 'na yn Rwsia. Ond naci, ar ôl darllen y **Moscow Times** (oes, mae 'na bapurau dyddiol Saesneg yma, a llond gwlad o *ex-pats*), yma i ffilmio fideo y ddeuawd bop Rwsieg ryfedd **Tatu** oedden nhw. Ond mi gawson nhw eu rhwystro gan heddlu'r Sgwâr Coch. 'Swn i'n meddwl 'fyd. Mi fyddai Lenin yn troi yn ei fedd.

Ron i wedi meddwl mynd i weld y cyfryw fedd heddiw, ond roedd y Sgwâr ar gau a'r heddlu'n gwrthod gadael neb i mewn. Dwi'n dal ddim yn gwbod pam.

Rydan ni wedi cyfarfod Valentin Savenkov, ein dyn camera am y mis nesa, ond gan nad ydan ni'n dechrau ffilmio nes cyrhaeddwn ni'r Wcrain, tydan ni heb gyfarfod y ddau foi arall eto. Un o Kyiv ydi Valentin, dyn byr, annwyl a hynod ddidrafferth. Mae'n f'atgoffa i o *Ewok* rhywsut (un o'r tedis bach 'na yn **Star Wars**) er, dwi'm yn siŵr pa mor falch fyddai o o'r disgrifiad hwnnw. Ta waeth, mae o wedi bod yn ein helpu i gael ein *press accreditation* gan y Swyddfa Dramor, oedd yn golygu tipyn o ddisgwyl a chicio sodlau (a llythyru a llenwi ffurflenni fisoedd yn ôl) a llond bag o siocledi yn anrheg i bobl y swyddfa dan sylw – dyna'r drefn, mae'n debyg. Rydan ni'n dal i ddisgwyl ein cardiau gan Weinyddiaeth y Rheilffyrdd (dim digon o siocledi o bosib?), ond mi ddylen nhw fod yn barod erbyn i ni ddod yn ôl o'r Wcrain wythnos nesa. Mae biwrocratiaeth yn dal yn fymryn o gur pen yma, ond ar wahân i hynny, mae'r ddinas wedi chwalu'r hen ddelweddau oedd gen i ohoni yn llwyr. Yn un peth, mae'n ofnadwy o boeth yma, ac mae'n llawn pobl ifanc fywiog a gwallgo, yn cofleidio a chusanu ac yfed trwy'r dydd heb ymddangos fel petaen nhw'n meddwi gymaint â hynny. Mae 'na ferched fel modelau neu falerinas, a milwyr mewn iwnifform yn cerdded ar hyd y strydoedd a photeli cwrw yn eu dwylo y peth cynta'n y bore. Ond mae alcoholiaeth yn broblem fawr yma, mae'n debyg. Dyna pam fod dynion Rwsia yn marw'n 58 oed ar gyfartaledd (71 oed i ferched). Yn ôl ystadegau Adran Iechyd y wlad, mae'r Rwsiaid yn yfed 12 litr yr un o alcohol pur y flwyddyn - tair gwaith yr hyn mae gweddill y byd 'datblygiedig' yn ei yfed. Ar benwythnosau poeth, mae 'na gannoedd o bobl yn boddi yn yr afonydd a'r llynnoedd (pedair gwaith yn fwy nag unrhyw le arall yn y gorllewin) oherwydd eu bod nhw wedi meddwi.

Mae'r ffyrdd trwy ganol y ddinas yn ofnadwy o brysur, felly 'dach chi'n aml yn gorfod dringo lawr i'r *subways* i groesi'r ffordd dan ddaear. Ac yn syth, 'dach chi mewn byd gwahanol. Mae siopau bychain yno sy'n gwerthu pob dim dan haul, gan gynnwys cwrw a *vodka*, ac mae 'na giwiau hirfaith o flaen y stondinau hynny bob amser. Mewn un man penodol mae'r byscars gorau glywais i erioed: *ensemble* llinynnol, 8-10 o gerddorion gwych, yn chwarae darnau o Tchaikovsky a Bizet. Mae'r acwstig lawr fan 'na yn berffaith, ac mi allwn i'n hawdd droi'n dwrch yn gwrando arnyn nhw am oriau. Ond dwi'n dal ddim yn deall pam fod cerddorion o'r fath safon yn gorfod byscio.

Ac am y rhilffordd danddaearol... waw! Crand? Welais i 'rioed ffasiwn beth. Steil Stalin mae'n debyg, yn fosaigau bendigedig a cherfiadau cywrain, cymhleth o bobl Rwsia: yn athletwyr, yn weithwyr ffatri, yn werin wledig a.y.b. Mae'r goleuadau'n rhyfeddol o dros ben llestri, ac allwch chi ddim â pheidio â syllu a rhyfeddu ar y cyfan. Mae'r grisiau symudol yn hir,

hir a choblyn o serth, yn dal i fynd am byth i grombil y ddaear. Ac maen nhw'n brysur, bois bach. Mae 'na naw miliwn o bobl yn defnyddio'r rheilffordd danddaearol 'ma bob dydd - mwy na sy'n defnyddio rhai Llundain ac Efrog Newydd gyda'i gilydd.

Mae'r bwyd yn fendigedig yma. Mae'r cawl *borscht* yn well nag un Gwlad Pwyl; mae 'na gig yn hwn, a nionod - a hufen sur. A dwi'n hoff iawn o'r salad efo caws *brynza* sy'n edrych fel caws *feta* ond yn llawer, llawer neisiach, ac sy'n toddi yn eich ceg. Ac mae'r dewis yn wych; er enghraifft, ddoe, ges i ginio Mongolaidd a swper Tibetaidd (chwaden mewn *coconut* a tsili a siampên Rwsieg – hyfryd, a rhad).

Mae bron pawb sy'n gweini yn siarad Saesneg perffaith – efo acen Americanaidd fel arfer. Ond dyna fo, mae 'na gannoedd o dwristiaid o'r Unol Daleithiau yma – mae'r gwesty yn berwi efo nhw. Ac mae'r ddinas wedi ei McDonaldeiddio'n arw, a chiw hir o bobl ifanc lleol ym mhob un o'r McDonald's sydd yma. Es i heibio i un ddoe a chlywed *Wannabe*, cân y **Spice Girls**, yn bloeddio o'r PA. Profiad od a deud y lleia.

Mae'r adeiladau'n rhoi cric yn fy ngwar i: o ysblander tyrrau'r Kremlin i lefydd fel y Swyddfa Dramor, adeilad anferthol a gothig, sy'n edrych fel petai'n perthyn yn Gotham (dinas Batman i'r sawl ohonoch sydd ddim yn nabod eich llyfrau comics). Ron i'n disgwyl gweld y *Batmobile* yn hedfan i lawr o un o'r tyrrau unrhyw funud.

Mae'r siopau'n agoriad llygad arall. Dwi 'rioed wedi bod yn Milan na Rhufain, ond efo'r holl siopau dillad drudfawr Eidalaidd ar hyd y lle, allwn i dyngu 'mod i yno. Ac es i 'chydig bach yn wirion mewn siop ddillad plant

"...roedden ni'n gorfod dod i fan 'ma gynta i gael stampio'n pasports a chael y gwaith papur angenrheidiol – sy'n cymryd wythnos!" (t.42)

anhygoel o ddrud. Os na fydd Meg yn licio'r ffrog dwi wedi ei phrynu iddi, mi fydd raid i mi wneud rhywbeth drastig fel cael hogan fach fy hun, a disgwyl iddi dyfu. Cafwyd plant am resymau gwaeth, dwi'n siŵr. Mae'r siopau colur yn fendigedig hefyd, a'r stwff sydd ynddyn nhw un ai yr un pris ag adre neu'n ddrutach. O ystyried cyflogau pobl, mae'n rhaid bod genod yn gwario'r rhan fwyaf o'u harian ar edrych yn dda. Maen nhw'n llwyddo hefyd. Mae ganddyn nhw steil, was bach, ac maen nhw'n ei Mae West-io hi o ddifri yn eu *kitten heels* a RHYW mewn priflythrennau ar eu talcen (ddim yn llythrennol, wrth gwrs). Mae'r dynion yma'n smartiach nag yng Ngwlad Pwyl hefyd, a'u lleisiau bâs yn felfed pur. Er mwyn diolch, 'dach chi'n deud *Sbasiba*, a maen nhw'n deud *pazhalsta* yn ôl, a bob tro mae dyn yn deud hynny wrtha i mae fy mhengliniau'n troi'n jeli.

Dydd Gwener 16 Mai 2003

Diwrnod crasboeth arall, ond roedd hi'n rhewi yma bythefnos yn ôl, mae'n debyg. Dydi hi ddim mor boeth â hyn yma fis Mai fel arfer, rhyw fath o *heatwave* rhyfedd ydi hwn, sy'n braf iawn ar un wedd, ond yn boen hefyd gan mai dim ond dillad cynnes, gaeafol sydd ganddon ni. Mi fu'n rhaid i mi brynu crys newydd, ysgafn heddiw, ac mae rhywbeth yn deud wrtha i 'mod i'n mynd i gael cryn dipyn o ddefnydd ohono fo ar y trip 'ma.

Roedd Vladimir Putin, Prif Weinidog Rwsia, yn cael cyfarfod pwysig bore 'ma pan oedden ni am ymweld â thu mewn y Kremlin, a doedd neb yn cael mynd ar gyfyl y lle. Mae'n siŵr y bydden ni wedi gallu mynd i mewn ar ein pennau ein hunain yn y diwedd, ond roedd hi'n haws i dalu tywyswraig leol i fynd â ni. Trwy rannu'r gost efo pum person o India (roedd y tywysydd yn gweithio i'r Llysgenhadaeth Indiaidd), doedd o'm yn ddrud iawn, ac roedd hi'n ddynes glên iawn.

Aeth hi â ni'n syth i'r Oruzheynaya Palata, lle mae 'na werth canrifoedd o drysorau. Roedd yr wyau Fabergé o aur a gemau o bob math yn werth eu gweld os 'dach chi'n hoffi wyau, ond roedd yn well gen i'r mwclis a'r diemyntau. Roedd 'na glustdlysau bendigedig yno, ac roedd y rhuddem Cesar oedd yng nghoron Catherine Fawr yn ddigon o ryfeddod. Rhaid bod ei gwddw hi'n sigo wrth wisgo'r fath beth; mae'n rhaid ei bod hi'n pwyso tunnell. Roedd 'na gasgliad anferthol o lympiau mawr o aur a phlatinwm – roedd 'na gnapyn o aur yn pwyso 36kg! Roedd 'na ddiemyntau lu o Siberia (sy'n dynn wrth sodlau De Affrica am gynhyrchu'r nifer fwyaf o ddiemyntau yn y byd), gan gynnwys rhai duon oedd yn wirioneddol hardd, a dwi'm yn hogan gemau fel arfer. Ron i wrth fy modd yn crwydro o amgylch y cerbydau crand; y sled a dynnwyd gan 23 o geffylau ar y tro (800 ar gyfer y siwrne gyfan) i gludo Elizabeth Petrovna, Ymerodres Rwsia o 1741-1762, o St Petersburg i Moscow i gael ei choroni; y cleddyfau a'r gynnau a'r gwisgoedd milwrol a'r coronau; y ffrogiau hurt o grand (rhai na chafodd eu gwisgo erioed) a sgertiau anferthol Catherine Fawr. Pwrpas maint y rhain oedd cuddio ei holl gariadon yn ôl y sôn – roedd yr hen Catherine yn dipyn o wariar.

Ges i 'chydig o sioc yn y ciw am eglwysi'r Kremlin. Mi welais i wyneb cyfarwydd. "Na, dio'm yn bosib," medda fi. Ond wedyn, mi glywais i'r llais. Fo oedd o. Es i'n goch fel tomato, yn ôl Sioned. Ar ôl hir ymdroi, es i ato fo. "*Um, I believe we met in Madrid?*" meddwn yn betrus. Roedd o'n fy nghofio i'n iawn. Fo oedd y boi o'r Llysgenhadaeth Brydeinig y bûm i'n dawnsio'n wyllt efo fo trwy nos Sadwrn wallgo ges i yn Madrid ym mis Chwefror. Mae o yma mewn cynhadledd. Byd bach? Syfrdanol! Ond os bydda i'n cyfarfod dyn o 'ngorffennol yn Alaska hefyd, mi fydda i'n dechrau poeni.

O, ia, roedd eglwysi'r Kremlin yn fendigedig yn erbyn yr awyr las, las, yn enwedig tyrrau aur Palas Terem, ond mi ges i lond bol o'r holl eiconau y tu mewn iddyn nhw ar ôl sbel.

Am dro rownd y dre eto wedyn. Dwi'n methu dod dros faint o Fosgofiaid sy'n siarad Saesneg ardderchog; mae'n amlwg eu bod nhw'n cael, neu wedi cael, addysg arbennig yma, ac mae'r raddfa llythrennedd yn arbennig o uchel drwy'r wlad. Ond mae cyflogau athrawon yn uffernol o isel, yn ôl ein tywysydd rownd y Kremlin. Dwi'n meddwl ella mai athrawes oedd hi cyn iddi droi'n dywysydd ar ei liwt ei hun.

Mi gyrhaeddon ni gartref Bale y Bolshoi ar ôl sbel, a dyma Sioned yn dechrau siarad efo ryw foi y tu allan oedd yn gwerthu tocynnau i'r cynyrchiadau. Mi gawson ni gynnig dewis rhwng yr opera *Nabucco* heno neu bale *Giselle* nos fory. Diawl, doedd yr un ohonon ni wedi bod i weld bale o'r blaen, felly dyma dalu $25 (doedd o'm isio *roubles*) yr un am seddi go lew – yn ôl y boi. Gawn ni weld! Mae'r prisiau'n amrywio rhwng $7 a $100 – i ymwelwyr. Mae'n rhatach i drigolion Moscow.

Aethon ni am beint i un o'r bariau Gwyddelig heno: Rosie O'Grady's. Roedd 'na grŵp yn chwarae miwsig Gwyddelig reit dda yno, ond nid Gwyddelod mohonyn nhw. Mi wnes i wisgo crys-T efo'r ddraig goch arno, ond ddoth neb aton ni i holi os mai Cymry oedden ni. Hy, mae o'n gweithio fel arfer.

Nos Sadwrn 17 Mai 2003

O wel, roedd o'n rhy dda i bara – gawson ni law heddiw. Ond dwi'n falch, mi ges i gyfle i wisgo côt law a dillad cynnes o'r diwedd, a gweld Moscow yn y glaw, ac mae'n dal yn brydferth ac yn ddifyr.

Es i i weld corff Lenin bore 'ma. Mae'r creadur yno ers 1924, a phobl yn dal i giwio i fynd i'w weld o. Mae'r Gwarchodlu'n gofalu nad oes ganddoch chi gamera cyn mynd i lawr y grisiau, ac wedyn rydach chi'n cerdded o amgylch tair ochr y câs gwydr lle mae ei gorff o'n gorwedd.

Ond dydach chi ddim yn cael stopio o gwbl i sbïo'n iawn arno fo, mae 'na filwyr yn y cysgodion y tu ôl i chi yn gofalu eich bod chi'n dal i symud. Y cwbl ges i gyfle i sylwi arno oedd ei fod o'n foi ofnadwy o fyr, wirioneddol fyr, Ronnie Corbett o fyr, a bod ei wyneb o'n edrych yn hynod debyg i gŵyr. Mae 'na amheuaeth ynglŷn â'i gorff o ers blynyddoedd; mae rhai'n deud nad Lenin ydi o o gwbl, eraill yn deud mai cŵyr ydi o i gyd, fel un o'r pethau 'na yn arddangosfa Madame Tussaud. Yr unig beth sy'n sicr ydi bod costau cynnal y corff wedi cael eu cwtogi'n helaeth yn 1991. Cyn hynny, mi fyddai tim o dechnegwyr yn brysio yno efo pob math o 'nialwch petai 'na unrhyw arwydd o fwsogli neu bydru. A'r dyddiau yma? Pwy a ŵyr? Yr hyn sy'n drist ydi ei fod o wedi deud ei fod o am gael ei gladdu wrth ochr ei fam yn St Petersburg a dyma fo, yn dal i orwedd mewn câs gwydr ar ei ben ei hun bach. Mae 55% o bobl Rwsia isio iddo fo gael ei gladdu, ond yma y bydd o am sbel eto, debyg.

Draw i Eglwys St Basil wedyn, yr adeilad Tylwyth Teg-aidd sy'n fôr o liwiau a siapiau rhyfedd. Mi gafodd ei hadeiladu rhwng 1555 a 1561, yn oes Ivan yr Arswydus, ac mae 'na sôn fod Ivan wedi mynnu bod y pensaer yn cael ei ddallu i sicrhau na fyddai o byth yn gallu creu dim byd tebyg eto. Mae o'n fendigedig o'r tu allan, ond mi ges i fy siomi efo'r tu mewn, rhaid i mi ddeud.

Ar ôl pryd Mongolaidd hyfryd arall, adre â ni i newid. Roedden ni am fod yn grand ar gyfer y Bolshoi, debyg iawn, ac roedden ni am fynd yno mewn tacsi hefyd. Ond roedd y bois tacsi y tu allan i'r gwesty i gyd yn mynnu cael 350 *rouble* am fynd â ni yno. Ond dim ffiars o beryg. Roedd Valentin wedi deud wrthan ni mai 100 *rouble* ydi pob trip o fewn canol y ddinas a dim roublen yn fwy! Felly mi benderfynon ni gerdded – doedd o'm yn bell, ac roedd yr haul allan eto.

Roedd 'na gannoedd o bobl y tu allan i'r Bolshoi, byscars yn canu, cyplau'n dawnsio a'r awyrgylch yn drydanol hyd yn oed cyn mynd i mewn. Roedd ein seddi ni ar y pumed llawr, 3 rhes yn ôl, ac yng nghanol llwyth o hen ferched lleol oedd yn ffysian eu bod nhw'n methu gweld. Doedden ninnau ddim chwaith! Roedd 'na bolyn reit o 'mlaen i. Ond chwarae teg, mi drodd un ddynes ata i a gwneud stymiau i mi ddringo drosodd i eistedd yn y sedd wag wrth ei hochr hi. Doedd o ddim yn hawdd a minnau mewn sgert hir, grand, ond mi lwyddais yn rhyfeddol, i gyfeiliant llwyth o chwerthin a miri. Roedd y merched 'ma'n gymeriadau a hanner ac wedi cynhyrfu'n rhacs er eu bod nhw'n amlwg yn hen gyfarwydd â'r bale, yn ochneidio'n uchel yn ystod y darnau mwya prydferth ac yn clapio fel ffyliaid pan fyddai un o'r dawnswyr wedi gwneud rhyw symudiad arbennig. Roedd Sioned a finnau wedi meddwl ein bod ni wedi gwisgo'n rhy grand i ddechrau, gan fod y rhain i gyd yn eu dillad bob dydd, ond na, erbyn gweld, roedd 'na bobl mewn ffrogiau llaes a *tuxedos* i lawr yn y gwaelod yn y seddi drud. Y werin oedd efo ni ar y pumed llawr, mae'n amlwg; ond nid rhywbeth i'r *élite* yn unig ydi'r bale yn Moscow. Er ein bod ni'n bell iawn o'r llwyfan, ges i fy syfrdanu gan brydferthwch y cyfan, ac roedd 'na ddagrau yn fy llygaid i weithiau. Aeth y clapio a'r taflu blodau ar y diwedd ymlaen am byth. Mae'r adeilad ei hun yn anhygoel, ac yn dyddio'n ôl i'r 18fed ganrif. Mae'r sylfeini'n suddo a'r lle i fod i gael ei gau er mwyn cael ei adnewyddu, ond rhywsut mae'r dyddiad yn cael ei ohirio o hyd. Roedd y gerddorfa'n berffaith, y dawnsio'n wefreiddiol a phenolau siapus y dynion yn fythgofiadwy. Dwi newydd sbwylio'r disgrifiad trwy ddeud hynny rŵan, on'd do? Ond wir yr, roedd y penolau 'na'n werth eu gweld.

Mae Sioned yn meddwl ella bod genod bach Rwsieg yn dysgu dawnsio bale yn ifanc iawn, ac mai dyna pam maen nhw i gyd yn cerdded mor osgeiddig, sydd wedyn yn hawdd ei droi'n wigl Mae West-aidd wrth iddyn nhw fynd yn hŷn. Ella wir. Un peth synnodd fi'n arw yn y Bolshoi – roedd twr o bobl yn y gynulleidfa wedi gadael eu ffonau symudol ymlaen! Mi ddechreuodd un ganu jest fel roedd Giselle yn dawnsio un o'i hunawdau mwya teimladwy. Ron i isio'i grogi o. Ac roedd 'na lwyth o bobl yn tynnu lluniau efo fflash yn ystod y perfformiad, damia nhw, er gwaetha'r arwyddion yn gofyn iddyn nhw beidio. Twristiaid...

Mi gawson ni baned a chacen yng ngwesty'r Metropole ar y ffordd adre. Mae o dipyn mwy crand na'r Rossia, ond er gwaetha diffygion yr hen Rossia, dwi wedi dod yn reit hoff o'r lle. Mae'r ddraig yn y swyddfa lle rydan ni'n mynd ar y We wedi meddalu'n arw; mae'r genod glanhau yn llawer llai brawychus, ac mae hi wedi gwawrio arnon ni mai puteiniaid ydi'r holl ferched hynod smart sy'n sefyllian yn y bar ar y llawr cynta. Roedden nhw'n arfer sbïo reit drwyddan ni, mwya trwynsur, ond maen nhw'n hanner gwenu erbyn hyn.

Noson berffaith, a dwi'n dal mewn perlewyg ar ôl y bale. Pacio fory a dal y trên nos i'r Wcrain a'r brifddinas – Kyiv (fel 'na maen nhw'n ei sillafu yn yr Wcrain). Edrych ymlaen yn arw.

Dydd Sul 18 Mai 2003

Ges i brofiad reit od yn y lifft bore 'ma ar fy ffordd i gyfarfod Valentin. Mi ddoth 'na bedwar *flathead* i mewn, sef y *bodyguards* sydd i'w gweld ar hyd y lle'n dragwyddol. Roedd 'na foi yn ei bumdegau cynnar mewn siwt Armani yn eu canol nhw yn siarad fel pwll y môr ar ei ffôn symudol. Mi edrychodd y *flatheads* arna i'n ofalus, mi wnes i hanner gwenu'n ôl gan geisio edrych mor ddiniwed â phosib, ac yna mi wthiodd un ohonyn nhw y botwm i'r llawr gwaelod. Pan agorodd y drws, aeth y boi mwya yn eu plith – oedd ag ysgwyddau fel wardob - allan gynta, sbïo o'i gwmpas yn ofalus a drwgbydus, yna amneidio i Mr Big ei ddilyn. Mi ges i fy ngwasgu yn erbyn y wal wrth iddyn nhw i gyd basio, a'u gweld yn ysgwyddo'u ffordd trwy'r dorf yn y dderbynfa fel tasen nhw pia'r lle. Mi welais i Valentin yn syth a gofyn iddo os oedd Mr Armani'n rywun enwog neu bwysig. "Na, dim ond meddwl ei fod o." Mae'n debyg fod 'na lwyth o ddynion ariannog yn cyflogi'r *flatheads* rhag i ddynion busnes ariannog eraill ymosod arnyn nhw. Nhw sydd yn y ceir mawr duon sy'n gyrru fel Jehu ar hyd y lle efo golau glas yn fflachio ar y to. Ron i wedi meddwl mai aelodau seneddol neu ddiplomyddion pwysig oedden nhw, ond naci, mae'n debyg y gall unrhyw un brynu *permit* gan Lywodraeth Moscow i gael torri'r rheolau traffic ac ymddangos yn bwysig.

Dydd Llun 19 Mai 2003

Roedd y daith i Kyiv yn grêt, ar wahân i'r ffaith 'mod i wedi gorfod llusgo fy mag rhyfeddol o drwm reit trwy'r orsaf drenau hirfaith ac i fyny'r allt at y platfform, ac wedyn deall mai yng ngherbyd rhif 14 roedden ni, a rhif 1 oedd agosaf aton ni... Mae'n iawn i Sioned, mae ganddi hi ddau fag yn hytrach nag un, ac roedd Valentin yn llusgo un ohonyn nhw. Roedd fy mreichiau i wedi pwmpio i fyny fel rhai dringwr ugain stôn erbyn cerbyd 7. Ond roedd y drefn ar y trên yn dderbyniol iawn. Dau berson oedd i bob caban cysgu (dosbarth cynta), a bwrdd bach yn llawn cwrw a bisgedi yn y canol - a theclyn agor poteli odano. Maen nhw'n meddwl am bob dim 'chi... a phecyn bach efo sebon a thywel mewn hamoc bach uwch ein pennau. Roedd Valentin drws nesa i ni, ac wedi prynu bagiau o *calamares* (sgwid) wedi'i sychu. Mynd yn neis iawn efo cwrw, medda fo. Roedd o'n iawn 'fyd. Gesiwch be dwi'n mynd i'w brynu mewn bylc i ddod adre efo fi? Mae gan bob cerbyd ei *provodnitsa* ei hun, sef dynes sy'n cymryd eich tocyn, gwneud paneidiau i chi efo'i *samovar* mawr a gofalu eich bod chi'n hapus. Yn ôl clecs teithwyr, maen nhw'n medru bod yn bobl ddigon surbwch a blin, ond roedd hon yn grêt. Mi drefnodd swper i ni ac roedd o'n flasus iawn. Ond fethon ni orffen y *tongue* efo rhyw fath o saws drosto fo. Bai'r *vodka*, dwi'n meddwl. Roedden ni'n gorfod clecio'r gwaelod gwydr roedd Valentin yn ei dywallt i ni bob munud. Argol, roedd o'n gry. Ond hynod dderbyniol, achos doedd trio cysgu wedyn ddim yn hawdd. Roedd y seddi'n iawn i eistedd arnyn nhw, ond fymryn yn gul i gysgu arnyn nhw, onibai eich bod chi'n berson sydd ddim yn symud milimedr yn eich cwsg. Os ydach chi, fel fi, yn un sy'n troi a throsi, beryg i chi waldio'ch pen yn erbyn y bwrdd/disgyn allan/deffro a'ch trwyn mewn llond plât o *tongue*. Roedd hi'n anodd cysgu'n iawn beth bynnag am ein bod ni'n gwybod y bydden ni'n croesi'r ffin tua dau y bore ac o'r herwydd yn cael ein deffro i ddangos ein pasports. Ond aeth hi'n dri, yn bedwar a phump a dim golwg o neb. 6.30, ac mi roddodd y *provodnitsa* gnoc i'n rhybuddio i ddeffro a deud *obligati*-rhywbeth. Newid reit handi - fawr o awydd i'r un swyddog diogelwch ein gweld yn ein pajamas. Pan stopiodd y trên, mi ddoth 'na ddau swyddog digon cwrtais a chlên i mewn aton ni, stampio'n pasports a mynd â nhw i rywle. Yn y cyfamser, ar y platfform, roedd 'na bobl yn brysio at y ffenestri, yn gwerthu pob math o bethau: teganau meddal anferthol, cacennau hufen bron yr un mor anferthol, ciwcymbers a radisys a fferins a ffags, a phethau coch mewn bagiau plastig. Cimychiaid o afon gyfagos oedden nhw, ac mi brynodd Valentin lond bag a rhannu dau efo ni. Ew, blasus! Brecwast heb ei ail. Roedd 'na olwg gyfeillgar iawn ar bawb - a thlawd. Ond dim ond pobl dlawd fyddai'n dod i werthu stwff mewn stesion am 6.30 y bore, erbyn meddwl.

O ia, dwi'n meddwl bod y *vodka* wedi mynd i ben Sioned a finna neithiwr. Mi driodd hi fynd i'r lle chwech a threulio oes yn ceisio cael dŵr allan o'r tap. Es i draw yno i helpu, a methu gwneud na phen na chynffon o'r teclyn chwaith. Mi ddangosodd Valentin i ni'n y diwedd bod yn rhaid waldio'r peth metal o dan y tap - ar i fyny... o ia, perffaith amlwg.

Cyrraedd gorsaf Kyiv tua'r 9.30 'ma, a bws mini yn ein disgwyl. Gwych. I ffwrdd â ni yn hapus ac yn llawen i'r gwesty bach hynod ddel yr olwg. Ond wyddai'r gwesty ddim oll amdanom ni. Cythraul y We – doedd y bwcing ddim wedi cofrestru. Doedd ganddyn nhw'm lle beth bynnag – nac yn y gwesty drws nesa, na'r un gwesty arall chwaith. Mae hi'n ŵyl yma, ac mae pob man yn llawn. Blydi briliant. Roedd ein pennau ni'n troi oherwydd diffyg cwsg (dim byd i neud efo'r *vodka*, siŵr) a doedd ganddon ni nunlle i aros. Doedden ni ddim yn hapus. Ond o'r diwedd, mi gafodd Valentin (sy'n frodor o Kyiv) hyd i fflat i ni. Doedd pethau ddim yn argoeli'n dda, achos mae 'na olwg y diawl ar y lle o'r tu allan, nid annhebyg i slym, ac mae trio dad-gloi'r drws fel torri mewn i Fort Knox. Wedi llwyddo i fynd trwy'r drws, mae o'n ddigon cyfforddus, ond yn bell iawn o ganol y dre ac ar y llawr ucha, a does na'm lifft... mi fydd gen i gyhyrau gwerth chweil erbyn dod adre. Mi fynnodd y lleill mai fi ddylai gael yr unig wely call am mai fi sydd i fod o flaen y camera fory, a wnes i'm protestio llawer. Mi fydd Valentin druan ar y soffa, 'ngwas i.

Yn ôl â ni i dre, lle cawson ni ginio mewn tŷ bwyta Wcrainaidd traddodiadol. Ges i gawl bitrwt oer a *varenyky*, rhyw fath o basteiod bach wedi'u berwi. Mae'n swnio'n ddiflas dwi'n gwybod, ond wir yr, roedd o'n bryd gwerth chweil. O, ac roedd 'na *vodka* eto. Yr eglurhad ydi bod *vodka* yn llosgi colesterol, a dyna pam does 'na'm llawer o bobl dew yn yr Wcrain. Mi fysa'n syniad i mi gael gair efo **Weight Watchers**, dwi'n meddwl.

Aeth Sioned a finna'n ôl i'r fflat wedyn, tra oedd Valentin yn aros yn dre. Ges i 'nhemtio i aros allan efo fo am sbel, ond na, gan mai bore fory fydd ein bore cynta o ffilmio, dwi angen fy biwti slîp. A dwi'n meddwl bod Valentin isio galw heibio ei hen ffrindiau a fyddwn i'm byd ond niwsans. Dwi'n gwybod faint o boen ydi gorfod siarad iaith arall am fod 'na ddieithryn yn y criw.

Dydd Mawrth 20 Mai 2003

Mi gysgais yn rhyfeddol, er gwaetha'r ffaith i mi ddeffro sawl gwaith yn ystod y nos am ei bod hi mor boeth. Codi am 6.30, brecwast o de Lipton a bisgedi siocled, ac allan â ni i'r haul crasboeth erbyn 8.00. Ia, haul crasboeth, cofiwch: mae hi'n boethach yn fan 'ma nag oedd hi yn Moscow, hyd yn oed. Lwcus ein bod ni dan ddaear am gyfnod, yn y Pechersk Lavra, sef Mynachdy'r Ogofau. 900 mlynedd yn ôl, mi fu'r mynachod yn cloddio dan ddaear i greu'r twneli a'r ogofau y buon nhw'n byw a gweddïo ynddyn nhw, a lle mae eu cyrff nhw bellach i'w gweld mewn eirch o wydr ac ambell law frown, sych yn hongian allan drwy'r wisg. 'Dach chi'n mynd lawr efo'ch cannwyll, ac yn gwasgu heibio i ambell fynach barfog ac ugeiniau o ferched sy'n gweddïo ar eu gliniau ac yn cusanu'r eirch a thaflu eu hunain dros y casys gwydr. Roedd 'na olwg boenus, despret ar y merched hyn, fel tasen nhw wir angen help at rywbeth, ac roedd o'n deimlad annifyr iawn eu gwylio nhw'n gwingo'n gyhoeddus fel 'na. Don i'm yn teimlo 'mod i fod yno o gwbl. Mae'n atyniad i dwristiaid ers blynyddoedd, ond lle i weddïo ydi o yn ei hanfod, ac er mor ddifyr oedd o, don i'm yn gyfforddus yno o gwbl.

Yn ôl i fyny ar y wyneb, roedd yr eglwysi'n fendigedig, yn sgleinio'n wyn, glas ac aur yn yr heulwen, ac allan o ffenest agored adeilad digon di-nod, mi glywais i'r canu mwya bendigedig: y mynachod newydd orffen eu cinio ac yn canu eu diolch efo'u lleisiau dwfn, disgybledig, perffaith. Mi arhosais i i wrando yng nghysgod y coed leilac am hir - un o'r adegau perffaith 'na.

Ond mi wnes i smonach braidd efo un o'r prif fynachod. Pan ges i fy nghyflwyno iddo fo, mi wnes i ysgwyd ei law o. Mi wnes i sylwi ei fod o wedi gwenu fymryn yn od, a dyma'n cyfieithydd yn egluro wedyn na ddylid ysgwyd llaw mynach. Rydach chi i fod i roi cledr llaw dros gledr eich llaw arall, amneidio a chroesi'ch hun. Wps! Mi wnes i ymddiheuro, ond mi wenodd a deud nad oedden ni i wybod y drefn. Wrth wrando arno'n siarad wedyn yn yr iaith Wcraineg, mi allwn i glywed y gair 'mynach' yn aml, yn cael ei ynganu'n union fel y 'mynach' Cymraeg. Yr un gair yn union ydi o, wrth gwrs, mae'n dod o'r iaith Roegaidd. Ond ron i wedi gwirioni!

Wedyn, draw â ni at amgueddfa ym... be' 'di *microminiature* yn Gymraeg, d'wch? Meicrobachiawniawn? Ta waeth, fan 'na aethon ni, lle roedd Mr Meicro ei hun yn disgwyl amdanon ni, y dyn sydd wedi treulio deugain mlynedd yn gwneud campweithiau 'dach chi angen meicrosgôp i'w gweld. Ron i i fod i gael sgwrs efo fo, ond doedd 'na fawr o bwynt. Dyn monolog oedd hwn, dyn nad oedd yn hapus i siarad efo merched di-nod, dyn wedi gwirioni efo fo'i hun a'i 'gelfyddyd aruchel', dyn oedd yn traethu am bwysigrwydd ei waith i ddynoliaeth - a chrefydd - a'r byd seicolegol, a.y.y.b. Wnes i'm trafferthu gofyn iddo fo lle oedd y gelfyddyd mewn pedoli chwannen. Roedd o'n trio deud os oedd 'na amgueddfa yng Nghymru am ei wahodd o a'i waith draw, mi fyddai'n falch iawn o ddod. Rhyngoch chi a'ch potes, amgueddfeydd annwyl, ond fyswn i'm yn cyffwrdd ynddo fo efo coes brws. Naddo, nes i'm cymryd at y boi rhyw lawer.

Ond mi wnes i gymryd at bawb arall. Mae'r criw ffilmio'n hyfryd, ac mae Yulia'r cyfieithydd yn annwyl ofnadwy. Mae hithau'n un arall fechan, osgeiddig, sy'n gallu cerdded trwy'r dydd mewn sodlau uchel. Dwi jest ddim yn dallt sut maen nhw'n ei wneud o. Ganddi hi dwi'n cael yr hanesion difyrra am y ddinas brydferth yma, a'r gwir. Iawn, mae'r tywyslyfrau'n gallu deud wrtha i mai dyma un o ddinasoedd mwya Ewrop, bod 'na bron i dair miliwn o bobl yn byw yma a'u bod nhw wedi diodde'n ofnadwy yn ystod yr Ail Ryfel Byd. Trwy ryw gyd-ddigwyddiad rhyfedd, bron na allech chi ddeud fod llwybr y milwyr a'r bomiau wedi dilyn llinell ledred 52° hefyd.

Yma gwelais esiampl gywilyddus o gamddefnyddio ffeithiau. Yn oes Brezhnev, codwyd cerflun o ddynes anferthol 72m o uchder i ddynodi'r famwlad. Mae llyfr **Lonely Planet** yn honni ei bod yn cael ei galw, wrth gyfieithu, yn *Tintits*, *Mother Russia* a *She who must be obeyed*. Ron i ar fin gwneud darn i gamera am y peth pan ddigwyddais i sôn wrth Yulia am yr enwau. Roedd hi'n gegrwth. Doedd hi 'rioed wedi clywed y ffasiwn beth. Doedd yr un o'r criw ffilmio wedi clywed y fath enwau chwaith, ac roedd hi'n amlwg eu bod nhw i gyd reit ypset. Felly dwi'n flin rŵan. Efallai bod awduron **Lonely Planet** wedi cael eu camarwain neu jest yn trio bod yn glyfar, ond does ganddyn nhw ddim hawl i gyhoeddi'r fath rwtsh fel tase fo'n ffaith. A dyna ddysgu gwers i mi – tydi pob gair yn y llyfrau 'ma ddim yn wir. Ddim o bell ffordd. Dydi'r darn sydd ganddyn nhw am Amgueddfa Chornobyl (Chornobyl ydi'r sillafiad a'r ynganiad cywir yn yr Wcrain. Y Rwsiaid sy'n galw Chernobyl arno) ddim yn deud llawer chwaith. Dwi'n meddwl ei bod hi'n haeddu pennod gyfan iddi'i hun. Fues i 'rioed mewn amgueddfa debyg iddi. Ges i 'nghyffwrdd o ddifri – a 'ngwylltio.

26 Ebrill 1986 oedd hi pan ffrwydrodd adweithydd rhif 4 yr atomfa, 100km i'r gogledd o Kyiv. Chwythwyd naw tunnell o ddeunydd ymbelydrol i'r awyr – 90 gwaith mwy na bom Hiroshima. Doedd yr awdurdodau ddim isio creu panic felly wnaethon nhw'm deud yn union be' oedd wedi digwydd am sbel. Wedi'r cwbl, roedd hi'n ŵyl Calan Mai dridiau'n ddiweddarach, a doedden nhw ddim am ddifetha hwyl pobl. Felly mi fu plant a phobl ifanc yn chwarae a dawnsio'n ddiarwybod trwy'r ymbelydredd yn y caeau a'r strydoedd. Mae'r lluniau o'r diwrnod hwnnw yn frawychus – pawb yn edrych mor hapus a di-hid, heb syniad yn y byd eu bod nhw'n cael eu gwenwyno.

Yn syth wedi'r ffrwydriad, mi chwythodd y gwynt i gyfeiriad Belarus am ddyddiau, gan wenwyno fan 'na'n waeth na nunlle, ac mae 'na ffilm yn dangos symudiad y cwmwl yn glir. Do, mi ddoth y cymylau dros Ewrop, draw i Gymru, a dyna be' rydan ni i gyd yn ei gofio am y drychineb, ynte? Sut effaith gafodd hi arnon ni a'n defaid. Ond don i heb ddallt bod 'na gylch o 30km o amgylch Chornobyl sy'n dal yn ardal waharddedig am ei bod hi'n wenwynig – ac mi fydd hi'n wenwynig am byth. Mae plwtoniwm yn dal i lygru am 24,000 mlynedd. Meddyliwch... dros 70 o drefi a phentrefi fydd yn wenwynig a gwag – am byth, ardal tua maint Sir Feirionnydd.

Pan gafodd y trigolion orchymyn i adael eu cartrefi, chawson nhw mo'r gwir i gyd bryd hynny chwaith. "Byddwch chi'n ôl mewn rhyw ddeuddydd, dri." Felly wnaethon nhw ddim trafferthu mynd â llawer o'u heiddo efo nhw. Ond chawson nhw fyth ddod yn ôl. Mi gafodd eu tai eu malu a'u claddu dan ddaear gan lu o Jaciau Codi Baw, ynghyd â'u hen luniau teulu, hen ddodrefn oedd wedi dod i lawr trwy'r teulu ers canrifoedd – popeth. Mae arwyddion pentrefi a threfi sy'm yn bod bellach yn crogi o do'r adeilad.

Bu farw dros 160,000 o oedolion a phlant oherwydd yr ymbelydredd, yn answyddogol wrth gwrs – mi gollwyd y ffeiliau rhywsut – ac mae 'na filoedd yn dal i ddiodde. Mae 'na luniau o filwyr ifanc yn clirio'r llanast ar ben yr atomfa, yn gwenu a chwerthin am nad oedd neb wedi deud wrthyn nhw efo be' oedden nhw'n delio. Doedd ganddyn nhw ddim gwisg arbenigol o bell ffordd, dim ond ambell hances gotwm dros eu trwynau. Aethon nhw i gyd yn sâl wedyn, a marw, ond does 'na ddim byd i brofi eu bod nhw wedi bod yno. Felly fydd 'na ddim ceiniog o iawndal. Mi gafodd y dogfennau eu rhwygo'n gareiau, meddai Anna, cyfarwyddwr yr amgueddfa. Yn ystafell fwya'r amgueddfa, mae 'na wal gyfan yn blastar o luniau du a gwyn o'r plant fu farw. Ar wal arall, lluniau eraill o blant sâl, moel, yn sbïo arnoch chi efo llygaid mawr trist – jest cyn iddyn nhw farw. Yng nghanol y 'stafell, mae 'na bentwr o deganau sydd wedi cael eu rhoi gan blant er cof am y rhai fu farw. Mae o'n ddirdynnol. Mi fu raid i mi fynd allan, achos ron i yn fy nagrau.

Es i i mewn i stafell arall, lle oedden nhw'n dangos fideo o'r ardal waharddedig fel mae hi rŵan: sgerbydau o goed duon, diffeithwch llwyr. Roedd 'na lais yn adrodd Llyfr y Datguddiad drosto fo yn yr iaith Wcraineg. Don i'm yn dallt y geiriau, ond doedd dim rhaid i mi.

Mewn rhan arall, roedd 'na luniau o ffetysau plant ac anifeiliad, a wir yr, roedden nhw fel rhywbeth allan o ffilm arswyd. Ac mewn potel, roedd 'na ffetws go iawn llo bach. Ron i isio cyfogi.

Symud ymlaen i luniau o'r hen bobl orfodwyd i adael eu cynefin, a'r rheiny yn eu dagrau. Roedd o'n gynefin mor arbennig, yn wyrdd, prydferth a ffrwythlon. Ardal goediog oedd hi, yn llawn traddodiadau sydd bellach bron yn angof. Pan gafodd y bobl hyn oedd wedi treulio'u hoes mewn coedwig eu rhoi mewn dinas, mi dorron nhw eu calonnau. Mae 'na rai o'r rhai hynaf wedi dringo o dan y ffens ac yn mynnu byw yn yr ardal waharddedig er gwaetha popeth. Mae'n well ganddyn nhw farw yn eu cynefin.

Dychmygwch hyn i gyd yn digwydd i'ch ardal chi. Yr awdurdodau'n deud: "Reit, o 'ma, a cerwch i fyw ymhell o fan 'ma, mewn dinas ddiarth, a peidiwch byth â dod yn ôl." Gweld y Jaciau Codi Baw yn eich pasio ac yn claddu eich tŷ a'ch eiddo, gweld cartref eich hynafiaid yn diflannu dan rwbel - am byth. Ac yna, gweld eich plant yn marw.

Roedd Yulia a'r criw ffilmio'n cofio'r adeg yn iawn, wrth gwrs. "Dwi'n cofio ni'n sylwi bod y ciwcymbers yn yr ardd yn troi'n felyn a ninnau'n methu deall pam, achos doedd neb wedi deud wrthon ni." "Ron i yn Kyiv y diwrnod hwnnw," meddai'r dyn camera, "yn bwyta ceirios. Don i'n gwybod dim. Doedd neb yn gwybod."

Mi fethais i wneud darn i gamera.

Dydd Mercher 21 Mai 2003

Yn 1876, mi waharddodd Tsar Alexander II yr iaith Wcraineg; o hynny ymlaen, doedd 'na ddim addysg trwy gyfrwng yr iaith, dim llyfrau, dim cyhoeddiadau o fath yn y byd. Rwsieg oedd yr iaith swyddogol a dyna fo. Ond ers cael ei hannibyniaeth, mae'r Wcrain wedi bod yn ceisio adfywio'r iaith, ac ers 1990, yr iaith Wcrain ydi iaith swyddogol y wlad. Ond roedd bron pawb wedi'i hanghofio'i erbyn hynny wrth reswm. Meddyliwch orfod ailddysgu eich iaith eich hunain. Ond be' sy'n bod arna i? Mae hynny'n digwydd i raddau yng Nghymru hefyd, yntydi? Beth bynnag, mi ges i fodd i fyw yn ceisio dysgu ambell air gan Yulia. Mae'n ddigon tebyg i Rwsieg mewn sawl ffordd ac mi allwch chi ymdopi'n iawn yma efo tipyn o'r iaith honno, ond fel y gwyddon ni, mae hi wastad yn help ceisio siarad yr iaith frodorol. 'Helô' ydi: *dobrii den* (*dobraie wtra* yn Rwsieg); 'ta-ta': *do pobatsienia* (*da sfidania*), 'diolch': *diacwwiww* (*spasiba*), ia: *tac* (*da*), a 'na' ydi: *ni* (*niet*).

Mae pobl Kyiv yn hynod ddiwylliedig. Mae 'na 32 o amgueddfeydd yma, 33 theatr a llwyth o gerfluniau, a'r un wnes i ddotio arno oedd cerflun o Mr Panikovsky oedd yn pigo pocedi. Ond doedd 'na'm ffasiwn berson go iawn; cymeriad allan o lyfr digri, poblogaidd ydi o, ac mae pawb o bob oed yn gwybod amdano. Dwi wrth fy modd efo'r syniad. Oni ddylai fod ganddon ni gerfluniau tebyg yng Nghymru? Be' am Wil Cwac Cwac neu Sali Mali yn ein prifddinas ninnau? Neu William Jones y tu allan i siop *chips* ym Methesda? Y ferch allan o **O! Tyn y Gorchudd** yn Ninas Mawddwy? Ond beryg nad ydan ni'n bobl ddigon diwylliedig...

Mi fyswn i wedi licio treulio mwy o amser yn yr Wcrain a Kyiv. Chawson ni'm cyfle i weld chwarter y ddinas, dim ond digon i gael blas. Ond o fan 'ma y daeth wyau wedi'u paentio, *borscht* a'r rhan fwya o ganu a dawnsio Cosacaidd – nid o Rwsia. Mi gafodd Kyiv ei chwalu gan dân, y Mongoliaid a'r Almaenwyr, ond mae hi wedi ail-godi ei hun i fod yn ddinas hardd, fywiog, gosmopolitaidd, gyfeillgar, ac mae'r adeiladau a'r eglwysi yn wirioneddol fendigedig. Ond yr hyn neith aros yn fy nghof i am byth ydi'r hyn a welais i ac a deimlais i yn amgueddfa Chornobyl. *Do pobatsienia*, Kyiv.

Rydan ni'n ôl ar y trên dros nos i Moscow rŵan, a dwi'n amau'n gryf 'mod i'n mynd i gysgu fel babi. Dwi'n nacyrd.

Dydd Sadwrn 24 Mai 2003

Mi gawson ni 'chydig oriau yn Moscow cyn mynd i ddal awyren i Saratov, ac roedd y siwrne i'r maes awyr yn un i'w chofio. Doedd tacsi cyffredin ddim yn ddigon mawr i gludo pum person a'r holl gêr ffilmio, felly roedd Valentin wedi archebu fan transit, un fawr, ddu, fygythiol. Roedd y gyrrwr yn hymdingar o yrrwr, rhaid deud; fo, heb os, oedd meistr y draffordd. Mae'r drefn yn Moscow yn ddigon brawychus ar y gorau - pawb yn hedfan o un lôn i'r llall ar gyflymder rocetaidd, ac yn bibian yn y dull Eidalaidd. Mae 'na ryw chwe lôn i bob cyfeiriad ar y ffyrdd prysuraf, ond, a hithau'n *rush hour*, roedd y ceir wedi penderfynu newid rheolau'r priffyrdd yn llwyr. Roedd 'na saith lôn erbyn hyn, ond mi benderfynodd ein gyrrwr ni greu un arall eto! Ar bob croesffordd, roedd hi'n llanast llwyr: pawb ar draws ei gilydd, yn gwau trwy ei gilydd efo milimedrau i sbario. Doedd 'na'm pwynt cael goleuadau yno, achos doedd 'na neb yn cymryd sylw ohonyn nhw. Ron i'n gallu teimlo Sioned druan yn gwegian. Bron nad on i'n gallu ei chlywed yn adrodd *mantra* "Iechyd a diogelwch... o diar... iechyd a diogelwch..." yn ei phen. Giglan ron i, methu dallt pam fod neb yn cael *road rage* neu o leia'n cael pancen (damwain car os nad ydach chi'n deall iaith Sir Feirionnydd). Roedd 'na regi a bytheirio - a chanu cyrn, ond dyna'r cwbl. Ta waeth, mi gyrhaeddon ni. A chyrraedd Saratov hefyd ar ôl y pryd awyren gwaetha i mi ei gael erioed. Fyddwn i ddim wedi rhoi cynnwys fy mrechdan i hwch. Doedd y Rwsiaid ddim yn rhy bles chwaith. Mi gegodd un ddynes nes i'r peilot (wel, un ohonyn nhw) orfod dod allan i drio dal pen rheswm â hi. Methu wnaeth o dwi'n meddwl.

Felly dyna ddechrau taith efo criw ffilmio newydd eto: Valentin wrth gwrs, ac Arseni ei fab 17 oed, tal, main, efo gwallt hir golau, dillad duon bob amser ac sy'n siarad Saesneg reit dda. Mi fyddai fy nithoedd wedi gwirioni efo fo, achos mae o'n hogyn reit ddel. Sergei ydi enw'r dyn sain ac mae o'n ymddwyn ac yn edrych yn union fel Twm Miall, awdur **Cyw Haul** a **Cyw Dôl**. Mae'r peth yn anhygoel: mae ganddo'r un gwallt a mwstash, yr un wyneb a'r un hiwmor. Difyr fyddai gweld y ddau ohonyn nhw'n rhannu peint. Dydi ei Saesneg o ddim yn wych (*switch on, switch off* a *You want* *beer?* hyd yma), ond mae hynny'n gwneud i mi orfod gwella fy Rwsieg - felly dwi wrth fy modd yn ei gwmni o.

Doedd yr argraff gynta o Saratov ddim yn rhy ffafriol: ffyrdd echrydus, yn dyllau dyfnion i gyd; dynion mawr, mawr a golwg magwraeth ar gig ers y crud arnyn nhw yn hongian ar hyd y lle yn feddw gaib. Mi fu'n rhaid i Sioned a minnau rannu lifft efo pump ohonyn nhw. A dyna lle roedd Sioned yn mynd i mewn i'r lifft wysg ei chefn heb sylweddoli bod y rycsac ar ei chefn wedi fy ngwthio i i ganol y dynion 'ma. Roedden nhw wrth eu bodd. Diolch, Sioned!

Ond ers hynny, rydan ni wedi gwirioni efo Saratov (neu CAPATOB yn ôl yr arwyddion, wrth gwrs. C=S, P=R, B=V yn y wyddor Syrilig 'dach chi'n gweld). Mae'n ddinas anferthol ar lan y Volga, yr afon hiraf yn Ewrop. Ac un o'r pontydd hiraf yn Ewrop sy'n croesi'r afon draw i Engels, lle glaniodd Yuri Gagarin yn ei *sputnik*. Fuon ni fanno heddiw - i'r traeth, coeliwch neu beidio. Os oedd hi'n boeth yn Kyiv, mae hi'n ferwedig fan hyn. Dwi wedi llosgi 'ngwar - a llosgi gwadnau 'nhraed ar y tywod! Roedd y lle'n llawn o gyrff yn torheulo - ac roedd rhai hyd yn oed yn nofio. Mae'n anodd credu mai dim ond pythefnos yn ôl roedd 'na dalpiau mawr o rew yn dal i nofio lawr yr afon 'ma. Ond fel yr eglurodd rhywun i mi - "Dydan ni'm yn cael gwanwyn a hydref fan hyn - dim ond haf a gaeaf." Mae'r hafau mor fendigedig, mae'r Mosgofiaid wrth eu bodd yn dod yma am eu gwyliau - a phrynu tai fel bod y bobl leol yn methu fforddio eu prynu. Mi wnes i egluro bod ein sefyllfa ni yng Nghymru rhywbeth tebyg. "Rhyfedd ynde?" meddai un ferch. "Rydan ni'n byw mor bell i ffwrdd o'n gilydd, bron mewn dau fyd ar wahân, ond eto, mae'n bywydau ni mor debyg."

Mae'n delwedd ni yn y gorllewin o bobl Rwsia yn un gwbl anghywir. Oes, mae 'na ambell hen jadan sych a blin y tu ôl i ambell ddesg yma fel y ddynes oedd yn gwrthod gadael i mi yrru ffacs heddiw am ei bod hi'n rhy brysur/diog i chwilio faint fyddai o'n ei gostio; ac un neu ddwy o weinyddesau angen dysgu sut i wenu, fel honno y bore 'ma oedd yn deud: "Os wyt ti'n cael wyau i frecwast, ti'n gorfod yfed coffi. Dwyt ti ddim ond yn cael te os wyt ti'n cymryd yr opsiwn cig." A ninnau wedi cael dewis o goffi neu de yn yr union le ddoe! Ond mae 99.5% o'r bobol dwi wedi eu cyfarfod wedi bod yn fywiog a llawen ac annwyl tu hwnt. O'r hen ferched efo llond ceg o ddannedd aur sy'n gwerthu blodau a chaws a physgod wedi'u halltu, i'r plant ysgol sydd fel petaen nhw'n cael llawer iawn mwy o ryddid a hwyl na'n harddegau ni. Tra'n sgwennu hwn yn llofft y gwesty, mae ffenest y balconi ar agor, a dwi'n gallu gweld a chlywed cannoedd o bobl ifanc yn canu, dawnsio, chwerthin ac yfed yn yr haul. Mae 'na rai allan ar yr afon yn cael disco, mae 'na rai newydd ddod 'nôl o'r traeth. Iawn, dydi hi ddim fel hyn bob dydd. Mae'n ddiwrnod arbennig - eu diwrnod ola nhw'n yr ysgol. Wyddwn ni ddim oll am hyn nes i ni sylwi ar griw o ferched ifanc wedi gwisgo fel doliau, mewn ffrogiau byrion, ffedogau gwyn byrrach a llwyth o rubannau gwynion yn eu gwalltiau. Roedd yr hogia'n grand hefyd, mewn crysau smart a *sashes* cochion. Dyma holi pam, a deall mai dyma'r traddodiad. Mae'r arholiadau'n dechrau wythnos nesa, a dyma ddiwedd swyddogol eu gwersi, ac hefyd, ddiwrnod olaf eu plentyndod. Dyna pam fod y genod mewn rhubannau fel genod bach ifanc. Felly, tra bo'r Cymry diddychymyg yn bodloni efo sgriblo sloganau dros eu crysau-T, mae'r Rwsiaid yn gwybod sut i wneud pethau mewn steil. Maen nhw'n gneud y *polka* ar y stryd, yn cerdded law yn llaw dan ganu - cannoedd ohonyn nhw! Mae'n edrych yn ffantastig, a'r sŵn rhialtwch o'r cychod ar yr afon yn gwneud i mi ysu am fod yn f'arddegau eto - yn Rwsia.

Dyma'r Rwsia go iawn. Dim arwyddion Saesneg dros y lle fel sy'n Moscow, dim siopau Eidalaidd drudfawr. Mae'r diodydd yn lleol, y bwyd yn lleol a'r traddodiadau'n gry. Ges i 'ngheryddu gan y cyfieithydd a genod y swyddfa ymwelwyr am eistedd ar wal farmor: "Na, dydi merched ddim fod i eistedd ar bethau oer fel marmor! Mae'n cael effaith negyddol ar y corff, yn tynnu'ch tu mewn chi mewn i'r ddaear. Fyddwch chi'm yn gallu cael plant os 'steddwch chi ar bethau oer fel 'na!" Felly rhois i fy ffeil blastig o dan fy mhen ôl. Roedden nhw'n hapus wedyn. Ond maen nhw'n bobl sy'n siarad yn blaen. Nes i egluro bod yr holl sefyllian yn deud ar fy mhenglin wan i. "Fyddai colli pwysau ddim yn help?" gofynnodd ein cyfieithydd. Mae'n debyg y buaswn i wedi cymryd yn erbyn unrhyw un arall, ond doedd 'na ddim malais o gwbl yn y cwestiwn, ac roedd hi'n lyfli. Ac yn llygad ei lle, wrth gwrs. Ychydig iawn o ferched blonegog sy 'ma. Mae gan y dynion foliau cwrw, ond mae'r genod yn denau, yn osgeiddig ac yn gwisgo dillad rhyfeddol o dynn. Ac ar ddiwrnod fel heddiw, maen nhw'n dangos hynny fedran nhw o gnawd. Dim ond fy fferau wnes i eu dangos - ond ges i 'mwyta'n fyw gan fosgitos.

Mae'n tridiau ni yma wedi bod yn fendigedig. Ges i fodd i fyw ar y bore cynta am 'mod i'n gallu cynnal sgwrs efo hen wreigan oedd yn gwerthu caws cartre ar ochr y stryd. Un o Almaenwyr y Volga oedd hi - ffermwyr ddaeth yma dri chan mlynedd yn ôl, ac sy'n dal i siarad math o Almaeneg. Dwi hefyd wedi darganfod *kvas* - diod sydd wir yn torri syched mewn tywydd fel 'ma - wedi ei wneud allan o fara du a burum - a dim ond tua 7 ceiniog am lond mwg. Mae merched yn ei werthu mewn bareli mawr melyn ar ochr y stryd. Dwi wedi dysgu sut i ddeisectio a chnoi (ond sugno fyddai'n well disgrifiad) pysgodyn wedi ei halltu hefyd. Rhywbeth arall sy'n mynd yn dda efo gwydraid o gwrw. A dwi wedi dysgu sut i gael gwared o'r drewdod ar eich dwylo wedyn: golchi'ch dwylo efo'r cwrw! Wir yr, mae o'n gweithio.

O ia, ron i dan yr argraff bod 'na tsiaen mawr o dai bwyta o'r enw PECTOPAH yn Rwsia, am fod 'na arwyddion efo'r union enw hwnnw ym mhob man. Sylweddoli wedyn mai dyna'r gair Rwsieg am restaurant. P=R a C=S yn Rwsieg. Dyyyy...

Mi fuon ni draw i Victory Park heddiw, lle mae cyplau'n dod i garu fin nos am ei fod o allan o'r dre ac yn sbïo i lawr dros y ddinas a'r Volga. Ond parc i gofio'r 177,000 o bobl Saratov fu farw yn ystod yr Ail Ryfel Byd ydi o mewn gwirionedd. Be' ddeudis i am gysgod angau'n dilyn llinell ledred 52°? Mae 'na gerflun anferthol o grehyrod yn hedfan mewn siap V yno, ac mae'r adar yn cynrychioli ysbrydion y bobl fu farw. Y tu draw i hwnnw, mae'r amgueddfa agored, sy'n cynnwys llwyth o hen offer militaraidd, tanciau, awyrennau, cychod, gynnau ac ati. Mae 'na longau tanfor bychan yno hefyd - a chapsiwls Yuri Gagarin. Mi ddringais i mewn i un ohonyn nhw, ac roedd o'n gyfyng, was bach! Roedd Yuri'n ddyn dewr iawn, yn fodlon eistedd mewn rhywbeth fel 'na, a hwnnw ar dân yn peltio drwy'r gofod cyn cael ei barasiwtio allan rhyw gilomedr uwchlaw'r ddaear. Roedd o'n amlwg yn uffarn o foi, ac mae'n dal yn arwr i Rwsia gyfan. Yn Moscow, roedd 'na grysau-T efo'i lun arno ym mhob man, a *matryoshkas* – sef y setiau o ddoliau sy'n ffitio i mewn i'w gilydd. Roedd gan hyd yn oed Mr Meicro lun bychan ohono ar hadyn afal neu babi neu rywbeth. Ac mae'r hyn ddywedodd Yuri wrth gamu i mewn i'r roced am y tro cyntaf yn *catchphrase* cenedlaethol rŵan: *Paiachale*! sef 'i ffwrdd â ni' neu 'awê!'

Llun: Sioned Eleri Williams

"...Valentin, wrth, gwrs, ac Arseni ei fab 17 oed, tal, main efo gwallt hir golau... Sergei ydy enw'r dyn sain..." (t.57)

Dydd Sul 25 Mai 2003

Roedd heddiw'n ddiwrnod rhydd am ein bod ni'n cychwyn am y maes awyr eto am 4. Mi ddeffrais i sŵn glaw - ac mi stopiodd jest mewn pryd i ni gerdded i'r caffi We lleol, lle roedd y prisiau'n rhad fel baw - 40 *rouble* am awr ar lein! Roedd o'n 250 *rouble* yng ngwesty Rossia ym Moscow. Ron i wrthi fel diawl yn ateb fy e-byst pan glywais i'r canu mwya bendigedig trwy'r ffenest. Roedd 'na lwyfan ar ganol y stryd a grwp mewn dillad Cosacaidd yn canu arno. I lawr â fi a deall bod cwmnïau teithio'r ddinas wedi dod at ei gilydd i drefnu diwrnod o gyhoeddusrwydd. Kalyadki oedd enw'r band, ac roedd 'na dri ohonyn nhw'n chwarae *balalaikas*, un yn homar o falalaika anferthol, bas. Roedd 'na ddau foi'n dawnsio'n Gosacaidd, un yn hogyn ifanc tua 14 oed a hynod athletaidd, a hen foi nid annhebyg i Peter Stringfellow efo'i wallt hir, golau, a'r merched oedd pia'r lleisiau bendigedig. Roedd yr harmoneiddio'n wirioneddol wych – mi fysa hyd yn oed fy nhad wedi gwirioni ar y rhain, a dydi o'm yn un am "y stwff gwerin 'na." Mi gymerais i eu rhif ffôn nhw jest rhag ofn y byddai'r Sesiwn Fawr isio nhw. Mi fydden nhw jest y peth.

Toc wedyn, mi glywson ni grŵp arall yn chwarae miwsig traddodiadol yn y parc yng nghanol y dre, ac roedden nhwtha'n wych hefyd. Mae'n debyg bod 'na *Conservatoires* cerddorol ym mhob tref – math o academi i gerddorion – sy'n meithrin talentau cerddorol i'r eithaf. Mae'r celfyddydau yn bendant yn ffynnu yma – mae 'na bale neu opera ymlaen bob nos a syrcas bob dydd. Mi fuaswn i wedi hoffi mynd i weld rhywbeth, ond doedd ein hamserlen ni ddim yn caniatáu hynny. O wel, dwi'n lwcus 'mod i wedi cael gweld hynny welais i, tydw? A chyn 1992, doedd neb o'r tu allan yn cael dod i Saratov am ei bod yn ddinas gaeëdig. Mae'r lle wedi tyfu'n arw ers hynny, ac yn dal i dyfu. Un elfen anffodus o'r tyfu a'r moderneiddio yma ydi'r ffaith fod yr *izbas*, yr hen dai bach pren cerfiedig, yn cael eu chwalu i wneud lle i stadau newydd. Yn ystod y 1960au, dygwyd perswâd ar nifer fawr o bobl i adael yr *izbas* a symud i flociau o fflatiau, ond mi wrthododd ambell un, diolch byth. Er nad oes 'na ddŵr ynddyn nhw, ac mae'r tŷ bach yng ngwaelod yr ardd, maen nhw'n dai bach sych a chlyd a hynod ddel. Tasen nhw yng Nghymru, mi fydden nhw'n cael eu listio gan Cadw. Dim ond gobeithio y daw 'na fudiad tebyg i achub y rhain cyn iddi fynd yn rhy hwyr...

Dydd Llun 26 Mai 2003

Dwi wedi cyrraedd Omsk – felly dwi yn Siberia! Roedd hi'n daith o ryw dair awr ar yr awyren o Moscow, ac roedd yr amser yn symud ymlaen dair awr hefyd. Roedd yr awyren yn hwyr, felly roedd hi'n 6.00 y bore arnon ni'n cyrraedd yn y diwedd, ac roedd hi'n eitha oer i ddechrau, ond mi gynhesodd yn gyflym, ac mi ddoth y mosgitos amdana i'n syth. Ges i frathiad gan un, ond mi laddais i bump. Ha! Am fod ganddon ni gymaint o stwff, roedd angen tri char, sef dau dacsi a char cyfnither Valentin. Aeth Sergei a finna mewn un tacsi, ond pan gyrhaeddon ni'r gwesty (nad oedd yn bell iawn) roedd y gyrrwr isio 1000 *rouble*. Be'?! Dydi tacsis Moscow ddim yn codi hynna! Mi wnaethon ni fynnu aros am Valentin, ac ar ôl iddo gael llond pen gan hwnnw, aeth y gyrrwr i ffwrdd efo 300 *rouble* - ac roedd o reit fodlon efo hynny hefyd. Welais i'r diawl bach yn gwenu fel giât. Erbyn i ni checio mewn, roedd hi'n 7.00 y bore ac roedd brecwast yn dechrau am 7.30. Felly mi arhosodd Sioned, Sergei a finna yn effro am hwnnw. Ron i'n llwgu, ac roedd brecwast y gwesty yn Saratov yn neis ofnadwy: dewis o wyau neu gig a ffrwythau ac ati. Ond yn fan 'ma, does 'na'm dewis: mae'r weinyddes yn mynd â'ch darn papur efo stamp arno, wedyn yn slamio plât bychan o'ch blaen efo tafell o *spam* wedi'i ffrio, llwyaid o reis oer, a lwmp o sôs coch arno. Mae'n debyg bod fy wyneb i'n bictiwr achos mi ddechreuodd Sergei biffian chwerthin. Wna i'm trafferthu bore fory. Onibai mod i'n llwgu.

I'r llofft ar fy mhen. Gwely concrit arall, ond roedd rhaid i fi wenu pan welais i'r stafell 'molchi. Mae 'na fath bach sgwâr yno, sy'n groes rhwng bath a chawod, efo silff i chi eistedd arni tra'n cael cawod. Y peth ydi, mae'r porslen gwyn wedi staenio braidd dros y blynyddoedd, ac mae 'na rych tywyll, amlwg ar y silff. Ar ôl SEFYLL yn y bath, mi gysgais yn sownd tan 2.00 y prynhawn.

Dydi'r wybodaeth yn y ffeil a'r llyfrau ddim yn addo llawer am Omsk: "*a resoundingly ordinary place with lots and lots of apartment blocks.*" A dyma lle cafodd Dostoyevsky ei yrru yn 1849. Sgwennu am y carchar yn Omsk wnaeth tra ei fod yn alltud, wedi ei "gladdu'n fyw" yn Siberia. Ond mae'r gwesty hwn ar lan yr afon Irtysh, sy'n ddigon del. Ond wedyn dwi'n gallu gweld dinas Omsk yn y pellter a'r blociau o fflatiau a rhes o graeniau anferth fel jiraffau yn pori ar y gorwel... dydi o ddim yn ddel. Ond maen nhw'n deud bod y canol llawer neisiach, ac mi fyddwn ni yno toc am fod cyfnither Valentin a'i gŵr am fynd â ni am dro yno.

Dydd Mawrth 27 Mai 2003

Dwi ar y trên i Novosibirsk, taith o naw awr a hanner. A hon ydi'r Rheilffordd Traws-Siberia dwi wedi clywed cymaint amdani. Dwi'm yn siŵr be' on i'n ei ddisgwyl, ond mae'r trên ei hun fel unrhyw drên arall yn y bôn. Mae'r pump ohonom ni a'r bagiau i gyd mewn un caban i 4, felly mae hi fymryn yn gyfyng yma. Ond mae Sergei wedi dod o hyd i wely yn rhywle arall bellach; dydi'r creadur ddim yn dda iawn. Byg, neu benmaenmawr ar ôl neithiwr, dydan ni ddim yn siŵr.

Aeth perthnasau Valentin â ni am dro mewn cwch ar hyd yr afon Irtysh ddoe, a gwrthod gadael i ni dalu: "Ni wnaeth eich gwahodd chi," meddan nhw, a dyna fo. Maen nhw'n gwpl wirioneddol glên, ac maen nhw efo'i gilydd ers cyfarfod mewn coleg peirianyddol yn Omsk ugain mlynedd yn ôl. Gweithio fel peirianydd ar y Rheilffordd Traws-Siberia mae o rŵan, codi rhywbeth i orchuddio'r pibellau sy'n croesi Siberia os y deallais i'n iawn. Dros gwpl o boteli o gwrw ar y cwch, mi fuon nhw'n ceisio fy nysgu i be' ydi lliwiau yn Rwsieg. Ron i'n cofio reit dda ar y pryd, ond erbyn heddiw, dwi'n cofio dim. Dyna be' sy'n digwydd pan 'dach chi'n trio dysgu rhywbeth dan ddylanwad alcohol...

Roedden nhw wedi bod mor glên efo ni, mi benderfynon ni eu gwadd am swper. Ond wrth gwrs, mi ddoth y botel *vodka* allan, a chyn, yn ystod ac ar ôl bob cwrs, roedd hi'n "*Na le fai!*" (un bach arall) yn gyson. Aeth Valentin adre mewn tacsi, wedi nogio. Mi benderfynodd y gweddill ohonom gerdded adre, ond mi gollon ni Sergei ac Arseni ar y ffordd yn rhywle, a beryg mai dyna pam mae Sergei mor sâl heddiw. Roedd y mosgitos yn drwch wrth yr afon, ac roedd 'na o leia ddau yn fy llofft i. Mi ges i 'nghadw'n effro gan y bysian hynllefus am oriau. Mi fues i'n gwneud fy ngorau i ladd y diawled ond roedden nhw'n hynod o gyfrwys a sydyn. Er i mi lapio fy hun fel mymi yn y dillad gwely, ron i'n frathiadau i gyd erbyn y bore. Os ydyn nhw'n bla mewn gwesty modern, mae'n rhaid eu bod nhw'n uffernol yn nyddiau Dostoyevsky a'i gyd-garcharorion.

Mi gysgais i trwy'r larwm wedi methu cysgu cyhyd, felly dim ond ugain munud oedd gen i i 'molchi, newid a phacio. Bygro brecwast. Ond mi fethais i â chael cawod beth bynnag. Roedd y dŵr oer yn iawn ond roedd y dŵr poeth yn frown a drewllyd, felly doedd 'na'm pwynt baeddu fy hun yn waeth. Does na'm cawod ar y trên hyd y gwela i, felly mi wna i aros tan Novosibirsk.

Mi fuon ni'n ffilmio 'chydig y tu mewn i'r trên, wedyn ges i fynd i gysgu. Ond mi ges fy neffro ar ôl cwpl o oriau am ein bod ni ar fin stopio yn rhywle ac roedden nhw isio i mi fynd allan ar y platfform i brynu pysgod wedi'u sychu. Roedd Valentin yn mynd i aros ar y trên efo'r camera a chuddio y tu ôl i'r cyrtens am nad oedd ganddon ni ganiatâd penodol i ffilmio yn y stesion yma, felly ron i i ymddwyn yn gwbl naturiol a chadw'r ffaith ein bod ni'n cael ein ffilmio'n gyfrinachol – ond gofalu ein bod ni yn yr haul ac nid yn y cysgod – ac o flaen y ffenest lle roedd Valentin. Haws deud na gwneud. Roedd y gwerthwyr pysgod i gyd yn heidio o gwmpas y drysau a methu dallt pam mod i isio'u llusgo hanner ffordd i fyny'r platfform. Yn y diwedd, mi wnes i redeg ar ôl un boi a llwyddo i'w stopio reit o flaen y ffenest – yn yr haul. Ges i sioc pan welais i faint ei bysgod, roedden nhw wir yn anferthol. Mi ddefnyddiais fy Rwsieg gorau i holi faint oedden nhw: "*Scolca stoit?*" Mi ddaliodd bum bys i fyny. 50 *rouble* felly. Iawn, mi gymera i ddau, meddwn: "*dva*". Ond 100 *rouble* oedd un medda fo. Y? Ond pum bys wnaethoch chi ddal i fyny! Ia. Ron i wedi drysu'n lân bellach. Ond wedyn dyma sylweddoli mai dim ond £2 ydi 100 *rouble*, felly mi brynais y pysgodyn. Mi brynais i un arall, lliw gwahanol gan ddynes arall am 150 *rouble* a thorth flasus iawn am 10 *rouble*. Mi ddringais yn ôl ar y trên yn falch iawn ohonof fi fy hun a fy Rwsieg, ond roedd bwyta'r pysgod yn fater arall. Roedden nhw'n galed fel haearn Sbaen ac roedd angen bôn braich i dynnu'r pennau i ffwrdd er mwyn gallu rhwygo gweddill y cnawd yn ddarnau bwytadwy, neu gnoiadwy. Roedden nhw'n uffernol o hallt ond yn flasus iawn. Mi gawson ni ein rhybuddio gan Valentin i beidio â bwyta gormod yn rhy sydyn, bod angen i'r corff ddod i arfer. Arfer efo'r halen am wn i, achos roedd gan Sioned goblyn o syched wedyn. Rydan ni i gyd wedi cnoi hynny fedran ni o'r ddau bysgodyn ond mae 'na lwyth yn dal ar ôl ac mae'n dechrau drewi rŵan.

Dwi'n effro fel y gog, ac wedi dechrau sgwennu hwn am 'mod i wedi 'laru ar weld coed, coed a mwy o goed (*pinus sibirica*) trwy'r ffenest. Dwi wedi gweld ambell bentre bach o dai pren digon tlawd yr olwg ac ugeiniau o weithwyr rheilffordd yn eistedd ar y gwair yn bwyta'u cinio. Mae 'na geirw, bleiddiaid, eirth a phob math o adar i fod yn y coedwigoedd 'ma, ond hyd yma dwi ddim ond wedi gweld un chwaden, llwyth o frain a thair colomen.

11.00 p.m

Wedi cyrraedd Novosibirsk, dinas fwya Siberia (poblogaeth o 1.5m, ac yn dal i dyfu). Ond chawson ni'm dechrau da iawn. Roedd 'na ddynes glên iawn o'r enw Nadia'n disgwyl amdanon ni yn y stesion. Hi ydi ein fficsar ni yma, ond roedd y bws mini oedd ganddi yn hynod mini. Efo'r chwech ohonon ni a'r gêr i gyd, roedden ni fel sardîns. Doedd hynny ddim yn ddrwg, rydan ni wedi hen arfer efo cael pengliniau'n gilydd yng ngheseiliau'r llall bellach, ond y gwesty oedd y siom. Roedd Valentin wedi'n bwcio ni i mewn i Westy Sibir, gwesty newydd, ofnadwy o neis ac ron i wir yn edrych ymlaen at gael bath hir, moethus. Ond toc, dyma ddeall bod Valentin druan wedi gwneud smonach o bethau – roedd o wedi rhoi'r dyddiadau anghywir iddyn nhw a doedd ganddyn nhw ddim lle i ni. Ron i isio crio, ond o leia mi nath o gyfadde mai ei fai o oedd o. Dwi'n licio Valentin. Ta waeth, mi gafodd stafelloedd i ni mewn gwesty arall, reit gyferbyn â'r orsaf drenau: Hotel Novosibirsk. Dydi o ddim hanner mor neis â'r Sibir ac mae o ar hanner ei ail wneud. Ond mae'n iawn, ac yn eitha digri a bod yn onest. Mae'n anferth o adeilad uchel, 24 llawr, ac rydan ni ar y 18fed. Mae'r liffts druan yn ysgwyd a sgrechian mwrdwr wrth lusgo'u hunain i fyny'r holl loriau cyn dod i stop efo naid sy'n codi'ch stumog i'ch corn gwddw. Ond mae'r olygfa o ffenest fy llofft yn werth chweil - gorsaf anferthol a chrand Novosibirsk reit o 'mlaen i a'r afon Ob yn sgleinio yn y cefndir.

Aeth Nadia â ni am fwyd sydyn i rhywle McDonald-aidd – ond heb fod yn McDonald's, diolch byth – roedd o'n llawer neisiach, a dil ffres dros bob dim, hyd yn oed y sglodion. Mi fuon ni'n trafod amserlen y tridiau nesa, a thorri rhestr cynigion Nadia i lawr i'w chwarter. Draw i gaffi'r We wedyn, oedd yn codi 50c am hanner awr. Gwych. Mi waries i £1.50 ac roedd hynny'n cynnwys sgwennu colofn gyfan i'r **Herald** a gyrru cerdd i dîm **Talwrn y Beirdd.** Es i ar wefan BBC Cymru hefyd a gweld bod Nia Peris wedi ennill un o brif wobrau llenyddol Eisteddfod yr Urdd – ac yn fy enwi un fel un o'r rhai a'i hysbrydolodd ar gwrs yn Nhŷ Newydd. Chyffd? Wrth fy modd.

Llun: Sioned Eleri Williams

"A hon ydi'r Rheilffordd Traws-Siberia dwi wedi clywed cymaint amdani. Dwi'm yn siŵr be' on i'n ei ddisgwyl, ond mae'r trên ei hun fel unrhyw drên arall yn y bôn." (t.61)

Dydd Mercher 28 Mai 2003

Fel brych bore 'ma, wedi blino'n rhacs. Mi edrychais trwy'r ffenest ar ôl codi a gweld arwydd mawr ar ben gorsaf Novosibirsk yn deud ei bod hi'n 5° Celsius. Wrth fy modd – cael gwisgo jympar gynnes am y tro cynta ar y daith - a fest. Ond mi gododd y tymheredd at y pnawn – i 25°, ac ron i'n chwys diferol wedyn.

Ta waeth. Siom i frecwast: blydi reis a sôs coch eto, a dwy sosej tun. Ond roedd 'na ddewis, diolch byth: ges i omled yn lle'r sosejis, roedd o'n debycach i gwstard wy ond yn flasus iawn, iawn. Daeth y bws mini i'n cyfarfod, efo Nadia, Boris y cyfieithydd a mab Nadia sy'n astudio i fod yn athro Saesneg. Draw â ni i'r sŵ a cheisio cyfyngu'n hunain i anifeiliaid sy'n gynhenid i Siberia, e.e. eirth brown, beleod, elcod, ceirw, bleiddiaid, camelod (ia, camelod...) a'r teigr. Dwi wastad wedi bod isio gweld teigr o Siberia - y teigr mwya sy'n bod. Roedden nhw'n arfer byw ar hyd a lled coedwigoedd anferthol Siberia, ond mae'n debyg mai dim ond rhyw 500 sydd ar ôl yn eu cynefin, a hynny mewn rhannau anghysbell o ddwyrain pella'r wlad, felly mae gweld rhai yn eu cynefin bron yn amhosib. Ond mae'n rhyfeddol bod 'na gynifer â 500 yn dal yma. Gawson nhw eu hela i'r fath raddau mai dim ond rhyw 20-30 oedd yn weddill erbyn y 1940au. Mi gafodd ei roi ar restr rhywogaeth dan warchodaeth yn 1948, ac ers hynny mae 6 gwarchodfa wedi eu sefydlu i geisio edrych ar eu hôl nhw. Baeddod gwyllt maen nhw'n eu bwyta fwya, ond fe wnan nhw fwyta eirth, anifeilaid amaethyddol a phobl hefyd, meddan nhw.

Oedd, roedd hi'n bechod eu gweld. Roedd dau ohonyn nhw mewn caets yn cerdded yn ôl a 'mlaen yn anniddig, ond yno maen nhw ac ron i wedi ofni gweld gwaeth amgylchiadau. Ond chwarae teg, ar wahân i bwll dŵr pathetig yr arth wen, roedd pob man yn edrych yn iawn i mi, cystal ag unrhyw sŵ arall i mi fod ynddo. Roedd Sioned yn meddwl bod mynd ag un o'r eirth bach am dro ar dennyn a mwgwd bach dros ei geg yn greulon, ond don i ddim yn gweld hynny o gwbl: roedd o'n cael mynd am dro, rhedeg a dringo coed (hyd tennyn) ac roedd o wrth ei fodd yn chwarae efo'i geidwad. Roedd hwnnw hyd yn oed yn gadael iddo sugno'i fys trwy ei fwgwd. Ond dyna fo, merch ffarm ydw i a beryg 'mod i'n gweld pethau o bersbectif gwahanol, llai sentimental.

Roedd Boris y cyfiethydd yn foi difyr ofnadwy. "Bum mlynedd yn ôl, roeddd fy nheulu i'n dlawd iawn," meddai. "Roedden ni'n byw ar ddim byd ond bara am gyfnod maith. Roedd fy mam a 'nhad yn gweithio mewn ffatri, a chawson nhw'm cyflog am flwyddyn gyfan, ond roedden nhw'n dal i fynd i weithio bob dydd - dyna'r system Sofietaidd a fel 'na roedden nhw wedi eu cyflyrru. Ond bellach, rydan ni'n ei gwneud hi'n iawn," meddai. "Mae ganddon ni gar ac rydan ni'n cael gwyliau bob blwyddyn. Mae'r rhan fwya o'r boblogaeth yn dal yn wirioneddol dlawd, ond mae pethau'n sicr yn gwella, yn y dinasoedd o leia." Mae o'n mynd i America flwyddyn nesa i weithio mewn gwersyll plant fel cynghorydd. Doedd mab Nadia ddim yn deud ei fod o wedi bod yn dlawd; cynhyrchydd teledu ydi ei fam, a'i dad o ydi un o chwaraewyr corn Ffrengig gorau Rwsia, ac mae o wedi cael teithio'r byd efo'r gerddorfa (a Phrydain oedd wedi ei blesio fwya mae'n debyg). Mi wnes i holi'r ddau am chwaeth bobl ifanc mewn miwsig. Yn y trefi bychain ac allan yn y wlad, mae'n well ganddyn nhw fiswig Rwsieg, ond yn Moscow a Novosibirsk, stwff Saesneg sy'n mynd â hi. Y **Doors** oedd hoff grŵp mab Nadia.

Aethon ni draw i stadiwm Spartak wedyn i gyfarfod Stanislav Pozdnyakov. Mae o wedi ennill y fedal aur am ffensio sabr yn y Gêmau Olympaidd bedair gwaith, ac ar hyn o bryd, fo ydi pencampwr Ewrop a phencampwr y byd. Mae o'n dipyn o seren i blant Novosibirsk, ac roedden nhw i gyd y tu allan i'r drws yn sbïo arno efo llygaid fel soseri. Roedd fy llygaid i'n ddigon tebyg pan welais i o hefyd. Mae o'n dal ac yn dywyll ac yn rêl pishyn. Pan roddodd ei fraich amdana i i gael tynnu llun, es i'n biws. Ges i ryw lun ar wers ganddo fo hefyd. Ron i'n anobeithiol, ond mi ges i hwyl yn rhoi cynnig arni . Mi fydd o'n ddeg ar hugain eleni, ond mae o'n pasa cystadlu mewn dau Gêmau Olympaidd cyn ymddeol. Y boi Eidaleg ydi ei elyn penna o yn 2004 medda fo, er, mae bois Romania a Ffrainc reit beryg hefyd. Ond fo ydi *numero uno* ar hyn o bryd ac mi fydda i'n sicr yn gwylio'r ffensio sabr yn y Gêmau Olympaidd yn Athen.

Mi fuon ni'n ffilmio rownd y dre wedyn: y tŷ opera mwya yn y byd; cerflun anferthol o Lenin ac eglwys fechan St Nicholas - sy'n nodi canol daearyddol Rwsia gyfan yn ôl y sôn. Ron i a Sioned wedi mopio efo'r hen dai pren cerfiedig, ac roedd Sioned isio i Valentin ffilmio un ohonyn nhw nes i hwnnw wenu ac egluro mai clinig *VD* oedd ar yr arwydd ar y drws...

Ron i ar dân isio mynd i'r siop lyfrau; mae Boris yn deud bod 'na lwyth o lyfrau Saesneg yno a dim ond un nofel sydd gen i i bara'r tair wythnos sy'n weddill, ond ches i'm mynd am nad oed ganddon ni amser. Dwi ddim ond yn gweddïo y caf i gyfle ddydd Gwener neu mi fydda i wedi mynd yn hurt bost. Dwi angen llyfrau i'm helpu i gysgu – mae'n diffodd y brên o bethau eraill. Mi fyddai rhai'n deud: "Sgwenna yn lle hynny, 'ta." Ond na, mae sgwennu'n gwneud i mi feddwl mewn ffordd wahanol. Fi sy'n gorfod creu'r stori bryd hynny ac mae 'na ryddhad mewn dilyn stori rhywun arall, cael eich arwain fel 'na. Yn fy mywyd bob dydd, dwi ddim yn or hoff o gael fy arwain yn ormodol. Dwi wedi arfer dilyn fy nhrywydd fy hun, ond efo'r busnes ffilmio 'ma, does 'na'm llawer o gyfle i wneud hynny. Ar y llaw arall, dwi'n cael gweld pethau a chyfarfod pobl na fyddwn i'n eu gweld a'u cyfarfod fel arall, felly alla i ddim cwyno gormod.

Mae 'na bob math o bethau i'w gweld yma gyda'r nos: dyma lle mae'r theatr, opera a bale mwya yn Rwsia wedi'r cwbl, a mae cyngherddau roc a cherddoriaeth glasurol o hyd, a llwyth o fariau bywiog, ond rydan ni'n rhy flinedig i wneud mwy na bwyta'n swper bob nos. Henaint? Ond roedd y swper gawson ni heno yn adloniant ynddo'i hun; roedd o mewn hen garchar anferthol. Does na'm sôn amdano'n y tywyslyfrau, a dyna rywbeth braf am fod efo criw o Rwsiaid - rydan ni'n cael darganfod y llefydd cudd 'ma; gweld y Rwsia go iawn. Ac ydw, dwi'n teimlo'n hynod smyg am y peth. Roedd y lle'n edrych yn hynod ryff o'r tu allan, a'r ffordd yno'n golygu dringo dros hen waliau a ffensys rownd y cefn, ond, wedi cerdded ar hyd cyntedd hirfaith, moel, mae 'na dŷ bwyta bach bendigedig - ac anhygoel o rad. Dwi wedi bwyta tipyn o bethau gwahanol ar y daith 'ma, ond hwn, yn bendant, oedd y pryd odiaf eto: pryd nodweddiadol o ogledd Siberia, sef pysgod wedi eu rhewi - ia, wedi eu rhewi'n gorn ac wedi eu gratio'n dafelli tenau ar ben sleisys o lemon ar wely o letus efo menyn wedi'i rewi;

'chydig o nionod a saws *salsa* digon poeth i chwythu'r tafod yn jibidêrs. Math o *fish fingers* Siberaidd os leciwch chi. Roedd o'n ddiddorol, ond fyswn i'm yn brysio i'w fwyta eto. Hefyd, mi gawson ni lond plât o fraster a bacwn a mwstard oedd mor boeth oedd 'na stêm yn dod o 'nghlustiau. Roedd o'n mynd yn dda efo'r *vodka*, rhaid i mi ddeud. Aeth Valentin i fowlio deg efo'i fab wedyn ac aeth Sioned a finna i'n gwelyau. Ron i'n cysgu ar fy nhraed. Dwi'n meddwl bod y noson efo'r mosgitos wedi dal i fyny efo fi.

Llun: Sioned Eleri Williams

"Ges i ryw lun ar wers ganddo fo hefyd... mi ges i hwyl yn rhoi cynnig arni." (t.66)
ON Daeth Stanislav yn 6ed yn y Gêmau Olympaidd yn Athen."

Dydd Iau 29 Mai 2003

Tymheredd yn 13° Celsius am chwech bore 'ma, ond wedyn aeth hi'n hurt o boeth. Mae hi'n 7.30 gyda'r nos rŵan a mae hi'n dal yn 24°. Pwy ddwedodd fod Siberia'n lle oer? Dim ond yn y gaeaf.

Mi fuon ni yn Akademgorodok heddiw; tref a gafodd ei sefydlu yn y 1950au ar gyfer gwyddonwyr - ia, dim ond gwyddonwyr. Y syniad oedd bod hufen gwyddonol y wlad i gyd mewn un lle yn gweithio ac ymchwilio efo'i gilydd: *utopia* heb drafferthion gwleidyddiaeth a biwrocratiaeth. Roedden nhw'n astudio pob un wyddor dan haul (bron) ac yn ennill cyflogau bras. Ond chwalwyd y freuddwyd pan chwalwyd y system

Sofietaidd, a rŵan dydyn nhw'n ennill fawr mwy na neb arall. Mae 'na domen o'r academyddion wedi gadael i weithio dramor am well cyflogau, ond mae 'na rai'n dal yma ac mae'r ymchwil yn parhau.

Aethon ni i'r amgueddfa yn yr adran daeareg, oedd yn rhyfeddol o ddifyr, hyd yn oed i rywun fel fi sy'n gwybod dim am gerrig. Ond dwi'n meddwl mai'r ddynes nobl efo'r llais mawr a'r bersonoliaeth fwy fu'n fy nhywys o gwmpas y lle oedd yn gyfrifol am wneud y lle mor ddifyr. Er ei bod hi'n ddynes glyfar, siarp, roedd hi'n dipyn o gês hefyd. Mi eglurodd wrtha i bod Siberia'n gyfoethog iawn mewn mineralau, ac mi ges i weld diemyntau o Mirny, darnau anferthol o *lapis lazuli* a *charoite* piws, ofnadwy o brin o Yakutia. Does 'na ddim o'r *charoite* hwnnw ar ôl yn y ddaear bellach, felly roedd prisiau'r gwahanol ddarnau mawr ohono yn frawychus o ddrud. Ond roedd o mor neis, mi brynais i garreg fechan ohono fo am ryw £5. Mi fuon ni'n gweld sgerbwd mamoth ofnadwy o enwog hefyd, ond don i yn bersonol 'rioed wedi clywed sôn amdano. Roedd o'n dipyn o siom a bod yn onest, achos doedd o'm yn fawr iawn ac ron i dan yr argraff bod y mamothiaid yn bethau anferthol. Ella mai babi oedd o.

O ia - am ein bod ni bellach yn ardal y drogen *encephalitis*, sef drogen fach ddu sy'n cario salwch sy'n gallu bod yn angeuol, ron i'n **Deet** (hylif cryf atal pryfed) i gyd, ac yn gorfod stwffio fy nghrys i mewn i 'nhrowsus a 'nhrowsus i mewn i fy sanau bob tro ron i'n mynd ar gyfyl patshyn o wair. Ond mi ges i ddau bigiad cyn dod yma, felly mi ddylwn i fod yn iawn. Mae'n bendant yn gwneud i chi werthfawrogi gallu mynd am dro yn ddiddrafferth yng Nghymru. Mae gwybed bach yn boen, ond dydyn nhw'm yn eich lladd chi. Mae 'na arwyddion efo llun y ddrogen fach ddu, hyll 'ma ar ochr y ffordd i'ch rhybuddio i fod yn ofalus. Does 'na ddim ohonyn nhw ynghanol dinas Novosibirsk am fod 'na ormod o lwch yno, ond mae'r tir glas o gwmpas Academgorodok yn berwi efo nhw, meddan nhw. Mae'r trigolion lleol yn cael pigiadau os oes angen, a hynny am bris rhesymol iawn - dipyn llai na'r £119 dalais i am fy nau bigiad i.

Mi fuon ni mewn cae lle oedd hen eglwys bren a llwyth o gerrig hyd at 2,500 mlwydd oed wedi eu gosod yma ac acw. Roedden nhw wedi dod o bob man yn Siberia ac roedden nhw'n hynod debyg i'r rhai sydd ar Ynys y Pasg, yn wynebau mawr cerfiedig, od. Roedd hi'n drist eu gweld nhw fel 'na, bron â mynd ar goll yn y gweiriach, a fawr neb yn dod i'w gweld nhw. Mae 'na dripiau ysgol yn dod weithiau, mae'n debyg, ond ar y cyfan maen nhw'n cael eu anghofio. Mi gyfaddefodd y tywysydd y gallen nhw wneud gymaint mwy efo'r lle, ond mae'r adran sy'n gofalu am hen bethau fel hyn yn gorfod gwario ar deithiau gwyddonol a daearyddol ac ati hefyd. Rheiny sy'n dod â sylw ac enwogrwydd i'r adran, felly mae gofalu am hen bethau ar waelod y rhestr, yn anffodus.

Heno, ar ôl blasu *caviar* coch i swper (ych, mae'r cafiar du gymaint neisiach), roedden ni wrthi'n e-bostio mewn rhyw adeilad oedd yn glwb bowlio a chaffi'r We, pan glywais i'r miwsig 'ma'n dod o rywle – y math o fiwsig sy'n gwneud i chi sythu a thalu sylw'n syth. Erbyn deall, roedd 'na fand lleol yn canu'n fyw yn y bar. Aethon ni draw, a mopio. Pump o fyfyrwyr ac un athro acordion o'r *Conservatoire* oedden nhw. Roedden nhw'n wych, yn gerddorion bendigedig, egnïol, yn canu stwff roc, *ska*, *salsa*, traddodiadol, pob dim, ac roedd y trwmpedwr yn seren. Sôn am foi efo *charisma* ar lwyfan. A chlywais i erioed neb yn gallu chwythu'i drwmped fel 'na. Roedd y gynulleidfa wedi gwirioni efo nhw a'r holl genod 'ma'n dawnsio a gweiddi am fwy. Es i draw atyn nhw yn ystod yr egwyl i ofyn pwy oedden nhw. 'BblxogHougeHb' ydi be sgwennon nhw ar ddarn o bapur ond bosib fod yr ysgrifen yn wael. Wedyn, mi fuon nhw'n cega am sbel be oedd ystyr eu henw yn Saesneg; roedd o'n amrywio rhwng Penwythnos/Gwyliau/Diwrnod Rhydd. Dwi wedi cael cyfeiriad e-bost iddyn nhw jest rhag ofn y byddai gan bwyllgor y Sesiwn Fawr ddiddordeb. Mi fyddai'r Marian wedi gwirioni'n rhacs efo nhw. Ond bosib bod Novosibirsk braidd yn bell. Gawn ni weld.

Ein noson ola yn Novosibirsk, a dwi wedi mwynhau'n arw yma. A fory, mi fyddan ni'n teithio 'go iawn' ar y rheiffordd Traws-Siberia. Mi fyddwn ni ar y trên am ddwy noson cyn cyrraedd Ulan Ude.

Dydd Gwener 30 Mai 2003

Ges i frecwst efo Sergei bore 'ma. Roed y sgwrsio'n anodd a deud y lleia gan nad oes ganddo fo fawr o Saesneg, a dim ond 'chydig eirie o Rwsieg sy gen i. Mi fuon ni'n meimio cryn dipyn – a phiso chwerthin rhwng cyfnodau o dawelwch llethol. Doedd 'na ddim omled ar ôl heddiw chwaith, dim byd ond reis, sôs coch a sosej tun. Ond mi wna i fwyta unrhyw beth pan dwi'n llwgu.

Ar ôl pacio, mi frysiais i'r dre i chwilio am y siop lyfrau roedd Boris wedi sôn amdani - yr un oedd yn gwerthu nofelau Saesneg. Mi ddois i o hyd iddi'n ddidrafferth, ond 'chydig o siom oedd y dewis. Dim ond yr hen glasuron oedd yno (Shakespeare, Dickens ac ati), a'r hollbresennol James Hadley Chase. Pam fod hwnnw ym mhob gwlad dramor? Roedd ei lyfrau o dros Nigeria i gyd hefyd, erbyn cofio. Brynais i **Three Men in a Boat**, Jerome K Jerome, a **The Moon and Sixpence**, W. Somerset Maugham, yn y diwedd - a ffit pan dalais i. Dim ond 80 *rouble* oedd pris y ddau; mae hynna'n llai na £1 am lyfr. Dwi'n difaru na phrynais i fwy yno rŵan. Mae **Three Men in a Boat** yn fy nhiclo i'n arw hyd yma.

Mi biciais i mewn i far wedyn a phrynu lager *malinki* (bach) a 'chydig o sgwid sych, i gyd trwy gyfrwng Rwsieg - a meimio - ac eistedd allan yn gwylio'r byd yn mynd heibio. Ron i wrth fy modd. Mae hi mor braf cael cyfle i wneud pethau bach syml fel 'na ar fy mhen fy hun. Ron i ar fin ffonio adre ar fy ffôn symudol i ddeud gymaint ron i'n mwynhau pan sylweddolais i mai dim ond 6 y bore oedd hi yng Nghymru.

Yn ôl yn y gwesty, mi fues i'n torri fy ffrinj efo siswrn torri ewinedd. Roedd o wedi bod yn mynd ar fy nerfau i ers dyddiau, ron i fel ci *Dulux*. Cyfarfod y criw wedyn a draw â ni i'r orsaf i ffilmio 'chydig cyn dal y trên. Mae'n goblyn o stesion smart - *chandeliers* anferthol a marmor ym mhob man - a dyna'r gair yn Rwsieg fwy neu lai hefyd: *mramor*. Marmor ydi o yn yr Wcrain, meddai Valentin. Felly dyna ddau air sy 'run fath yn Gymraeg ac Wcraineg: mynach a marmor.

Tra oedden ni'n ffilmio, mi ddoth 'na filwr bach ifanc, hynod annwyl aton ni a holi pa sianel oedden ni. Mi eglurodd Sergei ein bod ni'n dod o Gymru. Roedd o'n sbïo arna i'n arw wedyn. Doedd o erioed wedi cyfarfod unrhyw un o dramor o'r blaen, medda fo. Roedd o wrthi'n deud wrthan ni mai hogyn o fynyddoedd yr Altay oedd o, newydd orffen ei gyfnod gorfodol gyda'r fyddin, ac ar ei ffordd adre i feddwi ar *vodka* – mi wnaeth o arwydd od wrth ei wddw i ddangos hynny. Ar y gair, dyma filwr tal, llawer hŷn, unllygeidiog, yn dod draw a chyfarth rhywbeth ar y milwr bach o'r Altay. Trodd hwnnw ar ei sawdl a diflannu i lawr y grisiau heb hyd yn oed sbïo'n ôl. Mi eglurodd Arseni be' oedd y dyn unllygeidiog wedi ei ddeud: roedd o wedi cael llond ceg go iawn oherwydd ei fod o'n dal yn ei wisg filitaraidd. Golygai hyn ei fod i ymddwyn yn filitaraidd, ac roedd hynny'n golygu peidio siarad efo criwiau teledu na thramorwyr. Ges i edrychiad digon hyll gan yr un llygad. Mae'n bosib 'mod i'n syllu arno fo 'chydig gormod, ond roedd ei wyneb o mor ddifyr a Tom Berenger-aidd, yn greithiau i gyd yn ogystal â'r diffyg llygad. Roedd hi mor amlwg ei fod o wedi gweld erchyllterau yn ystod ei fywyd.

11.00pm

Ar y trên i Ulan Ude, ond dwi'n lwcus ofnadwy i fod arno fo! Doedd y rhif pasport ar fy nhocyn i ddim yr un rhif â'r rhif yn fy mhasport, ac roedd y *provodnitsas* yn gwrthod fy ngadael i 'mlaen. Roedd tocynnau pawb arall yn iawn, a dim ond y fi oedd ar ôl ar y platfform. Roedd y sefyllfa hyd yn oed yn fwy chwithig gan fod y cwbl yn cael ei ffilmio. Mi wnaethon nhw 'ngadael i 'mlaen yn y diwedd – eiliadau cyn i'r trên fynd. Aeth Valentin yn boncyrs efo fi wedyn. Fo oedd wedi archebu'r tocynnau efo'r manylion gafodd o gan y swyddfa, ond roedden nhw wedi rhoi manylion fy mhasport arall iddo fo. "Faint o blydi pasports sydd gen ti?" Dau. Dwi'n dal ddim yn dallt sut mae hynny'n bosib, ond mae'r pasport sy'n mynd efo'r tocyn trên yma yn rhan o 'nghais am visa i fynd i Ganada ar hyn o bryd. Dyma sylweddoli wedyn fod pob tocyn trên ac awyren sy'n fy enw i yn anghywir. Ond mae gan Valentin lungopi o'r pasport arall a dwi i fod i gario hwnnw yn y pasport rhag ofn cawn ni drafferth eto. Ron i'n chwys diferol ar ôl hynna ac yn falch iawn o'r cwrw *malinki* ges i gan Sergei. Gan fod y daith hon dipyn hirach na'r un o Omsk i Novosibirsk, rydan ni mewn cabanau dipyn crandiach tro 'ma: cabanau i ddau efo mwy o le a gorchudd hynod smart ar y cadeiriau. Dwi'n teimlo mod i ar y rheilffordd Traws-Siberia go iawn rŵan. Aethon ni i'r cerbyd bwyta am swper, a phwy oedd yno ond y milwr unllygeidiog. Wnes i mo'i nabod o i ddechrau am ei fod o'n gwisgo jîns a chrys-T - ac yn gwenu. Roedd o'n edrych yn gwbl wahanol.

Ges i gawl bresych hynod flasus o'r enw *shee* i ddechrau, a chig, sglodion a salad (a thunnell o dil) wedyn. A rŵan dwi'n mynd i drio cysgu...

Llun: Sioned Eleri Williams

"...roedd pob man yn edrych yn iawn i mi, cystal ag unrhyw sŵ arall i mi fod ynddo." (t.65)

Dydd Sadwrn 31 Mai 2003

Noson ddiddorol. Dychmygwch drio cysgu ar drampolin efo dosbarth meithrin cyfan yn neidio arno fo'r un pryd. Dyna sut brofiad ydi ceisio cysgu ar y trên yma. Mae o'n ysgwyd a siglo a neidio, a dwi'm yn gwbod os ydi'r gyrrwr yn newid gêrs ta be', ond mae o'n hercian yn uffernol weithiau. Mi ddisgynnodd un o'r poteli dŵr am 4.30 bore 'ma a tharo fy mwg te, a aeth dros y llawr a fy mag a 'neffro i. Ond da ydi mwgwd llygaid a phlygiau clustiau. Dwi wedi arfer teithio, wyddoch chi. Ar ôl tyrchu amdanyn nhw yn fy mag, es i'n ôl i gysgu tan 7, ac eto wedyn tan 9. Roedd gweld pawb yn crwydro ar hyd y lle yn eu pajamas a'u cobanau yn brofiad od i ddechrau ond buan mae rhywun yn dod i arfer. Mae'n f'atgoffa o'r maes carafanau yn y Steddfod a bod yn onest. Ges i baned o *chai* (te) a hadau sesame i frecwast. Neis iawn hefyd.

Mae'n rhyfedd, rydan ni yng nghanol nunlle, a bob hyn a hyn rydan ni'n cael signal ar ein ffônau symudol. Ges i decst gan Arwel 'Rocet' Jones: wedi darllen proflenni **Gwrach y Gwyllt** er mwyn ei adolygu, medda fo (hon oedd y nofel ron i jest abowt wedi llwyddo i orffen ei sgwennu cyn cychwyn ar y daith 'ma), ac wedi mwynhau'n arw! Rocet, ti wedi gwneud fy niwrnod i.

Ond nes ymlaen, mi ges i decst gan Luned, ffrind o Ddolgellau, yn deud bod Wyn Huws, cyn athro i mi yn Ysgol y Gader, wedi marw. Roedd hynna'n sioc. Roedd o'n ddyn annwyl iawn ac roedd gen i feddwl y byd ohono fo. Roedd o'n arfer fy ngyrru lawr dre o'r ysgol amser cinio i wneud ei siopa drosto: clytiau babi fel arfer, dwi'n cofio. Mae'r babi yna wedi gadael coleg erbyn hyn.

Dwi'n sgwennu a syllu trwy'r ffenest am yn ail. Mae 'na bentre neu dre i'w gweld bob hyn a hyn, a thai bach pren efo to sinc a gerddi ag ôl gofal arnyn nhw, efo ambell dŷ bach yng ngwaelod yr ardd. Hen ferched a sgarffiau dros eu pennau; dyn yn gwthio rhywbeth tebyg i ferfa; dyn arall yn hel dwsin o hwyaid ar hyd y ffordd fwdlyd; ambell ddilledyn yn sychu ar y lein; cwpl ifanc yn fflyrtio yng nghanol tomen o lanast. Does 'na ddim sôn am anifeiliaid, ddim hyd yn oed rhai dof - ar wahân i'r hwyaid a dau lo. Ond mae 'na goed wrth gwrs, miliynau o goed o bob lliw a llun a siâp a 'chydig o flodau oren, glas a melyn fan hyn a fan draw. Weithiau, rydan ni'n pasio olion sgerbydau hen weithfeydd a ffatrïoedd wedi rhydu. Wedi cael eu gadael pan chwalodd yr Undeb Sofietaidd, meddai Valentin.

Taswn i'n aros ar y trên o Moscow i Vladivostok, mi fyddai'n cymryd wythnos gyfan, y daith drên hira yn y byd, ond dim ond darnau bychain rydan ni'n eu gwneud, felly dwi'm yn cael 'y profiad llawn', fel petai. Ond mae'n ddigon i sylweddoli bod adeiladu'r rheilffordd hon wedi bod yn gampwaith peirianyddol go iawn. Mi ddechreuon nhw ei hadeiladu yn 1891 a'i gorffen yn 1916, gan dorri trwy fynyddoedd a choedwigoedd trwchus llawn bleiddiaid ac eirth, codi pontydd dros afonydd anferthol, bustachu drwy ardaloedd oedd yn gorsydd llawn mosgitos yn yr haf ac wedi rhewi'n gorn yn y gaeaf. Oherwydd y rhew a'r eira, dim ond am bedwar mis y flwyddyn roedd modd gweithio mewn ambell le. Mi fu'r gweithwyr yn brwydro yn erbyn y Pla Du, colera a'r *hunghutzes*, lladron fyddai'n crwydro'r wlad mewn gangiau o hyd at 700 o ddynion. Ond mi lwyddon nhw yn y diwedd.

Er gwaetha hanes ei chreu, mae'n rhaid i mi gyfadde ei bod hi'n daith eitha undonog hyd yma, ac ron i'n gorfod gwenu o ddarllen stori yn y papur am griw o weithwyr trên yn dechrau waldio eu pennau yn erbyn ffenest y trên i basio'r amser. Roedden nhw wedi diflasu gymaint ar y daith 3,000 milltir o Novosibirsk i Vladivostok, mi gawson nhw gystadleuaeth i weld gan bwy oedd y pen cryfaf. Ond hanner ffordd drwy'r daith, bu'n rhaid stopio'r trên er mwyn iddyn nhw gael mynd i'r ysbyty. Nytars go iawn.

Ar ôl swper: ron i'n meddwl mai tarth neu niwl oedd i'w weld trwy'r ffenest, ond naci, meddai Valentin, mwg tân ydi o; mae 'na danau anferthol yn llosgi trwy rannau o'r goedwig ar hyn o bryd. Mae 'na rai'n llosgi ers wythnosau; un darn yr un maint â Ffrainc (dyna ddangos pa mor anferthol ydi coedwigoedd Siberia), ac mae'r awdurdodau'n brwydro bob sut i'w diffodd – ond yn ofer hyd yma. Mae 'na hofrennydd wedi syrthio'n ddiweddar tra'n ceisio diffodd y tân: roedd o'n cario bag dŵr anferthol, ond mi darodd hwnnw yn erbyn gwifren neu goed neu rywbeth. Dim ond awyrennau sy'n cael eu defnyddio rŵan.

Mae amser wedi dechrau 'nrysu i go iawn. Mae Moscow deirawr o flaen Cymru, a Novosibirsk dair awr arall ymlaen. Dwi newydd gael ordars i droi fy wats ymlaen ddwyawr arall, felly rydan ni rŵan wyth awr o flaen Cymru. Iawn, mae hynna'n weddol syml. Ond mae'r trên yn rhedeg ar amser Moscow, mae'r clociau a'r amserlenni i gyd ar amser Moscow a fel rydan ni'n mynd yn bellach o Moscow, mae'n mynd yn anos gweithio allan be' 'di be' a phryd yn union rydan ni'n cyrraedd y gwahanol orsafoedd.

Does 'na ddim cawod ar y trên yma, ond mae 'na fwced a thwll yn y llawr yn y stafell 'molchi, felly mae modd addasu. Mae rhai'n deud fod cario pibell rwber efo chi yn syniad, er mwyn ei osod ar y tap a chael cawod felly. Ond mae'n rhaid pwyso'ch llaw dan y tap drwy'r amser er mwyn i'r dŵr ddod allan, felly waeth i chi jest llenwi'r bwced efo mwg, ddim. Roedd hi'n uffernol o glòs ar y trên pnawn 'ma. Ron i'n meddwl 'mod i'n mynd i lewygu ar un adeg, ond mi roddodd y *provodnitsa* y system awyru ymlaen ac mi wnaeth fyd o wahaniaeth yn syth.

Does 'na ddim signal ar fy ffôn ers ben bore 'ma, ond mi fydd 'na un yn Irkutz - am dri y bore.

Dydd Sul 1 Mehefin 2003

A dyna fis Mai wedi hedfan heibio. Mi lwyddais i gael signal ar y ffôn yn y diwedd, a ffonio fy chwaer ym mhentre Parc. Daniel, fy nai 5 oed, atebodd. "Lle wyt ti? Sili Beria?! Na, 'di Mam ddim yma. Mae yn 'Bala." Ond adre yr oedd hi wedi'r cwbl erbyn dallt, a Daniel yn mwydro a giglan a'r punnoedd yn clician heibio a'r signal yn diflannu. Gas gen i feddwl faint gostiodd yr alwad yna i mi, ond roedd hi mor braf clywed eu lleisiau nhw i gyd.

Mi gysgais i fel babi neithiwr, ond wnes i'm trafferthu i drio 'molchi'n iawn bore 'ma gan ein bod ni'n cyrraedd Ulan Ude toc wedi deg ac yn mynd yn syth i'r gwesty. Roedden ni'n pasio Irkutzk tro 'ma – mi fyddan ni'n dod yn ôl ymhen tridiau.

A dyma ni. Gwesty Geser. Dwi wedi rhoi llwyth o ddillad i'r bobl *laundry*, wedi golchi tipyn fy hun yn y sinc a smwddio 'chydig. Ond roedd trio 'molchi fy nghorff yn antur a hanner. Does na'm dŵr poeth yn y ddinas yn yr haf, felly mae gan bob stafell gawod letrig – a chyfarwyddiadau cymhleth.

1. Rhaid agor y tap dŵr oer yn araf yn gyntaf.
2. Os ydi'r dŵr yn rhy boeth, cynyddwch lif y dŵr oer.

Rhy boeth?! Roedd o'n rhewi! Ac roedd y peth oedd yn troi'r dŵr i chwistrell y gawod wedi malu felly ron i'n gorfod pwyso hoelen i lawr yr un pryd. Mi ges i 'chydig o ddŵr cynnes yn y diwedd, ond pan oedd fy mhen i'n *conditioner* i gyd a 'nghorff i'n sebon drosto, mi drodd y dŵr yn llif rhewllyd eto. Gweiddi a rhegi? Do. Dwi'n siŵr 'mod i wedi bod yno am gryn dri chwarter awr yn ffidlan efo'r bali hoelen 'na.

Dwi'n gweld fawr ddim trwy'r ffenest am fod y mwg o'r coedwigoedd sydd ar dân yn drwch dros y dre, ac mae hi wedi bod fel hyn ers wythnosau, meddan nhw. Mae'n hawdd deud ein bod ni'n agos at Mongolia - mae wynebau pobl yn wahanol iawn yma. Y *Buryati* ydyn nhw, pobl sy'n perthyn yn agos iawn i bobl Mongolia.

7.30

Wedi bod yn y dre trwy'r prynhawn yn ffilmio. Mae'n edrych yn od iawn am fod 'na niwl ym mhob man. Prin allwn ni weld yr adeiladau weithiau. O leia roedden ni'n gallu gweld y pen Lenin mwya yn y byd, ond dydi gweld cerfluniau o Lenin ddim yn cynhyrfu llawer arna i bellach. Tydw i wedi gweld dwsinau ohonyn nhw? Ond mi gawson ni hwyl yn y farchnad. Mi ges i glamp o sws gan Iddew oedd wedi cymryd ata i'n arw am ryw reswm, ac mi fues i'n trio hetiau ffwr mewn stondin oedd yn perthyn i ddynes *Buryat* oedd yn siarad Saesneg da iawn, ac ron i'n teimlo reit glamyrys yn yr un llwynog Arctig. Ond roedd hi'n 3000 *rouble* (tua £60), a does gen i'm gymaint â hynny o bres arna i ar hyn o bryd. Does 'na ddim golwg o dwll yn y wal hyd yma, chwaith. Dydi hi ddim yn het wleidyddol gywir, dwi'n gwybod, ond tydi sgidiau lledr ddim chwaith, nacdyn? Does wybod, ella af i yn ôl i'w phrynu hi cyn gadael. Mae hi'n gallu bod yn oer yn Rhydymain. Ond mae hi'n llethol o boeth yn fan 'ma rŵan. Roedd 'na giwiau hirfaith am ddiod *kvas* a hufen iâ am ei bod hi mor glòs, felly roedd hi'n od gweld yr holl stondinau cotiau a hetiau ffwr. Ond roedden nhw'n sicr yn gwneud i ni sylweddoli bod y tymheredd yn disgyn i −50 gradd Celsius yma yn y gaeaf. Ond a hithau'n fis Mehefin, mae hi i fod rhwng 15 ac 20 gradd. Pam ei bod hi'n 30 gradd yma rŵan, ta? Dwi isio gwisgo fy *fleece*, heb sôn am fy menig a fy *thermals*.

Llun: Sioned Eleri Williams

"*Lle wyt ti? Sili Beria?*" (t.73). *Bethan ar linell 52° yn Siberia.*

Dydd Llun 2 Mehefin 2003

Gwely am wyth neithiwr - heb swper. Roedd hi'n rhy boeth i feddwl am fwyta, ond dwi'n llwgu rŵan – dwi wedi cysgu am 11 awr! Ron i ei angen o, mae'n amlwg, achos dwi'n teimlo rêl boi, yn enwedig ar ôl cael dillad glân, hyfryd, smwddedig i'w gwisgo. Iechyd, mae'n gwneud gwahaniaeth. Mae'n rhaid mai fy oed i ydi o. Ron i'n gallu byw'n hapus braf fel hwch ers talwm, ond bellach... dwi wir yn gwethfawrogi bod yn lân.

Mi fuon ni ym mynachdy yr Ivolginsky *Datsan* heddiw, sef y ganolfan Bwdaidd fwya yn Rwsia. Roedd o'n lle difyr iawn, angen côt o baent efallai, ond bosib mai'r mwg 'ma oedd yn gwneud iddo edrych fymryn yn siabi. Mi ges i hanes y lle gan Chingis, mynach ifanc oedd yn siarad Saesneg yn arbennig o dda. Mi gafodd pob *datsan* yn Rwsia ei chwalu yn ystod y cyfnod Sofietaidd ac mi gafodd y *lamas* eu gyrru i'r *gulag*, ond mi ganiataodd Stalin i hwn gael ei ailadeiladu yn 1946. Mae Bwdaeth wedi bod yn grefydd bwysig yn Buratiya ers canrifoedd, ac mae 'na hanner miliwn yn Rwsia gyfan bellach. Mae 'na 30 *lama* yma ar hyn o bryd a thua 70 o fyfyrwyr sy'n treulio pum mlynedd yn astudio a gweddïo'n galed. Mi fuon ni'n gwrando arnyn nhw'n gweddïo a llafarganu a tharo drymiau am oes, ac roedd o'n fendigedig. Aeth Chingis â fi i ganol gwers Saesneg wedyn, a gofyn i mi siarad efo'r mynachod ifanc i weld sut siâp oedd ar eu Saesneg nhw. Doedden nhw ddim yn ddrwg o gwbl unwaith iddyn nhw arfer efo fy acen i. Ac wedyn, mi ges i sioc ar fy nhin. Ron i newydd ddeud 'mod i'n dod o Gymru, nid Lloegr – bod 'na wahaniaeth – a dyma'r athrawes *Buryat* yn deud: "O ia, nid fan 'no mae'r dref efo'r enw hir, hir 'na?" Roedd hi wedi clywed am Lanfairpwll! Wrth gwrs, ron i'n gorfod eu dysgu nhw sut i'w ddeud o wedyn. Fel cyn-athrawes, ron i yn fy elfen. Ond mi fuon nhw'n gofyn llwyth o gwestiynau cymhleth i mi wedyn, am grefydd ac ati. Gan nad ydw i'n grefyddol, ron i'n teimlo braidd yn chwithig, ac mi fues i'n malu awyr braidd o'r herwydd. Pan welais i Sioned yn dechrau giglan, mi wnes i gau fy ngheg reit handi. Roedd 'na un boi yn siarad yn arbennig o dda ac mi roddodd wahoddiad i ni fynd i'w gartre o yn Tuva fis Awst am ei bod hi'n ŵyl fawr yno. Mi fuaswn i wedi bod wrth fy modd, ond yn anffodus, mi fyddwn ni yng Nghanada bryd hynny.

Y tu allan, mi brynais i Bwda bach i mi fy hun am ei fod o i fod i ddod â lwc dda i deithwyr, ac wedyn aethon ni i mewn i gwt bach oedd yn gwerthu bwyd. Doedd 'na'm dewis, dim ond *pozi* - rhyw fath o barseli mins wedi'u berwi. Roedden ni'n cael tri yr un ac er eu bod nhw'n edrych yn ddigon diflas, roedden nhw'n flasus - er gwaetha'r galwyni o fraster oedd yn llifo allan wrth i mi blannu 'nannedd ynddyn nhw.

Wrth gwrs, dwi'n fagned i bob lembo, ac roedd 'na foi chwil ulw yn hofran o gwmpas y lle. Mi ddoth ata i a dangos lluniau o'i deulu i mi. Mae'n debyg bod ei fab yn ddarpar fynach yn y *datsan*. Ond chawn i ddim cyffwrdd bys yn y lluniau, dim ond sbïo arnyn nhw tra oedd o'n cabaltasio yn fy nghlust i. Mi driodd Arseni siarad efo fo, a dwi'm yn gwybod be' ddeudodd o ond mi roddodd y boi chwil goblyn o gic iddo fo yn ei ben ôl cyn stwffio llun arall o flaen fy nhrwyn i. Roedd Arseni'n eitha hapus i adael, dwi'n meddwl.

Mi fuon ni i gyd allan am bryd Tseineaidd heno, ac roedd o'n fendigedig – a hollol wahanol i dai bwyta Tseineaidd Prydain. Roedd un pryd yn bysgodyn mawr cyfan, yn saws oren sbeisi i gyd. Lyfli. Ond roedd Arseni reit ffyslyd ynglyn â'i fwyd, a dwi wedi dysgu gair Rwsieg newydd gan Sergei: *brezglifi* = ffysi! Ac o'r diwedd, mae hi'n bwrw glaw...

Dydd Mawrth 3 Mehefin 2003

I'r Amgueddfa Ethnograffig heddiw, sef amgueddfa awyr agored oedd ar gau ddoe am fod y tân yn annifyr o agos ati. Pawb yn diolch i'r nefoedd am y glaw neithiwr. Mi wnes i fwynhau'r lle'n arw, roedd o'n eitha tebyg i Sain Ffagan mewn ffordd, efo hen adeiladau wedi eu hailgodi a'u dodrefnu i ddangos sut oedd pobl yn byw ers talwm. Chawson ni'm amser i weld bob dim, ond mi wnes i fwynhau'r gwersyll *Evenki* efo *wigwam* o goed a chroen, polion totem a chwt siaman (dyn sanctiadd) yn gerfiadau anifeilaidd i gyd. Y bobl *Evenki* oedd trigolion gwreiddiol yr ardal ac mae 'na ryw 30,000 ohonyn nhw'n dal i fyw ar hyd y lle. Mae eu hiaith nhw'n

Llun: Sioned Eleri Williams

"*Mi gawson ni ginio mewn yurt Mongolaidd.*" (t.77).

debyg i'r Tseinieg, ond maen nhw'n perthyn yn agosach at bobl Mongolia. Roedd yr hen gytiau crwn *Buryat* (*gers* neu *yurts*) yn werth eu gweld hefyd, er gwaetha'r ffaith bod 'na ddwy ochr bendant i'r cartrefi hyn: y naill i'r dynion a'r llall i'r merched, a dim gwobrau am ddyfalu pwy oedd yn cael y fargen orau. Roedd hen dai y Rwsiaid cyntaf i ddod i Siberia yn y 17fed ganrif, y *Semeyskie* neu yr Hen Gredinwyr, fel y galwyd arnyn nhw, yn fendigedig hefyd, fel rhywbeth allan o hen straeon Tylwyth Teg, efo patrymau cywrain, lliwgar ar bob dim. Roedden ni wedi gobeithio mynd i bentrefi sy'n dal yn gwbl *Semeyskie*, ond doedd ganddon ni mo'r amser, yn anffodus.

Mi gawson ni ginio mewn *yurt* Mongolaidd. Mi ddechreuodd pethau'n dda iawn: llaeth enwyn i'w yfed, yna croen llaeth wedi'i ffrio efo hufen wedi suro – swnio'n erchyll ond roedd o'n neis iawn. Llysiau'r goedwig wedyn... efo tsili. Ond pan gyrhaeddodd y cawl oedd yn nofio mewn saim, roedd fy stumog yn gwegian. A *pozi* wedyn, y parseli bach mins gawson ni ddoe. Don i'm isio bod yn *brezglifi* ac anniolchgar, felly mi wnes fy ngorau i fwyta un. Ond ron i isio marw. Roedd 'na rywbeth wedi deud arna i - y stwff hufen 'na, mwn - ac ron i'n hynod, hynod falch o gyrraedd yn ôl i'r gwesty.

Aeth y lleill i ffilmio trenau'n cyrraedd a gadael tra ron i'n sgwennu colofn i'r **Herald**, ond pan ddaethon nhw'n ôl roedd Sioned wedi ypsetio braidd. Roedden nhw wedi cael coblyn o drafferth efo heddlu cudd y rheilffyrdd

– neu rywun oedd yn esgus bod yn heddlu. Ond maen nhw wedi cael y lluniau roedden nhw eu hangen, felly mae'n iawn.

Rydan ni'n dal y trên 9.00 yn ôl i Irkutzk heno – a phawb yn rhannu caban i bedwar unwaith eto. Hei ho, mi fydd hyn yn hwyl.

Dydd Mercher 4 Mehefin 2003

Roedd y golygfeydd ar y ffordd yn ôl i Irkutzk yn fendigedig, efo machlud hyfryd dros yr afon Selenga. Roedd Valentin wedi cael 'chydig o boteli o gwrw i ni gyd a llond gwlad o bysgod bach wedi eu sychu. Dwi wir yn dechrau cael blas arnyn nhw.

Roedd y profiad o rannu efo'r hogia neithiwr yn grêt, nes i mi ddeffro ganol nos isio pi-pi. Doedd dringo i lawr o'r bync ddim yn broblem, ond don i jest ddim yn gallu agor y drws. Mi fues i'n tynnu a gwthio a rhegi dan fy ngwynt am oes. Mi fyddai'n help taswn i'n gallu gweld be' ron i'n ei neud, ond don i ddim am roi'r golau ymlaen a deffro pawb, nag oeddwn? Dyna be' oedd diffiniad newydd o boen ac artaith. Ron i jest â bystio a'r blydi drws yn gwrthod symud. Yn y diwedd, mi rois i homar o wthiad i'r drws - a hanner hedfan, hanner disgyn allan. O, y rhyddhad... Cyrraedd Irkutzk am tua 5.30 y bore. Haul braf ond roedd hi'n rhyfeddol o oer: 7° ond roedd y gwynt yn fain. Roedd 'na griw mawr yno i'n cyfarfod ni: Leonid, y trefnydd a'r cyfieithydd, Alexander; perchennog y cwch fydd yn mynd â ni ar draws Llyn Baikal a rhyw bobl eraill don i'm yn dallt pwy oedden nhw. Rhoddwyd ein bagiau mawr i gefn fan oedd yn llawn o fagiau bwyd ar gyfer y tridiau ar y cwch, ac aethon ninnau â'n bagiau bychain a'r gêr ffilmio i mewn i fws mini. Wrth lwc, mi fues i'n ddigon call i dynnu dillad cynnes allan o'r bag mawr cyn i Leonid ddiflannu efo'r fan. Doeddwn i ddim i wybod pa mor dyngedfennol fyddai hynny'n nes ymlaen...

I ffwrdd â ni i ganol y wlad i gyfarfod siaman. Roedd hi'n oriau o daith yn y bws mini, ond yn werth pob cilomedr a chric yn fy ngwar. Mynyddoedd bendigedig yn erbyn awyr las, coedwigoedd gwylltion a bryniau hirion, llyfnion oedd yn mynd am byth. Mi welson ni geirw'n diflannu trwy'r coed a hyd yn oed eryr yn hofran ymhell uwch ein pennau. Roedd 'na geffylau a gwartheg ar y bryniau, ac ambell ddyn ar gefn ceffyl yn eu gyrru. Roedd hi'n hawdd dychmygu Genghis Khan yn carlamu ar hyd y bryniau hyn, ac mae'n ddigon posib ei fod o wedi dod ar hyd yr union ffordd yma gan ei fod o wedi'i gladdu rhywle yn Buryatia, meddan nhw.

Stopio am frecwast mewn cwt pren yng nghanol nunlle, ac ia; *pozis* eto. Mi fydda i wedi troi'n un *pozi* mawr cyn bo hir. Yn nes ymlaen, dyma stopio eto mewn lle sanctaidd. Roedd 'na lwyth o bolion pren cerfiedig, tebyg i bolion totem, ar ochr y ffordd, a channoedd o ddarnau o ddefnydd amryliw yn chwifio oddi arnyn nhw. Roedd 'na glychau arnyn nhw hefyd a pholion byrrach lle dangosodd Alex i mi sut i roi rhodd i'r ysbrydion. Mi allwch chi roi 'chydig o bres, fferen neu sigarèt a mymryn o *vodka*. Llaeth oedd o'n wreiddiol, ond mae'r oes wedi newid. Tra oedden ni yno, mi basiodd nifer o geir a lorïau a phawb yn arafu i daflu ceiniogau neu ddarn o sigaret. Mae siamaniaeth yn bendant wedi cael adfywiad yn ddiweddar, meddai Alex. Mae'n gred sy'n dyddio'n ôl i Oes y Cerrig, ac er i'r Buryatiaid fabwysiadu Bwdaeth yn y 18fed ganrif, wnaethon nhw ddim anghofio eu credoau siamanaidd. Yn y bôn, mae'n golygu eu bod nhw'n credu bod 'na ysbrydion ym mhob dim naturiol sydd ar y ddaear: coed, cerrig ac ati, a bod modd cysylltu efo nhw trwy gyfrwng y siaman. Mae 'na siamaniaid dros y byd i gyd, ond yr hyn sy'n ddifyr ydi mai gair o Siberia ydi o'n wreiddiol.

O'r diwedd, mewn pentref o adeiladau pren digon tlawd yr olwg, mi gawson ni gyfarfod y siaman a chael y croeso rhyfedda ganddo. Valentin oedd ei enw yntau hefyd, ac roedd o'n glamp o foi *Buryat,* sgwâr, yn gwisgo dillad digon cyffredin: crys a throwsus a slipars. "Dewch i mewn," meddai a dyna lle oedd 'na lond bwrdd o fwyd i ni. Roedd o a'i wraig *Evenki* – a hynod annwyl - wedi bod yn brysur yn paratoi pryd o fwyd i ni - gwledd o gawl nwdls, pysgodyn cyfan, cig a thatws, cymysgedd o nionod ac wy a rhywbeth, llond powlen o botes llys, a rhyw stwff Mongolaidd croen llaeth wedi'i ferwi efo hufen wedi'i suro eto. Roedd o'n fendigedig. Ond wedyn, mi ddoth â'r ddiod feddwol 'ma allan: llaeth enwyn clir wedi'i ferwi a'i eplesu (ffermentio i chi a fi). Roedd o'n ogleuo fel llaeth enwyn, a dwi'n eitha hoff o hwnnw, ond roedd ei flas o'n ddiawledig. Edrychodd pawb ar ei gilydd. Roedd hi'n amlwg ein bod ni i gyd o'r un farn ond dydi rhywun ddim yn licio pechu, nac 'di? Mi yfais ei hanner o. A difaru. Ond stori arall ydi honno. Pan ofynnais i Sergei yn nes ymlaen be' oedd o'n ei feddwl o'r ddiod, mi ddysgais air Rwsieg newydd: *gavno.* Defnyddiwch eich dychymyg. Ond mae'n odli efo bustachu.

Roedd y siaman yn gallu siarad rhywfaint o Saesneg, ond roedd ganddo fwy o Almaeneg oherwydd ei fod o wedi bod yn Zurich ar ryw gynhadledd ecolegol, felly ron i a fo yn deall ein gilydd yn rhyfeddol. Mi ddangosodd ei fawd i mi – mae ganddo ddau ar un llaw a dyna'r arwydd ei fod o'n siaman, mae'n debyg, am fod yr ysbrydion wedi rhoi'r arwydd hwnnw iddo cyn iddo gael ei eni. Mae unrhyw beth fel 'na yn dynodi siaman – bys neu fawd troed ychwanegol neu fan geni mawr.

Draw â ni i le sanctaidd arall, a dyma fo'n newid i'w ddillad siamanaidd, hynod liwgar, a pherfformio defod oedd yn sicrhau lwc i ni ar ein taith (weithiodd o ddim, ond ddo i at yr hanes hwnnw nes ymlaen). Yna draw â ni i le arall mwy anghysbell a'r bws mini'n griddfan trwy'r tyllau dyfnion - ond nefoedd, am olygfeydd. Roedden ni mewn dyffryn gwyrdd a mynyddoedd dramatig o'n cwmpas, yr awyr yn berffaith las, a chrychydd gwirioneddol anferthol yn hofran uwchben tra oedd y siaman yn dawnsio a churo'i ddrwm: un o'r adegau pan dwi'n sylweddoli pa mor ofnadwy o lwcus ydw i'n cael dod ar y daith 'ma.

Mi ddangosodd luniau hynafol ar y wal i ni wedyn, a dangos darn lle roedd rhywun wedi torri clamp o ddarn i ffwrdd a'i werthu am ffortiwn, y diawliaid diegwyddor.

Ron i'n hoffi'r siaman yn arw, roedd 'na rywbeth mor ddiniwed amdano fo. Mi wnes i ei holi pam fod ganddo lun o Genghis Khan yn hongian am ei wddw. "Am ei fod o'n fab yr awyr ac yn oddefgar iawn o wahanol grefyddau er nad oedd o'n grefyddol ei hun," meddai, "ond doedd o ddim yn hoffi'r ffaith bod y gwahanol grefyddau yn anghytuno oherwydd bod hynny'n sicr o arwain at ryfel. Roedd Genghis yn ddyn clên iawn ac roedd pobl o bob man yn dod i'r rhan yma o'r byd oherwydd ei fod o mor oddefgar." Y? A finna'n meddwl mai tipyn o gigydd oedd Genghis! Ond wrth gwrs, efallai mai'r siaman sy'n iawn, ac mai *bad press* unochrog gafodd Mr Khan dros y canrifoedd. Y Rwsiaid oedd yn ei ddisgrifio fo fel rheibiwr milain, ond i'r Mongoliaid roedd o'n arwr, a rŵan bod dylanwad y Rwsiaid yn pylu, mae Ghenghis yn codi'n arwr ymysg y bobl Fongolaidd a *Buryat* unwaith eto. Mae 'na hyd yn oed *vodka* arbennig wedi ei enwi ar ei ôl o. Mi fydd raid i mi ddarllen mwy am y dyn pan af i adre.

Wedi mynd â'r siaman adre at ei wraig, mi roion ni lwy garu a rhyw bethau bach Cymreig tebyg iddo fo (yn ogsytal â'i ffi). Roedden nhw wrth eu bodd efo'r llwy garu, "Ond be mae o'n neud?" gofynnodd y wraig. "Ym... dim byd. Jest addurn ydi o." Sylweddoli wedyn y dylen ni fod wedi deud ei fod o'n mynd i roi lwc dda i'w priodas nhw neu rywbeth, achos dyna oedd eu diben nhw am wn i, ynte?

Ymlaen â ni am Lyn Baikal. Roedd o'n edrych yn fendigedig – ac anferthol. Perl Siberia maen nhw'n ei alw, ac mae'n wironeddol sbectaciwlar: bron i 400 milltir o hyd a 50 milltir ar draws. Mae'n gwneud i Lyn Tegid edrych fel pwll hwyaid. A dyma'r llyn dyfna yn y byd. Mae'n 1637m yn y man dyfna, dros filltir o ddyfnder. Ac yn ôl yr ystadegwyr, mi fyddai'n cymryd blwyddyn gyfan i holl afonydd y byd ei lenwi. Ac mae'r dŵr yn berffaith ddiogel i'w yfed oherwydd yr holl sbyngau ac ati ar y gwaelod sy'n ei lanhau'n gyson. Ron i'n edrych ymlaen yn arw at gael mynd ar y cwch. Ond roedd 'na broblem. Roedd y cwch yno'n aros amdanon ni, ond doedd Leonid a'r fan efo'n bagiau ni – a'r petrol a'r bwyd - ddim. Doeddwn i ddim yn gweld fod hyn yn broblem i ddechrau; doedd 'na'm brys, nag oedd? Roedd y fan yn siŵr o gyrraedd cyn bo hir, ac roedd Alex yn diflannu o bryd i'w gilydd i holi neu chwilio neu rywbeth. Ond wedi disgwyl a disgwyl... roedd hi'n tywyllu a doedd 'na'm golwg o'r dam peth. A doedd 'na'm signal ffôn symudol ger Llyn Baikal, wrth reswm – na chiosc ffôn. Roedden ni wir yng nghanol nunlle. Gan fod 'na jest digon o betrol yn y tanc, penderfynwyd dechrau heb y bagiau yn y gobaith y byddai'r fan yn ein dilyn ar y fferi draw i Ynys Olkhon. Yn anffodus, roedd ein bwyd ni, y dillad gwely a phob affliw o bob dim yn y fan, ac roedd hi'n oer.

Ar y cwch â ni, a Sioned wir yn poeni. Doedden ni ddim wedi licio golwg Leonid y trefnydd o'r cychwyn, ac roedd 'na werth pres yn y fan 'na rhwng bob dim – a phob un wan jac o'r tapiau rydan ni wedi eu ffilmio hyd yma! Roedd Valentin yn fwy positif: "Rhyw broblem efo pres ydi o, dwi'n siŵr," meddai. "Dydi ail hanner y tâl ddim wedi dod drwadd o Gymru eto ac mae Leonid i fod i dalu Alex ers tro. Felly beryg ei fod o'n cuddio nes daw gweddill y pres. Does 'na ddim pwynt poeni am y peth." Ond mae Sioned yn dal i boeni'n uffernol, dwi'n gwybod.

Mae hi'n wirioneddol oer ar y cwch 'ma (hen un milwrol, gyda llaw) achos mae'r gwresogyddion ar y fan. A chan fod y dillad gwely yn y fan hefyd, does 'na nunlle i gysgu. Mae gan Sioned a finna gaban bach del i ni'n hunain (dwi wrth fy modd efo'r ffaith ein bod ni'n agor caead ar y dec a dringo i lawr ysgol i ddod yma), ond mae'r matresi'n wlyb domen. Blydi *typical*, dwi wedi bod yn cwyno gymaint 'mod i isio gwisgo fy *fleece* a fy fest a rŵan 'mod i eu hangen nhw, dydyn nhw ddim gen i! Y cwbl sydd gen i ydi'r dillad sydd amdana i, bag mêc-yp (ond dim stwff 'molchi), fy nghyfrifiadur côl (dwi'n teipio hwn arno fo rŵan), llyfrau, a stwff mosgitos. Ond erbyn tyrchu, roedd gen i nicar a sanau glân yng ngwaelod y bag hefyd; diolch byth 'mod i'n deithwraig brofiadol...

Mi fuon ni'n ffilmio am sbel, er gwaetha'r mwg o'r tanau coedwig 'na eto, ac wedyn mi rannodd Valentin dorth frown a thun o laeth *condensed* rhwng y pump ohonon ni. Roedd o wedi digwydd eu prynu yn y siop fechan ym mhentref y siaman. Argol, roedd o'n flasus. Rhyw awr yn ddiweddarach, daeth un o'r criw aton ni efo sosban boeth. Roedden nhw isio i ni gael peth o'u swper nhw, teimlo droston ni mae'n rhaid, felly mi lwyddon ni i rannu cawl efo un goes cyw iâr ynddo fo rhwng pump – ar ôl tywallt mwy o ddŵr poeth drosto i wneud iddo fynd yn bellach.

Mae'r peth yn eitha digri mewn ffordd, yn antur, ond dwi'n ôl yn y caban rŵan a dwi'n dechrau teimlo'n wirioneddol oer. Fyddwn ni ddim yn aros yn y cwch heno. Mae 'na ryw gabanau gwyliau ar yr ynys, efo dillad gwely call. Dim ond gobeithio y bydd 'na le i ni.

Dydd Iau 5 Mehefin 2003

Roedd neithiwr fel breuddwyd. Glanio ar Ynys Olkhon tua 11.30 y nos, yn y tywyllwch dudew. Doedd 'na ddim golau o fath yn y byd, heblaw am y lleuad yn y cymylau uwchben. Yna, a fawr neb yn siarad a finnau heb syniad mwnci be' oedd yn digwydd, pawb yn gadael y cwch efo'n heiddo prin a dilyn y capten i fyny allt serth. Dal ati am oes i ddringo trwy bentref tywyll, mud ar lwybr o dywod oedd yn edrych a theimlo fel eira yng ngolau'r lleuad. Wedyn, dyma hanner dwsin o gŵn anferthol yn cyfarth ac udo a rhedeg ar ein holau, a chwyrnu wrth ein sodlau nes i ni gyrraedd rhyw fath o ffens fawr bren efo cerfiadau rhyfedd arni. I mewn â ni trwy'r giât a gweld llwyth o *backpackers* yn feddw gaib yn dawnsio'r *salsa* a snogio'i gilydd. Dyma lle oedd y cabanau gwyliau. A diolch byth, roedd ganddyn nhw le i ni, dim ond i Sioned a finnau rannu tŷ efo'r Almaenes oedd wrthi'n cael ei llyncu gan Americanwr. Ond ron i i fod i rannu llofft efo hi. O na... plis paid â deud mod i'n gorfod rhannu efo'r ddau ohonyn nhw. Ond diolch byth, mi ddiflannodd y ddau i'r tywyllwch a welais i 'run o'r ddau drwy'r nos.

Dilyn dyn tal, tenau efo gwallt golau ar hyd cae anwastad a thrwy ffens arall i'r tŷ. Doedd ganddo ddim fflashlamp felly don i'n dal yn gweld affliw o ddim, ond roedd 'na drydan yn y tŷ, diolch byth. "Ond mi fydd o'n diffodd am 12 ar y dot," meddai, "felly mae gynnoch chi ryw 10 munud." "Ym...iawn. Oes 'na doilet yma?" Oedd, y tu allan, mewn adeilad bach pren siâp triongl. "Hwyl, a dowch draw am baned wedyn," meddai, a diflannu. Iawn. Ron i jest yn meddwl: 'Efallai y byddai'n syniad i ni ffendio cannwyll,' pan diffoddodd y trydan. Wrth lwc, ron i newydd weld stwmpyn cannwyll drwy gornel fy llygad, ac mi fu hwnnw'n help garw i weld be' oedd be yn y lle chwech. Roedd y gawod allan yn yr ardd yn rhywle hefyd, ond heb ddŵr poeth. Gan ein bod ni wedi treulio'r noson flaenorol ar y trên ac wedi bod yn teithio trwy lwch a ballu trwy'r dydd, roedden ni'n fudr a deud y lleia, ond doedd 'na ddim pwynt mentro i'r gawod heb sebon na thywel beth bynnag, nag oedd? Hyd yma, roedd hi'n *nul points* i Mistar Siaman a'i ddefod lwc dda i ni ar y daith.

Draw â ni at y criw *backpackers* am baned, gan faglu a giglan yr holl ffordd. Roedden nhw hyd yn oed yn fwy meddw erbyn hyn. Roedden nhw'n gymysgedd ryfeddol o bobl ac yn cynnwys gwraig weddw ifanc o Ffrainc oedd wedi dod yma efo llwch ei gŵr. Ei ddymuniad o erioed oedd dod i Siberia, felly roedd hi wedi gadael y plentyn tair oed adre a dod yma ar ei phen ei hun efo'i lwch o. Doedd hi ddim yn edrych fel petai hi mewn galar rhywsut, yn geiban ar *vodka* a wedi lapio ei hun am foi o Slofenia, ond pwy ydw i i farnu? Roedd y boi o Slofenia yn annwyl iawn, ac yn gwybod am Gymru oherwydd caneuon y grŵp Catatonia, tra oedd y lleill i gyd fel un: "Wales? Oh, you mean England?" "*NO, WE MOST DEFINITELY MEAN WALES!*"

Roedd y dyn tal wedi teimlo droston ni, mae'n rhaid, achos roedd o wedi paratoi gwledd i ni yn ogystal â phaned: *pozni* tatws, cacen hynod felys a physgod mawr wedi'u sychu - ond gyffyrddodd neb yn y pysgod. Roedd hi wedi un y bore erbyn hyn ac roedden ni i gyd yn nacyrd ac yn dal i boeni am ein stwff ni.

Mi syrthiais i gysgu y funud y cyffyrddodd fy mhen y gobennydd, a deffro bore 'ma i weld awyr las bendigedig. Mae'r lle 'ma'n ffantastig! Rydan ni mewn pentref o'r enw Khuzir, a rhyw fath o bentre bach gwyliau ar dop yr allt ydi o. Cwmni o Irkutzk sydd pia fo, ac mae 'na o leia 10 person yn aros yma trwy'r flwyddyn, hyd yn oed yn y gaeaf. Mae'n siŵr fod y rheiny'n bobl wahanol iawn i *backpackers* yr haf: sgïwyr, pobl sy'n hedfan barcud, beicwyr a phlymwyr tanddwr. Mae'n debyg fod Llyn Baikal yn rhewi i ddyfnder o ddeg troedfedd am bedwar mis y flwyddyn, ac mae'n lle anhygoel i blymio ynddo wedyn, yn lliwiau a ffurfiau arallfydol.

Mae 'na gerfiadau pren rhyfedd ym mhob man, cerfluniau yma ac acw wedi eu llunio o froc môr – neu froc llyn yn yr achos yma. Pen ceffyl draw fan 'cw, corff dynes o ryw fath draw fan 'na. Mae'r cyfan yn gwneud i'r lle edrych yn arallfydol a Thylwyth Teg-aidd. O, ac mae pobl yr ynys yn honni mai dyma lle gafodd Genghis Khan ei gladdu, nid Buryatia. Dwi'n dechrau cael rhyw deimlad *déjà-vu*-aidd Brenin Arthur-aidd!

Roedd y brecwast yn hyfryd: uwd, wyau wedi'u ffrio a chrempog ysgafn, fflyfflyd, cynnes. Ac roedd Valentin wedi clywed bod y fan ar ei ffordd. Haleliwia! Pan gyrhaeddodd Leonid, mi ddywedodd yn blaen mai ia, aros am y pres oedd o. Pam na fyddai o wedi deud fod y pres heb gyrraedd cyn diflannu efo'n bagiau ni 'ta, y crinc? Roedd 'na elfen o wneud i ni ddiodde er mwyn talu'n ôl am beidio cael y pres drwadd mewn pryd, dwi'm yn amau. Mae'r boi yma wedi piso ar ei tsips cyn dechrau.

Ymlwybro'n ôl i lawr at y cwch, a chael sioc. Roedd ein llofft ni'n gynnes a chlyd, gwresogydd trydan pwerus rhwng y ddau wely a'r gwelyau oedd uwch ein pennau ni wedi mynd i rywle, a dillad gwely a thyweli wedi eu gosod yn ddel. Roedd 'na ddŵr poeth yn dod trwy'r tap yn y lle chwech; felly mi ges i 'molchi – a glanhau fy nannedd o'r diwedd. Does na'm byd tebyg i lanhau eich dannedd ar ôl bod heb frws dannedd ers deuddydd a chithau'n cael pysgod sych i'w cnoi bob dydd.

Cyfarfod efo Alex a Leonid i drafod yr amserlen wedyn. Fyddwn ni ddim yn mynd i ogledd y llyn i weld y *nerpa* (morloi) a'r rhew wedi'r cwbl; mi fyddai'r gost yn dyblu. O wel. Ond mi fyddai wedi bod yn braf gallu gweld y *nerpa* am eu bod nhw'n unigryw. Dim ond yn Llyn Baikal maen nhw i'w cael, 3,000km o'r morloi agosaf yn yr Arctig a does 'na neb yn gwybod sut ar y ddaear y daethon nhw yma. Mae'n debyg eu bod nhw'n arbennig o dlws hefyd efo cotiau arian-lwyd a llygaid anferthol. Ond dyna fo, mi fydd yn cymryd tridiau cyfan dim ond i hwylio o amgylch ynys Olkhon ac yn ôl i lawr yr arfordir i Irkutzk.

Mi gawson ni ginio wedyn – a sioc arall. Mae ganddon ni ein cogydd ein hunain! Mae'r criw yn edrych ar ôl eu hunain, ond mae hwn yn gofalu am ein prydau ni i gyd, ac os bydd bob pryd fel y cinio gawson ni mi fyddai'n fwy fyth o hocsied: cawl i ddechra, yna rhyw fath o *goulash*. Ron i mor llawn dop ar ei ôl o, allwn i ddim meddwl wynebu'r pwdin. Dyma ni'n stopio wrth graig fawr wedyn, gollwng yr angor a dechrau pysgota, a dyna'r pysgota hawsa erioed. Ron i'n dal rhywbeth bob dau funud! Ges i anferth o un mawr hefyd. Nid *omul*, danteithfwyd y llyn - mae'r rheiny'n byw'n ddwfn yn y gwaelodion ac mae angen rhwydi i'w dal. A beth bynnag, mi ddarllenais i yn rhywle eu bod nhw'n sgrechian pan maen nhw'n cael eu dal. Bosib mai lol tywyslyfraidd arall ydi'r stori honno, cofiwch. Naci, penllwydion ddalion ni, llond bwced ohonyn nhw.

Mae 'na 56 math o bysgod yn Llyn Baikal, gan gynnwys un difyr iawn o'r enw *golomyanka* – dydi o byth mwy na 24cm, does ganddo ddim cennau (*scales*) o gwbl ac mae o'n gwbl dryloyw. Yn y bôn mae o fel lwmpyn bach o fraster efo asgwrn cefn. Mae'n nofio'n y dyfnderoedd (1-1.5km dan y wyneb) yn ystod y dydd ac yn codi i'r wyneb yn y nos – ond nid cweit i'r wyneb chwaith neu mae o'n toddi'n stwnsh o olew. Roedd 'na stwrsiwnod (*sturgeons*) yn pwyso hyd at 250 pwys yma ar un adeg, ond maen nhw dipyn llai na hynny rŵan.

Ymlaen â ni a glanio mewn bae bychan. Roedden ni'n gorfod dringo i lawr darn o bren (fyddwn i ddim yn ei alw'n ysgol) hynod sigledig i gyrraedd y traeth, ond ron i wrth fy modd yn esgus bod yn James Bond fel 'na. Doedd Sioned ddim cweit mor hapus. Mi fuon ni'n hel coed tân i wneud coelcerth, ac wedyn mi fues i'n crwydro o ddifri dros y cerrig a'r creigiau. Roedd hi'n braf gallu neidio a dringo a chwysu rhywfaint – a chael llonydd. Ac roedd o'n gyfle i gael gwir werthfawrogi'r llyn bendigedig 'ma – er gwaetha'r mwg yn y pellter oedd yn difetha'r olygfa braidd. Nid dyma'r llyn mwya yn y byd o bell ffordd; dydi o ddim ond y chweched ar y rhestr, ond mae o'n dal yn fwy na Chymru! Rhwng mis Chwefror a mis Ebrill bob blwyddyn, dyma lawr sglefrio mwya'r byd, ac mae pobl yn gallu cerdded drosto'n hawdd, hyd yn oed yn gallu mynd â cheir drosto fo. Mi fu 'na reilffordd ar ei draws o un flwyddyn! Weithiau, mae o'n rhewi gymaint nes bod tonnau o rew yn cael eu gwasgu gan y gwynt am y lan. Mae'r tonnau hyn wedi claddu gorsaf gyfan a dau gerbyd nwyddau, codi a chwalu glanfa, malu swyddfa llongau a gwthio llong torri iâ mawr haearn reit i fyny ar y lan. Er mai dyma pryd mae'r llyn ar ei beryclaf, dyma pryd mae o ar ei harddaf hefyd, ac mi fuaswn i wrth fy modd yn cael dod yn ôl yma bryd hynny.

Pan fod y rhew yn dechrau toddi tua diwedd mis Ebrill, mae'n olygfa fendigedig, meddan nhw, oherwydd ei fod o'n torri'n nodwyddau sy'n sgleinio o liwiau'r enfys. Ac wrth gwrs, mae'r dŵr yn oer ofnadwy, yn enwedig rŵan, a'r rhew ond newydd doddi. Mae'n oerach ym mis Mehefin nag ydi hi ganol mis Rhagfyr! Yn ôl y sôn, os ydach chi'n nofio ynddo fo, 'dach chi'n ymestyn eich bywyd o ryw chwarter canrif – deng mlynedd ar hugain os ewch chi i mewn dros eich pen! Os na laddith yr oerfel chi...

Fel Ynysoedd y Galapagos, lle mae anifeiliad a phlanhigion wedi datblygu mewn ffordd gwbl unigryw, mae 80% o greaduriaid a phlanhigion Baikal i'w canfod yn y llyn hwn yn unig.

Yn ôl â fi at y lleill wedyn i goginio'r pysgod ddalion ni dros y tân. Hyfryd.

Dydd Gwener 6 Mehefin 2003

Tua hanner nos neithiwr, ron i hanner ffordd i lawr y grisiau i fy llofft pan ddaeth llais dwfn, Rwsieg o'r tywyllwch: *"You are very beautiful woman."* Mam bach! Doedd gen i ddim clem be' oedd ei enw o na be'n union roedd o'n ei wneud ar y cwch, ond ron i wedi sylwi arno fo'r pnawn hwnnw pan fuon ni ar y traeth: dyn mewn dillad du, anodd deud ei oed, wyneb ag ôl gwynt a glaw a haul arno, dyn hynod wrywaidd a braidd yn atyniadol. Roedd o wedi rhoi blodyn bach pinc i mi wrth i mi ddringo'n ôl ar y cwch ac ron i wedi cochi at fy nghlustiau. A rŵan, roedd hi'n ganol nos a dim ond ni'n dau oedd ar y dec.

"O, thanciw feri mytsh!" medda fi, a diflannu. Ron i wedi dychryn braidd, ond eto... ron i'n gwenu fel giât ac yn cicio fy hun am fod yn gymaint o fabi. Does 'na neb wedi deud rhywbeth fel 'na wrtha i ers blynyddoedd - os o gwbl. Iawn, ella bod y boi yn hanner dall ac yn siarad trwy ei het, ond wir yr, mi ddylai pob merch gael y profiad o lais dwfn efo acen Rwsieg yn deud hynna wrthi yng ngolau'r lloer. Mi gadwith fi i fynd am flynyddoedd.

Mi gysgais i'n reit dda er i'r gwynt godi'n arw yn ystod yr oriau mân, ac mi fu'n rhaid i ni symud ymlaen i fae arall i setlo am y nos. Mae 'na stormydd garw iawn yn gallu codi ar y llyn 'ma o fewn munudau, ac mae 'na wyntoedd cryfion o wahanol gyfeiriadau – pob un â'i enw ei hun. Y cryfa ydi'r *gornaya* sy'n dod i lawr o'r mynydd, a mae 'na un o frodyr bach y *gornaya*, y *sarna*, sy'n dod ar hyd dyffryn o'r un enw, yn gallu cyrraedd hyd at 40m yr eiliad a mwy. Gwynt sydyn, dirybudd ydi'r *gornaya*, ac mae 'na nifer o gychod wedi suddo a phobl wedi boddi o'i herwydd. Ond rydan ni'n iawn hyd yma. Bore bendigedig a braf arall. Dim ond un broblem: dim papur ar ôl yn y tŷ bach. Dwi'n gobeithio bod 'na fwy yn rhywle.

Dydd Sadwrn 7 Mehefin 2003

Diwrnod tawel iawn ddoe, ac mi gysgais i'n dda iawn eto neithiwr, er gwaetha'r ffaith bod y gwynt yn cnocio'r cwch yn ôl ac ymlaen a rownd a rownd trwy'r nos. Mae o'n eich suo i gysgu ar ôl sbel.

Roedd y dyn mewn du yn chwarae gwyddbwyll efo Alex pan es i i 'ngwely ac mi ofynnodd os on i isio gêm. Mi fuaswn wedi bod wrth fy modd, ond dwi'm yn gallu chwarae gwyddbwyll. Mi fues i'n damio'r ffaith honno trwy'r nos. Pam na fasa rhywun wedi dysgu gwyddbwyll i mi yn blentyn, yn lle blydi draffts?!

Dwi newydd godi ac mae'r haul yn hyfryd eto, ond mae'r mwg felltith 'na'n ei ôl ac yn ein rhwystro rhag gweld yr olygfa odidog yn iawn. Mae Valentin yn flin oherwydd ei fod o'n bygro'i shots o i fyny'n arw. Mae Sergei ac Arseni reit flin hefyd. Doedd yr un ohonyn nhw wedi bod cyn belled â Llyn Baikal o'r blaen ac roedden nhw wir yn edrych ymlaen, ond oherwydd y mwg, dydi o jest ddim yn edrych cystal ag yr oedden nhw wedi ei ddychmygu.

6.30

Go damia. Mae'r dyn mewn du wedi mynd. Roedden ni'n ei ollwng o wrth y cei 'ma yng nghanol nunlle prynhawn 'ma. Mi wenodd arna i wrth ddringo oddi ar y cwch, rhyw wên "mi gollaist ti dy gyfle, mêt", yna cerdded yn ei flaen, codi ei fag (du) dros ei ysgwydd a chodi llaw heb sbïo'n ôl. Roedd o'n gwybod mod i'n dal i sbïo! Roedd y boi yna'n hyder pur o'i gorun i'w sawdl. A rhywiol, was bach. Ydw, dwi'n difaru f'enaid. Hanes fy mywyd.

Ta waeth, ymlaen â ni i Fae Nain. Pam? Am mai fan 'ma mae'r dŵr gynhesa... i fod. Mi ges fy ffilmio'n rhoi fy nwylo, fy nhraed a fy wyneb yn y dŵr oherwydd y busnes 'na ei fod o'n tynnu blynyddoedd oddi ar eich oedran chi. Roedd o'n iawn i ddechrau, ond wedi sefyll ynddo am sbel, têc ar ôl têc, ron i'n gweld fy modiau'n troi'n las. Deall wedyn bod yr annwyl griw jest yn tynnu arna i! "O, ddrwg iawn gen i, doedd fy *focus* i'm yn iawn." "Sori, Bethan, jest isio *close-up* arall o hynna..." Ia, ia... bastads! Mi gawson ni dreulio'r prynhawn cyfan ym Mae Nain, yn dringo dros y creigiau, archwilio'r goedwig ac ati, a jest ymlacio. Ond erbyn hyn rydan ni ar y ffordd eto - i *banya* Rwsieg, math o *sauna*... Dwi wedi darllen am y llefydd yna a dwi'm yn siŵr os dwi isio mynd. Dydy Sioned ddim chwaith. Mae pawb yn noeth ynddyn nhw, meddan nhw. Hm. A dydi'r tywel 'ma sydd gen i ddim digon mawr i guddio 'mhenelin i.

Dydd Sul 8 Mehefin 2003

Aethon ni ddim i'r *banya*. Aeth y dynion i gyd, a golwg wedi sgwrio go iawn arnyn nhw wedyn. Mae Dennis, yr hogyn 16 oed, yn edrych fel person cwbl wahanol; mae o'n olew a baw i gyd fel arfer. Dwi'm yn gwybod os aethon nhw'n noeth – wnes i'm gofyn. Maen nhw'n deud eu bod nhw i gyd wedi rhedeg i mewn i'r llyn wedyn, ond faswn i'm yn gwybod. Roedd gen i ofn sbïo rhag ofn eu bod nhw'n noethlymun gorn, a does gen i fawr o awydd gweld yr un ohonyn nhw'n noeth, diolch yn fawr. Efallai y byddai hi wedi bod yn stori wahanol tase'r dyn mewn du yn dal efo ni, ond dyna fo. Aeth Sioned a finna am dro yn y cyfamser, heibio i ryw fath o hen *Butlins* o le gafodd ei sefydlu yn ystod y cyfnod Sofietaidd: cytiau bach pren wedi eu paentio'n wyrdd a jest digon o le i gysgu ynddyn nhw. Mae o'n wag rŵan.

Mae fy nghluniau i'n brifo, braidd, ond does 'na'm rhyfedd gan fod y matras ar y gwely mor galed. Mae Sioned yn teimlo'r un fath: "Am y tro cynta yn fy mywyd, wy'n falch bod *padding* 'da fi." Mae hi'n berffaith iawn, fyddai hogan denau'n methu cysgu winc yma.

Ond fyddai neb yn aros yn denau iawn ar y cwch yma; rydan ni'n cael llawer gormod o fwyd gan y cogydd. Mae'n gas gen i beidio â chlirio 'mhlât, ond mae'n rhaid i mi adael ei hanner o bron bob tro.

Mae'n rhyfedd meddwl bod y daith ar Baikal bron drosodd. Dwi wedi mwynhau'n arw, ond roedd Arseni'n cyfadde nad oedd o wedi mwynhau'r trip o gwbl: "*I want dry land!*" meddai'r creadur ac roedd o'n hollol ddiffuant. Dim ond cysgu mae o wedi'i wneud am y tridiau. Mae Sergei i'w weld yn hapusach er ei fod o'n deud mai'r unig dro iddo deimlo'n gynnes oedd yn y *banya*. Mae Alex wedi ein gwahodd i'w *dacha* pan gyrhaeddwn ni Irkutzk, ond mi glywais i sôn am *banya* yn fan 'no hefyd... hm. Ond mae pawb wedi blino gormod heno. Rydan ni jest isio mynd i'r gwesty, mynd ar y We, cael bath – a llonydd!

Y gwesty: waw! Gwesty 4 seren myn diawl! Mae o'n *culture shock*, a dwi newydd dreulio hanner awr yn y bath. Nefoedd.

Cyn cyrraedd Irkutzk mi fuon ni mewn pentre bach lle roedd 'na ugeiniau o stondinau yn sychu a mygu pysgod Baikal. Roedd 'na oglau da yno ond roedd y mwg yn llosgi'r llygaid, was bach. Roedd 'na stondinau efo pob math o fwclis a phethau o bren a rhisgl coed hefyd. Mi brynais i gwpl o bethau bach fel anrhegion (gyda phwyslais ar y bach gan fod fy mag i mor uffernol o drwm fel mae hi) – a chadwyn rhisgl coed i mi fy hun. Dwi wrth fy modd efo hi ac yn difaru na fyddwn i wedi prynu mwy ohonyn nhw.

Llun: Sioned Eleri Williams

"*Mi ges i fy ffilmio'n rhoi fy nwylo, fy nhraed a fy wyneb yn y dŵr oherwydd y busnes 'na ei fod o'n tynnu blynyddoedd oddi ar eich oedran chi.*" (t.86)

Prynu llwyth o bysgod wnaeth Valentin a'u rhannu nhw efo ni dros boteli cwrw i ddathlu diwedd y daith ar y mymryn bach lleia o Lyn Baikal. Mae Alex yn deud y dylen ni ddod yn ôl yn y gaeaf ac mi fuaswn i wrth fy modd. Rhyw ddiwrnod... Mi fuon ni mewn amgueddfa fechan wedyn a gweld pethau fel pysgod *golomyanka* mewn poteli. Ymlaen wedyn i adeilad digon dinod efo dau forlo *nerpa* mewn twb llawer, llawer rhy fach iddyn nhw. Roedden nhw'n dlws, dlws, a'r llygaid mawr tywyll 'na'n hypnotaidd. Roedd y rheolwyr wedi eu dysgu i wneud triciau, ac roedden nhw'n ufudd iawn, digri hyd yn oed. Ond roedd eu gweld nhw mewn twb mor fach yn boenus. Fuon ni ddim yno'n hir iawn.

Dwi'n mynd yn syth i 'ngwely, ond mae Arseni a Sergei wedi mynd allan am y noson.

Dydd Mawrth 10 Mehefin 2003

Ron i i fod yn barod i adael y gwesty am 6 bore 'ma, ond mi gysgais i trwy'r larwm. Yn ffodus, roedd Valentin wedi cael gwybod bod yr awyren yn hwyr ac na fyddai hi'n gadael tan amser cinio, felly ges i fynd yn ôl i gysgu. Dwi wedi blino'n rhacs ar ôl ddoe.

Felly be' ddigwyddodd ddoe? Mi fuon ni ar fws mini i ganol tref Irkutzk i ffilmio'r trenau, yr adeiladau a.y.y.b., ac mi brynais i bac o gardiau chwarae Rwsieg heb sylweddoli mai pac o 36 oedd o. Does 'na ddim cardiau 2-5. Da i ddim i mi, felly. Sgwrsio cryn dipyn efo gyrrwr y bws mini a deall ei fod o'n gwybod yn iawn am Gymru am ei fod o wedi bod yn y Brifysgol yng Nghaerdydd am dair blynedd! 1993-96 oedd hynny a dwi'n meddwl mai rhywbeth fel *social development* oedd ei bwnc o. Mi ddoth adre wedyn i drio helpu ei wlad a bod yn athro. Ond dim ond $100 y mis roedd o'n ei gael. Felly mi benderfynodd ddechrau busnes tacsis a rŵan mae o'n ennill $2000 y mis. Mae gan ei wraig o radd mewn seicoleg plant ond mae'n ennill mwy fel *dispatcher* i'r cwmni tacsis.

Mi ddechreuodd agor allan mwy wedyn (ron i'n ei holi'n dwll), ac mi gyfaddefodd ei fod o'n dod o St Petersburg yn wreiddiol, ac yn perthyn i deulu o ddrwgweithredwyr – y maffia Rwsieg. Pan gafodd bron pawb yn y teulu eu lladd gan giang arall, mi gafodd ei yrru i Gaerdydd gan ei ewyrth. Ia, ron innau'n dechrau amau ei fod o'n eu rhaffu nhw ac yn tynnu 'nghoes, ond mwya on i'n siarad efo fo, lleia sinigaidd on i'n mynd, ac yn y diwedd, ron i'n ei gredu o bob gair. Pam ddylai o ddeud celwydd? Pan ddaeth o'n ei ôl i Rwsia, doedd hi ddim yn ddiogel iddo fynd i St Petersburg a dyna pam y daeth o i Irkutzk. Roedd o jest isio bywyd tawel ac ennill ei gyflog yn deg. Dydi o'n gwneud fawr ddim efo'i deulu bellach. Ond mae Irkutzk yn ddinas o grwcs go iawn - un o'r llefydd gwaetha yn Rwsia, medda fo, a fedar y llywodraeth wneud dim am y peth; maen nhw'n rhy gryf, a nhw sy'n rhedeg popeth yma.

"Mae hi fel America dri chan mlynedd yn ôl yma a wna i ddim byw i weld pethau'n gwella. Rydan ni wedi dianc o un math o gaethwasiaeth – Comiwnyddiaeth - ond rydan ni dan fawd un arall rŵan: pres. Mae pres yn rheoli bob dim yma ac mae'r Rwsiaid yn meddwl y gall pres brynu unrhyw beth. Pan on i yng Nghaerdydd daeth y *British Intelligence Service* ata i i ofyn fyddwn i'n fodlon gweithio efo nhw, gadael iddyn nhw wybod ambell beth. 'Be' sy arnoch chi?' medda fi. 'Dwi'n gwybod dim, ond mi fyddai unrhyw Rwsiad yn gadael i chi wybod y blydi lot am bris. Ffoniwch nhw, cynigiwch bres ac mi gewch chi rwbath liciwch chi – arfau niwcliar yn y post!'"

Mae ei waith o fel gyrrwr tacsi yn beryg, medda fo. Gyrwyr sâl ar y ffyrdd yn un peth. Mae 'na ddamweiniau gwael byth a hefyd, ond mae 'na ddrwgweithredwyr hefyd: "felly rydan ni i gyd yn cario gynnau." Mi ddangosodd yr un oedd ganddo yn y blwch menig i mi. Gofynnais os oedd o wedi gorfod saethu unrhyw un erioed. "Wel, a deud y gwir, mi fu raid i mi saethu dau foi wythnos dwytha." Doeddwn i ddim yn disgwyl hynna. "Be' ddigwyddodd iddyn nhw?" gofynnais. "Mi fuon nhw farw. Mi wnes i ffonio'r heddlu i ddeud 'mod i mewn trwbl, bod y ddau foi 'ma ar fy ôl i. Mi ofynnon nhw os gallwn i ddal arni am 15 munud. 'Mi wna i 'ngora,' meddwn, ond yn diwedd, bu raid i mi saethu. Ti'n gorfod dysgu edrych ar ôl dy hun yn y lle 'ma. Mae Irkutzk yn ddinas ddrud oherwydd bod 'na gymaint o bobl ariannog yma. Mae 'na fwy o filiwnyddion yma nag yn unrhyw dre arall yn Rwsia. Ti un ai'n uffernol o gyfoethog neu'n dlawd, does 'na fawr neb yn y canol - heblaw gyrwyr tacsi - rydan ni'n ddosbarth canol, yn ennill pres iawn, ond ddim gormod."

Yn nes ymlaen, mi wnes i ddigwydd ei holi am yr holl ferched smart sydd ar hyd y lle. "Puteiniaid ydyn nhw," meddai, "ond nid bob amser yn ystyr arferol y gair. Yli, maen nhw'n dwp (creda di fi, dwi'n gwybod - dwi'n rhoi liffts iddyn nhw o hyd) ond yn ddel, felly maen nhw'n gweithio ar y peth ac yn meithrin yr olwg *sex-bomb* yn y gobaith o fachu ar ddyn efo llwyth o bres. A dyna sy'n digwydd gan amla. Dydi'r genod yna ddim yn gweithio. Jest cael eu talu a'u cadw am edrych yn dda maen nhw." Mae'n rhaid i mi ddeud, ron i wedi sylwi bod 'na dipyn o ferched ifanc, del efo dynion llawer hŷn o gwmpas y lle. Ond efallai mai efo'u tadau oedden nhw. Be' wn i? O ia, roedd Sergei ac Arseni wedi dychryn yn arw pan fuon nhw allan neithiwr. Mae'n debyg bod 'na ddynion bygythiol iawn o gwmpas, rhai'n gyrru eu ceir yn chwil ulw ar hyd y lle, dros y pafin, yn gwneud coblyn o dwrw, ond doedd 'na'm golwg o'r heddlu... Swnio fel tase'r gyrrwr tacsi'n iawn – mae'r lle 'ma fel Gorllewin Gwyllt America gynt gyda cheir yn lle ceffylau.

Gyda'r nos, draw â ni i *dacha* Alex a chyfarfod ei wraig (y drydedd!) Tatiana a'r plant (sy'n 10 a 12 ac yn siarad Saesneg perffaith am eu bod nhw'n cael gwersi preifat ers eu bod nhw'n 7). Math o dai gwyliau ydi *dachas*, ail gartref yn y wlad i drigolion y dinasoedd. Ond nid rhywbeth i'r bobl ariannog mohonyn nhw o bell ffordd; mae 'na un gan bob teulu ers blynyddoedd lawer, rhywbeth drefnwyd gan y llywodraeth yn ystod y cyfnod Sofietaidd i'r gweithwyr gael mynd yno ar benwythnosau. Y syniad oedd eu bod nhw'n cael awyr iach a chyfle i dyfu eu llysiau eu hunain a mynd i'r goedwig i hel eirin a madarch. Roedd digon o angen bwyd ychwanegol ym misoedd llwm y gaeaf. Dydyn nhw ddim yn dai ar eu pennau eu hunain chwaith. Mae 'na gannoedd ohonyn nhw i gyd yn yr un patshyn a bysus yn mynd yno bob penwythnos am y nesa peth i ddim. Ond nid *dacha* arferol mo *dacha* Alex. Dydi o'm yn tyfu dim. Lle i'r teulu gael gorffwys a chwarae ydi o – ac mae'n eitha crand. Roedd Tatiana wrth ei bodd yn gallu teimlo'r gwair dan ei thraed noeth, ac roedd hi mewn byd isio i mi wneud yr un peth. Don i'm yn licio deud wrthi 'mod i'n gallu cerdded yn droednoeth ar wair unrhyw bryd leicia i.

Roedd hi hefyd isio i ni brofi'r *banya*, ond doedd na'm amser, diolch byth! Mi gawson ni farbeciw Baikalaidd wedi hynny, ac roedd o'n hyfryd. Roedd y *kebabs* cig wedi eu mwydo mewn rysàit arbennig ddysgodd Alex gan y siamaniaid, ond roedd o'n gwrthod deud be' oedd ynddo fo – mae'r gyfrinach yn ddiogel efo fo, meddai. Mae'r dyn wedi gwironi'n rhacs efo Llyn Baikal. Mi gafodd ei fagu yno, fwy neu lai, ac mae'n mynd yno bob cyfle gaiff o, waeth beth fo'r tywydd. Mi ddangosodd o bedair ffilm roedd o wedi eu gwneud ei hun am y llyn drwy'r tymhorau. Roedd yr un gaeaf yn arbennig o dda, yn codi awydd go iawn arna i i fynd yn ôl i weld y siapiau a'r lliwiau anhygoel yn y rhew fy hun. Ond don i ddim yn siŵr am y ddynes noeth yn yr un haf, waeth pa mor artistig oedd y lluniau. Dwi'n falch nad oedd Teledu Telesgôp yn disgwyl i mi wneud *yoga*'n noeth ar lan y llyn...

Mi wnes i gymryd at Alex yn arw, ac ron i wrth fy modd efo Tatiana hefyd. Roedd hi'n arfer gweithio yn y syrcas, yn gwneud acrobateg ar gefn ceffyl cyn iddi briodi a chael plant ac roedd hi'n dal yn rhyfeddol o ystwyth. Ac roedd hi mewn cariad llwyr efo'i gŵr. "Mae o'n ddyn i'r carn," meddai, "dyn penderfynol sy'n gwybod be' mae o isio – ac yn ei gael o. Roedd o wedi deud wrtha i pan on i'n ifanc iawn ei fod o'n mynd i fy mhriodi i ryw ddiwrnod, ac mi wnaeth." Roedd ganddi gasgliad mawr o gerrig o Lyn Baikal ac roedd hi am i Sioned a finna ddewis un bob un yn anrheg. "Mae'r rhai crwn efo tyllau ynddyn nhw yn arbennig o brin," meddai, "ond maen nhw'n dod â lwc dda." Felly mae gen i garreg fechan efo twll perffaith ynddi ar gortyn i fynd adre efo fi i gofio amdanyn nhw a Llyn Baikal.

Dwi newydd sylweddoli y bydda i adre mewn wythnos! Ieeee! Mae hi'n amser mynd rŵan. Dwi wedi mwynhau fy hun, ond rargol, dwi wedi blino, ac mae ganddon ni awyren arall i'w dal.

Cyrraedd Khabarovsk am 7.00 – ond 9.00 amser lleol. Mae 'na ddeg awr o wahaniaeth rhyngom ni a Chymru bellach. Y mwg o'r fforestydd fu'n gyfrifol am y ffaith fod yr awyren yn hwyr, roedden nhw'n gorfod aros iddo glirio rhywfaint er mwyn gallu gweld lle roedden nhw'n mynd. Gwesty neis iawn eto, hyd yn oed os oedd dŵr y bath yn felyn. Ac am y tro cynta, mae ganddon ni decell yn ein 'stafelloedd. Fy argraff gynta o'r dre ydi ei bod hi'n smart iawn, a llawer taclusach na threfi Siberia. Rydan i yn nwyrain pella Rwsia rŵan – dyna mae'n ddeud ar fy ffôn symudol i beth bynnag: *Far East Russia*. Mae'n swnio mor ecsotig, tydi? Dydi Tseina ddim ond 25km i ffwrdd. Beth bynnag, mae'r strydoedd yn hynod daclus yma, ac mae 'na olwg drefnus, ariannog ar bob dim. Mae'n edrych yn Ewropeaidd, bron. Dwi'n mynd ar y We, wedyn i 'ngwely ar fy mhen.

Dydd Mercher 11 Mehefin 2003

Heulwen braf – a dim mwg! Wedi sylweddoli fod gen i ddwylo a gwar brown iawn, ond mae'r gweddill yn wyn fel yr eira. Felly, er mwyn peidio edrych yn wirion yn fy nillad hafaidd, mi wnes i drio rhoi lliw haul ffug amdanaf - a gwneud llanast ohoni. Mae bodiau fy nhraed i'n edrych yn sglyfaethus o fudr rŵan.

Tipyn o bobl Asiaidd yr olwg yn y lle brecwast bore 'ma. Ond mae'n debyg bod y Japaneaid a phobl De Korea wedi heidio yma i agor ffatrïoedd a busnesau ac mae'r rhan fwya o'r ymwelwyr sydd yma yn dod o'r ddwy wlad honno.

Ta waeth, at waith, a sylweddoli na chawn ni eitem fel y cyfryw yn Khabarovsk. Mae'n dre ddymunol iawn, ond dim byd arbennig. Felly dyma fodloni ar olygfeydd o'r afon Amur a mynyddoedd Tseina yn y cefndir, ond mi gymrodd hynna drwy'r dydd rhwng pob dim.

Ffilmio lawr wrth yr afon gyda'r nos, ac roedd hi'n ddigon tebyg i Saratov yno: cyplau cariadus yn mynd ar y cychod liw nos; cychod eraill yn dod â hen bobl yn ôl o'u *dacha*; dynion chwil yn rhowlio ar hyd y lle; genod yn cynnig reids ar geffylau am ychydig *roubles*; cariadon yn lapswchan yn y cysgodion – a reit ar ganol y pafin. Mae'r Rwsiaid yn bendant yn bobl ramantus, cariadus; dim byd tebyg i'r stereoteip o bobl flin, ddifrifol rydan ni wedi cael ein cyflyru i'w gredu dros y blynyddoedd. Maen nhw'n debycach i'r Eidalwyr o ran natur, tasech chi'n gofyn i mi.

Gan eu bod nhw'n bobl mor addysgiedig hefyd, mi holais i Valentin am y byd llyfrau yma. Dwi wedi gwirioni ar y siopau llyfrau a chylchgronau, bob tro dwi'n mynd i mewn i un, mae 'na filoedd ar filoedd o lyfrau ynddyn nhw am y nesa peth i ddim o'u cymharu â'n prisiau ni, a llond siop o gwsmeriaid hefyd. Mi eglurodd Valentin ei bod hi'n anodd yn ystod y cyfnod Sofietaidd. Doedd y llyfrau roedd pobl isio eu darllen ddim ar gael - ddim hyd yn oed y clasuron - neu roedd y copïau'n brin iawn a phobl yn gorfod ciwio am oriau i'w cael nhw. Bryd hynny, roedd y siopau'n llawn o stwff sych, ffurfiol am y system Sofietaidd, ond doedd neb isio darllen rheiny. Ond ar ôl *perestroika* – wê-hei! Roedd 'na lyfrau o bob math ar gael wedyn a phawb wedi gwirioni ac yn darllen fel ffyliaid. Ond mae 'na lai o bobl yn darllen llyfrau erbyn heddiw oherwydd ffilmiau, fideos a.y.y.b. Yr un hen stori dros y byd i gyd, beryg. Roedd cylchgronau'n gwerthu'n dda ar y dechrau hefyd - rhyw 5m o gopïau'n hawdd, ond dim ond am y ddwy flynedd gyntaf ar ôl *perestroika*. Bellach, dydi'r bobl ifanc ddim isio gwybod ac mae'r bobl hŷn yn gwybod y cwbl yn barod. Y stwff arferol sydd yn y siopau erbyn hyn: nofelau ditectif, nofelau ias a chyffro, rhamant ac ati, ond mae cylchgronau ffotograffig yn dal i werthu oddeutu 5m o gopïau, meddai Valentin – sy'n cyfrannu at y cylchgronau hyn yn rheolaidd.

Mae ein ychydig filoedd bach pathetig ni yng Nghymru yn ymddangos hyd yn oed yn fwy trist rŵan - ond sbïwch ar faint Rwsia o'i chymharu â Chymru. Beryg ein bod ni'n gwneud yn eitha da wedi'r cwbl.

Llun: Sioned Eleri Williams

"...mi fuon ni mewn pentre bach lle roedd 'na ugeiniau o stondinau yn sychu a mygu pysgod Baikal. Roedd 'na oglau da yna ond roedd y mwg yn llosgi'r llygaid, was bach."
(t.86)

Dydd Iau 12 Mehefin 2003

Wedi gadael Khabarovsk. Y cwbl wnes i'r bore 'ma oedd treulio awr a mwy mewn clwb defnyddio'r We, yn darllen a gyrru e-byst – mae hi mor rhad yno – rhyw 50c gostiodd o i gyd. Tipyn rhatach na'r gwesty. Hedfan i Ynys Sakhalin wedyn a chyrraedd tua amser cinio. Roedd 'na dri o bobl yno i'n cyfarfod: gyrrwr y bws mini, hen foi tawedog a gyrrwr neilltuol o dda; y ddynes 'ma oedd yn gweithio i'r cwmni teledu sydd wedi trefnu pob dim i ni (ac yn dod efo ni i bob man, er nad oedd hi i'w gweld yn gwneud ryw lawer chwaith) a'r cyfieithydd - Sergei oedd enw hwn hefyd. Mae o'n foi mawr cry efo llygaid mawr crwn a'r ffordd anffodus 'ma o ddod jest mymryn bach yn rhy agos at wyneb rywun. A bod yn onest, mae o'n boen yn din ac yn gyrru Valentin (a Sioned a finna) yn benwan. Mae o bron yn gymaint o bry clust â Marek o Wlad Pwyl. Bron.

I ffwrdd â ni yn y bws mini i westy oedd yn dipyn o dwll. Roedd o mewn stryd fudr, lwyd a tharpolin du dros un ochr gyfan o'r adeilad. Edrychodd Valentin yn hurt ar y lle, ac ar y papurau yn ei ffeil. "Nid hwn ydi'n gwesty ni!" meddai. "Ia, tad," meddai Sergei, "hwn rydan ni wedi ei fwcio i chi." "Dim uffar o beryg!" meddai Valentin. Roedd o wedi bwcio gwesty arall ers wythnosau, a doedden ni ddim yn aros yn y twll yma. Felly i ffwrdd â ni unwaith eto, allan o brifddinas Yuzhno-Sakhalinsk, trwy dyfiant jwnglaidd, i fyny allt i Westy Santa. Wel, am wahaniaeth. Roedd hwn yn fawr a chrand ac uffernol o ddrud. Neis won, Valentin! Trafod yr amserlen efo Sergei a'r ddynes 'ma yn syth cyn iddyn nhw ein gadael ni, a chael 'chydig o ffrae ynglŷn â'r prisiau. Roedden nhw'n codi tâl trefnu a chyfieithu ac ati am bob diwrnod, ond yn codi am bedwar diwrnod. "Ylwch," meddai Sioned, "dim ond am ddeuddydd o ffilmio rydach chi efo ni." "Na, mae'n bedwar," medda nhw. Roedden nhw'n cyfri dod i'n nôl ni fel un diwrnod, a mynd â ni'n ôl i'r maes awyr fel diwrnod arall – er nad oedd y maes awyr ond i fyny'r ffordd. Mi ges f'atgoffa o eiriau'r gyrrwr tacsi yn Irkutzk. Roedd Sioned a Valentin yn flin uffernol efo nhw ac roedden ni i gyd yn falch o'u gweld nhw'n mynd. Mi adawodd hynna flas braidd yn gas ar ein diwrnod cyntaf yn Sakhalin, ond mi wnes i anghofio'r cwbl ar ôl mwynhau fy math llawn bybls a fy **Sky News**, a'r pryd Japaneaidd bendigedig gawson ni heno.

Dwi yn fy ngwely rŵan ac wedi bod yn darllen 'chydig am yr ynys. Mae hi tua'r un maint â'r Alban ac mae Rwsia a Japan wedi bod yn ffraeo drosti ers canrif a mwy. Roedd 'na bobl yma'n barod: y *Nivkhi*, yr *Oroki* a'r *Ainu*, ond doedd hynny'n gwneud dim gwahaniaeth i'r ddwy wlad fawr oedd eisiau cael gafael ar y pysgod, y morfilod a'r morloi oedd yn berwi yma. Oherwydd ei bod hi mor bell o bob man, mi benderfynodd y *tsar* wneud yr ynys gyfan yn un wladfa gosb fawr: carchar fwy na heb, yn union fel y defnyddiwyd Botany Bay gan Brydain i roi gwehilion gwrthodedig cymdeithas. Daeth Anton Chekhov yma yn 1890 a sgwennu **A Journey to Sakhalin** a dyma ddyfyniad o hwnnw sy'n deud cyfrolau: "Rydw i wedi gweld Ceylon, sydd yn baradwys, a Sakhalin, sydd yn uffern ar y ddaear." O diar...

Dydd Gwener 13 Mehefin 2003

I'r ardd fotaneg bore 'ma. Ron i wedi disgwyl gweld rhywle tebyg i Erddi Bodnant, ond ges i dipyn o sioc. Mae'n dwll o le, a phan welais i'r planhigion... wel, gyda phob parch, mae gen i rai gwell yn fy ngardd i. Ond roedd pobl y lle mor falch ohonyn nhw. Dyma ddeall wedyn fod Sakhalin dan eira am chwe mis o'r flwyddyn a bod tyfu'r pethau 'ma fan hyn yn dipyn o gamp. O, iawn felly. Ond roedd hi'n dal yn rhyfeddol o wag yno, a fawr ddim i Valentin druan ei ffilmio. Ond roedd 'na wair hir reit ddifyr yno; mae'n tyfu'n arbennig o dal, mae'n debyg, ac roedd 'na un math efo dail yn union fel ambarél. Ac ydi, mae'n cael ei ddefnyddio fel ambarél pan fydd y glaw yn tywallt. Os 'dach chi'n digwydd bod yn mynd am dro mewn llond cae ohonyn nhw.

Er ein bod ni wedi egluro am Gymru ac S4C a bob dim, mae'n amlwg nad oedd Sergei'r cyfieithydd wedi'n cymryd ni o ddifri achos mi gafodd o goblyn o fraw pan glywodd o fi'n gwneud fy narn cyntaf i gamera. "*That is not English!*" "*No, we told you, we're Welsh.*" "*But it is not even similar to English!*" "*No... like I said...*" Roedd o'n meddwl ei fod o'n swnio fel Eidaleg, ac mae hynny wedi 'mhlesio i. Mae pobl fel arfer yn deud ein bod ni'n swnio fel Almaenwyr, tydyn?

Roedd 'na gŵn ofnadwy o ffyrnig a blin yno, ond ar gadwyni, diolch byth. Mae'n rhaid eu cael nhw i rwystro pobl rhag dod mewn i ddwyn y planhigion; collwyd tipyn ohonyn nhw yn y gorffennol. Mae gan bob safle adeiladu, pob busnes efo nwyddau gwerth eu dwyn, gŵn mawr ffyrnig fel hyn. Erbyn meddwl, dydi'r siopau ddim yn gadael i chi gyffwrdd pethau cyn eu prynu chwaith. Mae pob dim y tu ôl i gownter, bariau neu wydr, a'r drefn ydi eich bod chi'n deud (neu bwyntio at) yr hyn rydach chi am ei brynu, wedyn mae'r ddynes y tu ôl i'r cownter yn rhoi darn o bapur i chi. Wedyn rydach chi'n mynd â'r papur hwnnw at y til mewn rhan arall o'r siop ac ar ôl ciwio yn fan 'no, yn talu, yna'n cael y tocyn yn ôl efo stamp arno fo, cyn mynd yn ôl at y cownter gwreiddiol a rhoi'r tocyn stampiedig dros y cownter i gael yr hyn roeddech am ei brynu ugain munud yn ôl. Nid yn annhebyg i drefn stondin gacennau y *WI* yn Nolgellau ar fore Iau.

Mae 'na lefydd bach bocslyd ar ganol y pafin weithiau hefyd, yn fariau haearn i gyd a'r ffenest leia erioed yn y canol i chi gael gweld llaw y ddynes sydd yn eistedd y tu mewn iddo. Gwerthu cwrw, ffags, fferins a phecynnau pysgod a sgwid wedi'u sychu mae'r rheiny fel arfer.

Mi fuon ni'n gweld teulu Koreaidd wedyn. Roedden nhw'n annwyl iawn, ac wedi paratoi bwyd bendigedig i ni. Ond doedd y sgwrs ddim cweit yr hyn roedden ni wedi ei ddisgwyl. 'Dach chi'n gweld, mae'r Koreaid yn Sakhalin ers i'r Japaneaid eu gorfodi nhw i fynd yno hanner can mlynedd yn ôl. Ond cafodd y Japaneaid eu hel allan gan y Rwsiaid yn 1945, a gadael y Koreaid ar ôl. Doedd gan y creaduriaid ddim ffordd o fynd adre ac yma maen nhw byth. Roedden ni wedi disgwyl iddyn nhw gwyno ar eu byd, ond wnaethon nhw ddim. Maen nhw'n hapus iawn yma, meddan nhw. O, dyna fo, 'ta. Mi fuon ni'n ffilmio sgwrs efo'r teulu beth bynnag, ond doedd na'm byd neilltuol i'w ddeud yn y bôn.

Ymlaen i'r Amgueddfa: adeilad pagoda-aidd smart iawn fu'n gartref i weinyddiaeth Japan cyn 1945. Roedd hi'n fach ond yn rhyfeddol o ddifyr, yn enwedig y darn am y bobl oedd yma cyn i'r Rwsiaid a'r Japaneaid gyrraedd - y *Nivkhi*, yr *Oroki* a'r *Ainu*. Pysgotwyr oedden nhw bron i gyd, ac roedd 'na enghreifftiau o'r dillad fydden nhw'n eu gwisgo – wedi eu gwneud yn gyfangwbl allan o groen pysgod. Ron i'n hoff iawn o'r teclyn cludo-babi-ar-eich-cefn – efo twll bach ar y silff yn y gwaelod. Mi fues i'n ddigon dwl i ofyn be' oedd pwynt y twll. Doedd 'na'm clytiau ganddyn nhw. O! Wrth gwrs.

Mi fu Sergei y cyfieithydd poenus yn gwneud ei orau i ddeud wrtha i be' oedd y rheolwraig yn ceisio'i ddeud am yr eirth a'r *Nivkhi*. Roedden nhw'n addoli eirth, mae'n debyg, a bob blwyddyn, mi fydden nhw'n dal un bach a phenodi dynes i edrych ar ôl y babi arth 'ma, "*And she fed him with her pins*," meddai Sergei. "*Her pins?*" adleisiais i. "*Um... yes... her chest?*" O, ei fwydo o'r fron! Arth?! Argol fawr!! Dwi'n gwingo jest wrth feddwl am y peth. Ac ar ôl hynna i gyd, mi fyddai'r arth druan yn cael ei lladd.

Crwydro'r strydoedd llwydion, diflas wedyn a Sergei'n fy nilyn yn dragwyddol a finna'n gallu ymdopi'n iawn, damia fo. Dwi isio siarad Rwsieg fy hun weithiau! Dwi wedi trio deud wrtho fo ond dydi o'n cymryd dim sylw. Adre i'r gwesty, bath, swper, teledu a gwely. Dwi'n flin uffernol efo **Sky News** - mae o mor Seisnig. Roedd y gohebydd chwaraeon yn deud eu bod nhw wedi dewis y timau ar gyfer y gêmau rygbi fory. Felly mi wnes i aros yn eiddgar am yr enwau. Ond dim ond enwi tim Lloegr wnaethon nhw! Dim gair am dîm Cymru sy'n chwarae'n erbyn Awstralia! Dwi'n berwi.

Dydd Sadwrn 14 Mehefin 2003

Y diwrnod olaf un o ffilmio yn Rwsia! Gorfod gwisgo colur ben bore am y tro olaf, gorfod rhoi fy ngwallt i fyny er mwyn i'r camera allu gweld fy wyneb i am y tro olaf, "*switch on/switch off*" Sergei (y dyn sain, nid y cyfiethydd) am y tro olaf. A hei – fydd dim rhaid i mi weld y Sergei arall 'na byth eto.

Roedden ni'n hwyr yn cychwyn arni am fod 'na lol efo pres eto: roedd ein trefnwyr isio cael eu talu bore 'ma; roedden nhw hefyd isio mwy nag a drefnwyd ac ar ben hynny i gyd roedden nhw isio fo mewn *roubles* yn hytrach na doleri wedi'r cwbl. Asiffeta! Doedd Sioned ddim yn gwningen hapus, ac mi fu'r greadures yn y swyddfa am oes yn trio cael trefn ar y cwbl.

O'r diwedd, gyrru am y môr yr ochr arall i'r ynys, lle roedd 'na ddau foi sy'n dal potswyr *caviar* yn disgwyl amdanon ni. Ew, dynion mawr, smart, ffit. Roedden nhw'n gyn-filwyr ac yn arbennig o glên. Roedd eu swydd nhw'n un anodd a deud y lleia. Mae'n rhaid rhwystro'r potswyr oherwydd eu bod nhw'n costio cymaint i'r wlad, yn dal yr holl bysgod er mwyn medi'r *caviar*. Mi welson ni gorff ambell bysgodyn – dydyn nhw ddim yn trafferthu i fynd â'r pysgodyn cyfan hyd yn oed, dim ond yn rhoi cyllell iddyn nhw i hel y *caviar* i mewn i jariau. Ond mae'r bobl 'ma'n potsio oherwydd eu bod nhw mor dlawd, ac os ydyn nhw'n cael eu dal, maen nhw'n cael coblyn o ddirwy drom ac yn colli eu heiddo. "Ti'n teimlo'n uffernol pan ti'n dal rhywun," meddai'r dynion, "ond eu dal nhw ydi'n swydd ni a dyna fo. Mi fyddet ti'n disgwyl iddyn nhw roi'r gorau iddi oherwydd fod y canlyniadau o gael eu dal mor drychinebus, ond mae'r ods o gael eu dal yn 50/50 felly mae'n nhw'n dal i'w thrio hi." 50/50? "Ia, fedran ni byth ddal pawb sydd wrthi, ac rydan ni'n dod o hyd i weddillion pysgod fel hyn bob dydd. Mae'r rhai sy'n gallu ei wneud o heb gael eu dal yn gwneud pres da iawn."

I fferm bysgod wedyn, lle welson ni eogiaid o bob math, lliw a llun - a *beluga*, sy'n cael ei alw'n bysgodyn ysbryd gan y Japaneaid oherwydd eu bod nhw mor brin. Maen nhw'n magu'r pysgod 'ma er mwyn eu gollwng i'r afonydd i ail-stocio'r niferoedd sy'n cael eu lladd gan y potswyr; o leia, dyna dwi'n meddwl sy'n digwydd. Don i'n methu dilyn bob dim roedd y rheolwr hynod fonheddig yn ei ddeud oherwydd fod Sergei'r cyfieithydd yn cael pethau o chwith drwy'r adeg. Roedd o'n gyrru Valentin yn wallgo heddiw – dyna lle oedden ni'n ffilmio sgwrs rhyngof fi a'r rheolwr, a byddai Sergei yn stwffio i mewn o hyd: "*What are you saying*?" Roedd o'r un fath efo'r dynion dal potswyr, yn cerdded i mewn i'r siots dragwyddol, isio busnesa. Poen yn din go iawn.

Diffodd y camera, ac i mewn â ni i swyddfa'r rheolwr. Ron i wedi disgwyl paned, ond potel o wisgi ddaeth allan. O na... roedd hi'n amhosib gwrthod. Ac maen nhw'n yfed whisgi fel maen nhw'n yfed *vodka* – yn ei glecio. Ac ar ôl i chi glecio unwaith, maen nhw'n llenwi'ch gwydr chi eto, ac eto, dim bwys faint rydach chi'n protestio. Ar ôl pump gwydraid roedd fy mhen i'n troi. Yr unig ffordd wnes i osgoi chweched gwydraid oedd trwy ddeud 'mod i'n gorfod gwneud mwy o stwff ar gamera ar ôl gadael ac na fyddwn i'n gallu cael fy ngeiriau at ei gilydd! Mi fues i'n yfed dŵr fel ffŵl ar y bws mini i drio sobri.

Cyrraedd traeth gwyllt, unig yn y gwynt a'r glaw – y pellaf allwn ni fynd yn Rwsia. Roedd o'n deimlad od, meddwl ein bod ni wedi teithio o un pen o Rwsia i'r llall. Does 'na'm llawer o bobl wedi gwneud hynny – a 'chydig iawn o bobl Rwsia sydd wedi gweld chwarter yr hyn rydan ni wedi'i weld o'r wlad. Ychydig iawn sy'n gallu fforddio teithio, ac os ydyn nhw, maen nhw'n tueddu i deithio i wledydd tramor fwy na'u gwlad eu hunain (yn gwbl wahanol i'r Americanwyr felly. Dim ond 8% o boblogaeth yr Unol Daleithiau sy'n berchen pasports, ynde?). Roedd Sergei (sain) wedi deud ers y cychwyn mai ei ddymuniad o oedd gallu neidio i mewn i'r Môr Tawel (wel, môr Okhotsk - ond mae'r Môr Tawel yr ochr draw iddo fo) ond fyddai hynny ddim wedi bod yn syniad da heddiw. Roedd y tonnau 'na'n rhai mawr.

Mi wnes i fy narn olaf i gamera ar hen bier cronclyd yn sbïo allan at gam nesaf y daith - Alaska. Doedd o ddim yn hawdd am fod y gwynt yn rhuo a gwneud smonach o'r meicroffon er ei fod o wedi ei dapio i 'nghroen i o dan fy nillad. Ond roedd gan Sergei (sain) jest y peth: roedd o wedi malu un o hen deganau meddal ei blant - cwningen fach fflwfflyd - a thrwy roi darn o'r ffwr dros y meicroffon, a thâp gludiog i'w ddal yn sownd, roedd fy llais fel cloch. Mae'r boi'n athrylith. Ond bechod am y gwningen.

Ron i'n teimlo fel canu ar y daith yn ôl i'r gwesty. Mi fynnodd Sergei (sain) ac Arseni stopio i brynu *piva* (cwrw) a chimychiaid – a'u rhannu efo pawb. Mi es i i brynu poteli fy hun wedyn – ron i'n rhy sydyn i Sergei'r cyfiethydd, ac mi edrychodd yn hurt arna i wrth fy nghlywed yn gofyn amdanyn nhw yn Rwsieg. "Dwi wedi bod yma ers chwech wythnos wedi'r cwbl," meddwn yn hunanfoddhaus i gyd.

Pan ddiflannodd o, roedden ni i gyd yn gallu anadlu eto. Roedd o'n cael yr effaith yna ar rywun, y creadur.

Yn ôl yn y gwesty, clywed ar **Sky News** fod Lloegr wedi curo'r Crysau Duon, damia nhw, a Chymru wrthi'n colli i Awstralia. Felly mi wnes i ddiffodd y teledu.

Mi ddywedodd Sioned ei bod am dretio'r criw i gyd i swper heno, y pump ohonom ni. Felly aethon ni i'r lle Japaneaidd eto. Ar ganol y pryd, mi fuon ni'n rhannu anrhegion: mi ges i becyn o gardiau Rwsieg gan Valentin – efo 54 cerdyn ynddo! Da'r hogyn! Mi gawson nhw gymysgedd o bethau Cymreig ganddon ni: pethau bach llechi, llwyau caru ac ati. Roedd Arseni'n edrych reit falch o'i bin tlws ar siâp cenhinen, ac mi roddodd Sergei ei gylch allweddi Cymru ar un boced o'i siaced denim, a phin tlws y ddraig goch ar y llall. Roedd o'n edrych fel iob yn y Steddfod.

Mi ddechreuodd yr hogia gynnig un llwnc destun ar ôl y llall, "I Sioned am ein cyfarwyddo!" "I Arseni am gario'r camera!" a.y.y.b. ac ar ôl pob un, roedd yn rhaid gweiddi *Zavashzdrovie!* (neu rhywbeth tebyg!) a chlecio'r *vodka* wrth gwrs. Fel roedd y pryd yn mynd yn ei flaen, roedden nhw'n cynnig llwnc destun i bob dim dan haul, ac erbyn y diwedd, roedd fy mhen yn troi. Bu Sioned yn ddigon call i fynd i'w gwely cyn iddi feddwi gormod, ond ron i'n cael hwyl, a don i'm yn mynd i nunlle. Yn anffodus, erbyn i'r botel olaf gael ei gwagio, ron i wir yn cael trafferth mynd i unlle. Doedd fy nghoesau ddim yn fodlon mynd lle roedd fy mrêns i'n trio deud wrthyn nhw i fynd. I gyfeiliant yr hogia yn rhowlio chwerthin, mi lwyddais i lusgo fy hun igam-ogam o'r tŷ bwyta, ar hyd y cyntedd, i lawr y grisiau ac i mewn i fy llofft. A chwydu yn y bath.

Dydd Sul 15 Mehefin 2003

Mi fues i'n glanhau'r bath am oes. Wedyn mi fethais i fwyta 'mrecwast, dim ond yfed galwyni o ddŵr a sudd oren. Ond roedd 'na olwg waeth ar Sergei. Mae o wedi gorfod talu $200 i'r gwesty am ei fod o wedi llosgi twll yn ei *duvet* neithiwr. Dyna be' mae o'n ei gael am smocio'n ei wely ac yntau'n hongian.

Mae'n haul braf heddiw, a rhaid i mi ddeud, mae Sakhalin yn edrych yn hollol wahanol yn yr heulwen – lyfli a deud y gwir. Bosib 'mod i wedi gwneud cam â'r lle, ond dwi'm yn meddwl y gwna i drafferthu i ddod yn ôl yma i weld os on i'n anghywir chwaith.

Aethon ni i'r farchnad ar y ffordd i'r maes awyr. Roedd Valentin isio prynu mwy o bysgod sych. Mae'n debyg bod pob Rwsiad sy'n byw dramor yn colli ei bysgod sychion yn arw, a dyma be' fydd ffrindiau'n dod iddyn nhw fel anrhegion. Dwi wedi prynu llwyth go lew ohonyn nhw hefyd. Mae 'na rhywbeth yn *addictive* ynddyn nhw.

Dwi ar yr awyren rŵan, ac mae'r pecyn pysgod 'ma'n drewi'n barod. Sut fydd o erbyn i mi gyrraedd adre? *Airbus* ydi'r awyren 'ma a mae 'na dipyn o le ynddo fo – sy'n handi gan fod 'na gynifer o blant bach aflonydd yma – a dynion chwil gachu rwtsh yn rhowlio a chwerthin ar hyd y lle. Mae eu fflasgiau nhw'n llawn *vodka* a wisgi mae'n debyg.

9 awr o daith ac mae fy mhen ôl i'n brifo'n barod. Mae'n amhosib cysgu yng nghanol yr holl rialtwch 'ma. Dwi wedi gorffen llyfr Jon McGregor, **If nobody speaks of remarkable things** - bendigedig - a dwi ar ganol **The Moon and Sixpence** rŵan. Mae o'n rhyfeddol o ddifyr a ffraeth. Ron i'n amau bod 'na ogla sigarèts yma a dwi newydd sylweddoli pam: mae pawb yn smocio'n y toilets! Pawb! Nytars. Dwi'n licio'r Rwsiaid.

Dydd Llun 17 Mehefin 2003

Wedi cael deuddydd hyfryd ym Moscow. Mi fu Valentin yn dangos y mannau bach difyr i gyd i ni, y strydoedd gorau i siopa, y siop fiwsig wych 'ma (mae Sioned wedi prynu llwyth o CDs, gan cynnwys fy arwr, Dmitri Hvorostovsky, y bariton gurodd Bryn Terfel yng nghystadleuaeth Canwr y Byd 1989 – ron i yno), y lle gorau i brynu *caviar* a *vodka* – *Standard* ydi'r un gorau, medda fo - felly mae gen i ddwy botel ohono fo, a llond gwlad o'r *caviar* llwyd, drytaf. Mi ges i flas ar hwnnw. Dwi'm yn gwybod sut y llwyddais i i stwffio pob dim i mewn i 'nghês. Mae gen i chwech doli *matryoshka*, cap yn llawn o fathodynnau Sofietaidd, crysau-T, posteri, lluniau, cerrig o Lyn Baikal, *caviar*, *vodka*, ac wrth gwrs... llond gwlad o bysgod wedi'u sychu. Dwi'n mynd i fod mor boblogaidd... Wna i ddim anghofio Rwsia ar frys. Dwi wedi mwynhau'n ofnadwy ac wedi dysgu cymaint. Mi ddof yn ôl, yn bendant. Ond rŵan, dwi'n mynd adre – *paiachale*!

TAITH TRI

30 Gorffennaf - 28 Awst 2003

Dydd Mercher 30 Gorffennaf 2003

Dwi bron i hanner ffordd rownd y byd rŵan, wedi croesi'r ddyddlinell, i gyrraedd un o daleithiau'r UDA lle nad yw'r haul yn machlud, talaith sydd â mwy o ddynion nag o ferched: Alaska. Neu Ynysoedd yr Aleutian a bod yn fanwl gywir - rhes hir o ynysoedd sy'n ymestyn dros 1,100 milltir i mewn i'r Môr Tawel o arfordir Alaska. Ac rydan ni ar un ohonyn nhw: ynys Unalaska - a dwi'm ond newydd gyrraedd. Dwi'm wedi gweld llawer hyd yma, heblaw am feysydd awyr, gwesty a bwyty. Do, mi welais fynyddoedd Alaska yn eira i gyd o ffenest yr awyren, ond roedd y cymylau a phennau pobl eraill yn amharu ar yr olygfa braidd. A dydi sbïo ar fynyddoedd drwy ffenest awyren ddim yn gwneud llawer i mi a bod yn onest. Yr Alpau, y Pyrenées, y Rockies... maen nhw i gyd yn edrych 'run fath efo 'chydig o eira arnyn nhw. Mae'n siŵr bod hynna'n swnio'n ofnadwy, ond sori, fel 'na dwi'n teimlo. Ond sôn am edrych trwy ffenest awyren ydw i, cofiwch. Mae'n fyd cwbl wahanol pan 'dach chi yn eu canol nhw go iawn - yn enwedig mynyddoedd fel y rhain. Mae 'na 39 cadwyn o fynyddoedd yma - a Denali (Mount McKinley oedd yr hen enw gwleidyddol anghywir) ydi'r copa uchaf un - 20,320 troedfedd ('chydig dros 3000 ydi'r Wyddfa. *Titch*.).

Ond pwynt y daith ydi dilyn llinell ledredd 52°, a does 'na'm lot o Alaska yn ffitio i mewn i honno. Rydan ni wedi gorfod pasio heibio i'r holl fynyddoedd, y 10,000 o rewlifoedd, a'r 88 llosgfynydd, er mwyn dod i Ynys Unalaska. Ond mi gaf i gyfle arall i weld enghreifftiau digon tebyg yng Nghanada, felly dwi'm yn pwdu gormod. Ond os caf i gyfle i ddod i Alaska eto, mi fyddai yma fel siot. Maen nhw'n gwneud teithiau anhygoel yma mewn *kayaks* môr, fy hoff ddull i o deithio. Pan fydd gen i bres... pan fydd fy nghegin i'n barod a'r gwres canolog i mewn...

Ta waeth, er mwyn dod cyn belled â fan 'ma, roedd yn rhaid mynd trwy Vancouver. Roedd pawb (wel, Richard) wedi deud wrtha i ei bod hi'n un o'r dinasoedd neisia yn y byd. Hawdd gen i gredu hynny. O'r ychydig dwi wedi'i weld, mae'n ddinas hardd, lân, daclus, a dwi'n falch ein bod ni'n mynd yn ôl yno nes ymlaen i mi gael gweld mwy ohoni. Ac mae maes awyr Vancouver yn ffantastig. Ond dim rhyfedd - mae pawb sy'n hedfan oddi yno'n gorfod talu $10 o dreth i wella'r maes awyr. Roedden ni'n ei dalu'n anniddig braidd. Treth i'w wella? Y maes awyr neisia i mi ei weld erioed? Hm.

Ond chawson ni ddim cyfle i werthfawrogi'r holl gyfleusterau. Dydi teithio efo 21 o fagiau ddim yn jôc. Mae'n golygu teithio efo llwyth o ffurflenni, a threulio ORIAU yn ardal y tollau (ydi'r neges nad ydw i ar wyliau yn dechrau torri drwadd?).

Hedfan ymlaen i Anchorage wedyn. Roedd y lle'n edrych fel rhywbeth allan o'r gyfres deledu **Northern Exposure** yn syth. Ron i'n hwcd ar y gyfres honno yn ei chyfnod, ac wrth fy modd efo'r teimlad hamddenol oedd yn dod drosodd ynddi. Ac roedd y portread hwnnw'n gwbl deg hyd y gwela i. Mae'r bobl i gyd yn grêt: hynod gyfeillgar, ond nid mewn ffordd siwgrllyd Galiffornaidd. Maen nhw'n cymryd eu hamser, ydyn, ond dwi'n licio hynny. Ac mae 'na lawer iawn o bobl o dras Eskimo yma, sy'n ofnadwy o hardd. Mae hi'n ganol y tymor ymwelwyr, wrth gwrs, felly mae Anchorage yn berwi efo twristiaid - rhai hynod ariannog yr olwg. A rhai sydd jest yn dod i bysgota. Mae 'na dipyn o'r rheiny wedi hedfan draw fan 'ma i'r Ynysoedd Aleutian hefyd: dynion mawr caled o lefydd fel Milwaukee. Does 'na'm llawer o foethusrwydd yn Unalaska - nid lle i dwristiaid mohono. Pysgotwyr sy'n cyfri fan hyn. Dwi'n amau'n fawr os caf i brofi yma yr hyn a brofais neithiwr mewn bwyty yn Anchorage: sêt toilet poeth, wel, cynnes, 'ta. Go iawn rŵan - roedd o'n cael ei gynhesu gan drydan! A rhaid i mi ddeud, roedd yn brofiad hyfryd. Ond sori hogia', dim ond yn nhai bach y merched oedd y seddi hyn. Mae'n tyff bod yn ddyn weithiau.

Mi ges i brofiad newydd arall bore 'ma yn Anchorage: sosej cig carw i frecwast. Blasus iawn hefyd ond mae 'na rywbeth yn deud wrtha i mai pysgod fydd ar y fwydlen fan hyn. A fuaswn i'm yn gwrthod mynd i ddal un fy hun tase'r dynion mawr o Milwaukee yn cynnig. Ond dwi yma i weithio, nid i fwynhau fy hun ac rydan ni'n dechrau ffilmio fory. Heb fod yn cysgu'n dda iawn hyd yma: gorfod rhannu llofftydd yn Vancouver ac Anchorage ac mae gan Sioned goblyn o ddôs o annwyd... ond mae gen i anferth o 'stafell efo cegin a phob dim i gyd i mi fy hun yn Unalaska. Wedi gwirioni. Dwi'n gweld nant fach trwy'r ffenest sy'n llawn pysgod, ac mae 'na eryr moel anferthol ar bolyn jest o 'mlaen i. Ond erbyn deall, maen nhw'n berwi yma. Mae 'na fwy o eryrod na brain yma, bron iawn, ac mae'r rheiny'n rhyfeddol o fawr hefyd. Byw ar yr holl bysgod, debyg. Ynysoedd yr Aleutian, fel gweddill Alaska, ydi un o'r ychydig ardaloedd o dir gwirioneddol wyllt sydd ar ôl yn y byd, felly rydan ni bron yn siŵr o weld llwyth o fywyd gwyllt yma. Mae hi'n bendant yn wyrdd iawn, am ei bod yn bwrw glaw gymaint, mae'n siŵr, ond hyd y gwela i, does 'na'm coed o gwbl - dim un. Ond â ninnau yng nghanol y môr mawr, rhwng Culfor Bering a'r Môr Tawel, jest lle mae'r ddau'n cyfarfod, mae'n siŵr ei bod hi'n rhy wyntog i unrhyw goed allu tyfu yma.

O ia, rydan ni wedi llogi pic-yp awtomatig tra rydan ni yma - anferth o beth mawr, trwm. Jonathan sy'n ei yrru, ond mi fu o am oes yn methu ei ddechrau. "Wyt ti wedi gyrru car awtomatig o'r blaen, Jonathan?" "Ym... na, dim ond go-kart unwaith..." Y-hy. Yn anffodus, roedd 'na weithfeydd ar y ffordd rhwng y maes awyr a'r gwesty, a merched ydi'r flaggers sy'n dal yr arwyddion Stop a Go. A'r arwydd ar Go ers meitin, doedd Jonathan druan jest ddim yn gallu newid gêr. Aeth o'n biws wrth i'r ferch ifanc wenu arno, ysgwyd ei phen a deud: "Tourists..."

Dydd Iau 31 Gorffennaf 2003

Wedi bod yn ffilmio o gwmpas dinas Unalaska (dinas? Mae'n llai na Dolgellau) efo dynes hyfryd o'r enw Bobby. I'r Eglwys Gadeiriol Rwsieg yn gyntaf, yr un hynaf yng ngogledd America: *Church of the Holy Ascension*, gafodd ei hadeiladu yn 1858. Roedd 'na eglwysi yma cyn hynny, ond dyma'r unig un sy'n dal i sefyll. Y Rwsiaid ddaeth yma gyntaf 'dach chi'n gweld, wedi i'r masnachwyr ffwr ddarganfod miloedd ar filoedd o ddyfrgwn y môr yma. Roedd 'na filoedd o bobl yma hefyd, yr Unangiaid, ond doedd dim ots am rheiny, nagoedd? Roedd hynny tua 1740, ac erbyn 1768, roedd Unalaska yn borthladd masnach yn nwylo'r Rwsiaid, ac roedd yr Unangiaid (gafodd eu galw'n *Aleuts*) yn gaethweision fwy na heb, yn cael eu gorfodi i hela'r dyfrgwn a'r morloi. Mi gawson nhw eu gorfodi i dderbyn crefydd y Rwsiaid hefyd, a hyd heddiw, mae 90% o'r boblogaeth Unangan yn dal i ddilyn crefydd uniongred y Rwsiaid. Mae'n debyg fod y gwasanaethau'n dal yn ofnadwy o hir heddiw, heb gadeiriau, ac yn dairieithog: yr hen Slafoneg, Saesneg a'r iaith Unangan, gafodd ei hysgrifennu am y tro cynta gan un o'r offeiriaid Rwsiaidd.

Ond credwch neu beidio, nôl yn 1867, mi benderfynodd Rwsia werthu Alaska i'r Unol Daleithiau am lai na dwy sentan yr erw, achos doedden nhw'm yn gweld gwerth yn y lle. $7.2m oedd y bil am y cwbl lot! Dwi'n siŵr eu bod nhw'n cicio'u hunain rŵan. Ond dyna fo, mae Alaska a'r ynysoedd Aleutian wedi bod yn ran o'r Unol Daleithiau byth ers hynny - heblaw am un adeg yn ystod yr Ail Ryfel Byd pan ymosododd Japan ar rai o'r ynysoedd a'u hawlio nhw am gyfnod byr. Yn ystod y cyfnod hwn, cafodd yr Unangiaid eu gyrru o 'ma am dair blynedd - er eu lles eu hunain - ond dim ond yr Unangiaid; mi gafodd pawb arall aros. Roedd o'n gyfnod ofnadwy iddyn nhw, ac mi fu llawer iawn ohonyn nhw farw yn y gwersylloedd ar y tir mawr, rhai o afiechydon, a rhai o hiraeth a thorcalon. Ond sôn am yr eglwys on i. Roedd o'n deimlad od iawn gweld yr holl eiconau Rwsiaidd mewn tref sydd bellach mor Americanaidd, a sgwrsio efo'r offeiriad sy'n cynnal y gwasnaethau yn yr hen Slafoneg ond efo acen Americanaidd. Rhyfedd o fyd. O, ac mae 'na un goeden unig wrth yr eglwys – sbriwsen Sitca, gafodd ei phlannu gan y Rwsiaid.

Picio i Neuadd y Dre wedyn, lle mae 'na leden y môr 459 pwys wedi'i stwffio - yr un fwya i gael ei dal yn y byd erioed gan un boi heb gymorth. Dyna ydi diffiniad *sport fishing*, mae'n debyg. Dydi lledod mo'r pysgod delaf yn y byd ar eu gorau, ac roedd hwn yn hyll fel pechod.

Roedd 'na gloddfa archaeolegol i lawr y ffordd. Maen nhw wedi dod o hyd i dai sy'n dyddio'n ôl tair mil o flynyddoedd. "Be' oedd yng Nghymru bryd hynny?" gofynnodd Rick Knecht, arweinydd y cloddio. "Ym... dim clem." (o, na fyddwn i wedi talu mwy o sylw yn ystod gwersi hanes). "Wel, bet i chdi bod y tai oedd yno'n ddigon tebyg i'r rhain," meddai. Maen nhw'r un fath yn union â rhai a ddarganfuwyd yn Norwy, mae'n debyg. Roedden nhw wedi dod o hyd i dri sgerbwd ddoe hefyd, ond maen nhw wedi eu cuddio eto rŵan. Mae angen trafod efo'r hynafiaid Unangan ynglŷn â be'n union i'w wneud efo nhw, oherwydd bod 'na gred gref iawn y dylid gadael cyrff lle maen nhw am eu bod nhw'n sanctaidd. "Fydden ni ddim o blaid cloddio fel arfer beth bynnag," meddai Rick, gan ddangos nodwydd berffaith wedi ei cherfio allan o asgwrn i mi, "ond maen nhw ar fin adeiladu pont newydd yn union lle rydan ni'n sefyll rŵan. Dim ond mis sydd i fynd cyn y bydd y Jac Codi Baw cynta'n palu trwy'r lle."

Am dro ar hyd yr arfordir wedyn, a gweld palod a morloi yn y môr - ac ugeiniau o eryrod moel. Mae'n debyg fod Bobby, ein tywysydd, yn fonitor eryrod swyddogol yma, a rhan o'i gwaith hi ydi gofalu nad ydyn nhw'n cael eu styrbio. Roedd hi'n sbïo'n arw ar y criw oedd yn trwsio'r ffordd. Ond wir i chi, doedd yr eryrod yn poeni dim am y JCBs a'r lorïau trymion, roedden nhw jest yn sbïo i lawr arnyn nhw o'r polion a'r creigiau yn gwbl ddifater. Roedd 'na 650 ohonyn nhw wedi eu cyfri yma Nadolig dwytha, a dwy flynedd yn ôl, mi gawson nhw eu tynnu oddi ar restr 'Adar mewn Perygl' yr Unol Daleithiau. Maen nhw'n adar anferthol, milain yr olwg, ond mae eu cri yn pathetig, yn debycach i sŵn caneri.

Roedd hi'n eitha gwyllt yma tan yn ddiweddar. Tra bo pysgotwyr o bob man yn glanio wedi misoedd ar y môr yn awchu am beint neu bymtheg, doedd 'na fawr i'w wneud yma heblaw meddwi. Ond yn ystod y deng mlynedd diwethaf mae hi wedi newid yn llwyr yma, yn ôl Bobby. "Mae hi wedi troi o fod yn gymuned heb ddim i'w wneud, i gymuned sydd â gormod i'w wneud." Sut hynny? "O, mae'r boblogaeth wedi tyfu, mae 'na blant a theuloedd yma, ac rydan ni wedi adeiladu adnoddau mwy teuluol fel y llyfrgell ac ati. Mae'r celfyddydau'n ffynnu yma ac mae Cyngor y Celfyddydau yn gyrru cerddorion ac ati draw yma weithiau."

Oes 'na dor-cyfraith yma? "Oes, ond dim byd mawr. Tueddu i fod yn ymwneud ag alcohol gan amlaf: pysgotwyr meddw'n ymladd, trais yn y cartref weithiau. Mae 'na ambell lofruddiaeth wedi bod yn y gorffennol – ffrae pysgotwyr yn mynd yn rhy bell."

Cyn pen dim, roedden ni yn Humpy Cove, lle roedd y gymdeithas Unangaidd wrthi'n partoi gwersyll ar gyfer y plant lleol. Maen nhw'n cynnal cwrs deuddydd yma bob blwyddyn i'r plant gael dysgu am draddodiadau eu cyn-deidiau, sut i drin y *baidarka*: kayaks cul, hynod gyflym (mi fu 'na ras yn ddiweddar, rhwng *baidarka* a'r *kayaks* diweddara sy'n cael eu defnyddio yn y Gêmau Olympaidd. Ia, y *baidarka* enillodd); dal a sychu pysgod yn yr hen ddull; hela, lladd a choginio morloi; gwneud cotiau *parka* sy'n dal dŵr allan o stumog morlo; adnabod planhigion - pa rai sy'n dda i'w bwyta a pha rai sydd ddim ac ati. Mi ges i flasu *salmonberries*, mafon mawr coch ac oren, sydd yr un maint â mefus, ond â blas tebycach i fwyar duon. Roedden nhw'n hyfryd.

Mi ges i wers sydyn, hynod ddiddorol gan un o'r merched: "Weli di'r blodyn piws-las 'na'n fan 'na?"gofynnodd. "Gwelaf, llysiau'r mynach, cap nain, blodau Adda ac Efa neu *monkshood*. Mae gen i lond gardd o'r union beth adre fel mae'n digwydd," atebais. "Wel, mae'n wenwynig," meddai. "Roedd Unangiaid yn arfer ei ddefnyddio i roi gwenwyn ar flaenau eu gwaywffyn i ddal morfilod!" Argol fawr! Wyddwn i 'rioed. Ychydig iawn o bobl Unangan sy'n dal i fod yma. Roedd 'na 20,000 ohonyn nhw ar yr ynysoedd cyn i'r Rwsiaid gyrraedd, ond bellach, does 'na'm ond rhyw 1,500 a'r rhan fwya o'r rheiny wedi eu Hamericaneiddio'n llwyr. Mi gafodd yr Unangiaid eu trin yn wael iawn gan yr Americanwyr ac mi gafodd eu hiaith ei gwahardd. A phan ddaethon nhw'n ôl wedi'r tair blynedd alltud yn ystod y rhyfel, roedd eu cartrefi wedi eu chwalu. Yn sgil hyn i gyd, mi benderfynon nhw mai'r unig ffordd i oroesi oedd trwy droi'n Americanwyr, anghofio'r hen ffordd o fyw ac anghofio'r iaith Unangan. Yn 1988, mi gawson nhw ymddiheuriad gan lywodraeth America am y ffordd y cawson nhw eu trin, ac ers hynny, mae 'na griw brwd ohonyn nhw wedi bod yn trio atgyfodi'r iaith a'r diwylliant. Bellach, yn ogsytal â'r gwersyll blynyddol yn Humpy Cove, mae'r plant yn cael gwersi Unangan yn yr ysgol ac mae 'na grwpiau dawns wedi eu hatgyfodi lle mae'r hynafiaid yn dysgu'r hen ddawnsfeydd i bawb sydd â diddordeb. Wnân nhw fyth lwyddo i ddod â'r hen ffyrdd yn ôl yn llwyr, ond mae'r holl weithgarwch 'ma wedi codi eu hunan hyder a'u balchder yn arw, ac mae llai o broblemau yfed. "Rydan ni'n bobl lawer hapusach, llawer iachach rŵan," meddai un ddynes wrtha i.

Pobl o 'ffwrdd' ydi gweddill trigolion parhaol yr ynys; pobl o Galiffornia, Oregon a Texas ddaeth yma ar wyliau neu i weithio, a syrthio mewn cariad â'r lle. Maen nhw i gyd yn bobl gyfeillgar, ffwrdd â hi, sy'n tueddu i bysgota lot.

Heno, mi wnes i ymuno efo llyfrgell Unalaska er mwyn cael mynd ar y We, ond doedd 'na'm e-byst i mi felly mi wnes i fenthyg dwy fideo o raglen deledu **Cradle of the Storm** am hanes yr Aleutiaid, a'u gwylio cyn mynd i 'ngwely. Roedden nhw'n wirioneddol dda, a iechyd, dwi'n falch nad ydan ni yma yn y gaeaf. Mae'r tywydd yn gallu bod yn echrydus yma, efo'r stormydd rhyfedda. Mae'n rhaid eu bod nhw'n bobl wydn.

Dydd Sadwrn 2 Awst 2003

Pysgod a chrancod sy'n cynnal bron pawb sy'n byw yma; mae 'na fwy o bysgod yn cael eu dal yn fan hyn nac yn unrhyw ran arall o'r Unol Daleithiau. A bod yn fanwl gywir, mae 40% o'r holl fwyd môr sy'n cael ei ddal yn America yn dod trwy'r harbwr yma. Ac oes, mae 'na bres yn cael ei wneud yma: $129.4m yn 2001, a mwy na hynny yn y blynyddoedd diwethaf. Os nad ydach chi'n pysgota, rydach chi'n gweithio yn un o'r ffatrïoedd prosesu. Mi fuon ni'n ffilmio yn un ohonyn nhw ddoe. Dwi'n dal i allu ei ogleuo fo. Bob tymor, mae 'na 2,000 o weithwyr yn dod yma o bob man (Rwsia, Ethiopia, Fietnam, Norwy, Mecsico a.y.y.b.) a miloedd o rai eraill yn gweithio ar y cychod. Mae 'na dros 400 o longau pysgota o 14 o wahanol wledydd yn galw yma bob blwyddyn; rhai ohonyn nhw'n grand ofnadwy. Iawn, mae 'na rai cyffredin yma, ond mi fuon ni ar gwch o'r enw **Auriga**. Wawi, am gwch! Roedd o fel y **Starship Enterprise**. Prin fod y pysgotwyr yn gorfod cyffwrdd bys mewn pysgodyn - mae pob dim yn cael ei wneud gan fotymau. Wir yr. Mae'r cwch yna'n gwneud $3m bob 3 diwrnod efo criw o ddim ond saith. Maen nhw'n mynd allan i'r môr am dridiau, yn dychwelyd i'r harbwr, yn cymryd 12 awr i wagio'r pysgod (trwy bwyso botwm), yn cael 12 awr i orffwys, ac yna'n mynd allan eto i 'nôl gwerth $3m arall. Ydi, mae'r capten yn ddyn cyfoethog iawn. Mae'r pysgotwyr ar y cychod mawr i gyd yn gallu ennill $365,000 yn ystod y 5-6 mis mae'r tymor pysgota yn ei anterth, ac mae hyd yn oed y bois ar y cychod bychain lleol yn gallu ennill ryw $120,000. A sioc arall - mae'r genod sy'n dal yr arwyddion *Stop* a *Go* ar y ffyrdd yn cael $35 yr awr! 'Dach chi'n gwybod y pethau *crabsticks* 'na sy'n yr archfarchnad? Maen nhw'n cael eu gwneud allan o *surimi*: stwnsh di-liw, di-arogl, di-flas sy'n cael ei wneud allan o bysgod gwynion, a dyna'r pysgodyn mae'r rhain yn dal tunnelli ohono fo. A *surimi* roedden nhw'n ei wneud yn y ffatri hon, yn ogystal â blawd esgyrn pysgod ar gyfer gerddi a'r byd amaeth. Doedd 'na ddim un darn o'r pysgodyn yn cael ei wastraffu.

Mi gawson ni ein tywys o gwmpas y ffatri - efo capiau plastig hyfryd fel capiau cawod am ein pennau, a dwi'n difaru na fyddwn i wedi gwisgo ofyrôls hefyd achos roedd 'na ddarnau o bysgod yn hedfan i bob man mewn rhai mannau. Roedd yr arogl yn eitha amlwg hefyd, ond roedd yr arogl gwaetha o bell ffordd yn dod o'r darn lle maen nhw'n pobi gweddillion y pysgod i wneud y blawd esgyrn pysgod. Problem sy'n codi rŵan ydi nad oes ganddon ni lawer o ddillad efo ni - oherwydd rheolau pwysau ar yr awyren fechan ddaeth â ni yma, mae'r bagiau mawr yn dal yn Vancouver - felly mi fyddwn ni'n drewi tra byddwn ni yma - ac oherwydd anghenion dilyniant, dwi'n gorfod gwisgo'r un dillad am dridiau!

Roedd rheolwyr y ffatri'n gwbl bendant na fyddai'r holl bysgota dwys yn cael effaith andwyol ar niferoedd y pysgod yn y pen draw. Roedden nhw'n sicr bod 'na hen ddigon o bysgod yma i bawb a phopeth am byth. Ond dydi hynny ddim yn gwneud synnwyr nacdi? Mae o'n siŵr o gael effaith yn y diwedd, fel sydd wedi digwydd ymhob man arall. Amser a ddengys, gan obeithio na fydd hi'n rhy hwyr bryd hynny.

Wedyn, mi fuon ni mewn bar o'r enw The Elbow Room, a gafodd ei ddisgrifio yn Playboy fel *"the most notorious bar in North America."* Ond yn y 1970au oedd hynny, pan oedd pethau fymryn yn fwy gwyllt yma. Ges i groeso cynnes iawn yno, a diod o'r enw *Duck's Fart*, oedd yn llawer mwy blasus na mae'r enw'n ei awgrymu. Ac mi wnes i ddisgyn ar fy mhen ôl (ar gamera) ar ôl ei yfed o. Ond roedd hi'n bwrw glaw, a'r fynedfa'n llithrig. Wir yr.

Yn hwyrach yn y prynhawn, allan â ni i'r môr mawr ar gwch boi o'r enw Dave, ddaeth yma o Galiffornia rhyw bymtheg mlynedd yn ôl. Roedd o'n arfer gweithio ar y cychod pysgota mawr cyn mynd ar ei liwt ei hun, a bu'n sôn pa mor beryglus fyddai hi yn ystod y tymor hel crancod. Mi fyddai wastad yn dywydd mawr, ac roedden nhw i gyd yn gorfod dal i fynd heb stop am ddyddiau, heb gwsg hyd yn oed, neu rhyw ddwyawr ar y mwya. Er gwaetha'r ffaith eu bod nhw wedi blino'n rhacs, mi fydden nhw'n dal i orfod torri'r rhew er mwyn i'r cwch allu symud. Mewn gwyntoedd a thonnau anferthol, mi fydden nhw'n gorfod clymu eu hunain i'r dec - a gweddïo. Maen nhw'n dal i golli un neu ddau bysgotwr bob tymor yn ystod tymor y crancod medda fo, ac mae 'na gychod cyfan yn suddo weithiau.

Doedd cwch Dave ddim yn un del iawn, ond dim rhyfedd; roedd o wedi'i weldio fo ei hun, dros gyfnod o dair blynedd, a diawcs, roedd o'n mynd reit dda, os yn araf. Roedden ni wedi clywed bod 'na forfilod ac orcas ddeg milltir allan i'r môr, ond doedd ganddon ni 'mo'r amser i fynd allan mor bell yng nghwch bach Dave. Felly bu'n rhaid bodloni ar balod, morloi ac ambell ddolffin, ond roedden nhw i gyd yn uffernol o swil. Maen nhw wedi arfer â blynyddoedd o gael eu hela, chwarae teg. Swil fyswn inna.

Roedd Richard yn synnu mai'r bobl Unangan wnaeth yr argraff fwyaf arna i o bopeth welson ni yma. Mae o'n fwy o ddyn bywyd gwyllt ac yn poeni am brinder dyfrgwn y môr ac effaith hir-dymor y pysgota dwys, a dwi'n poeni am hynny hefyd, wrth gwrs, ond pobl ydi 'mhethau i, yn enwedig pobl sydd ar fin colli, neu hyd yn oed wedi colli, eu ffordd o fyw, eu hiaith a'u hunaniaeth. O'r hyn wela i, mae hi'n dipyn haws atgyfodi poblogaeth dyfrgwn y môr na chael pobl yn ôl fel oedden nhw yn wyneb y ffordd newydd, Americanaidd o fyw. Unwaith mae pobl wedi anghofio pwy oedden nhw ac wedi arfer efo ffordd arall o fyw, mae'n ta-ta. Mi fydd eu hiaith, eu harferion, pob dim, yn hel llwch mewn amgueddfa. Ac i mi, mae hynny'n drychineb.

Dydd Gwener 8 Awst 2003

Reit, cywirwch eich atlasau rŵan. Ar arfordir Canada, jest uwchben Ynys Vancouver, mae 'na ynysoedd sy'n cael eu galw'n Queen Charlotte Islands. Rhwbiwch yr enw erchyll yna allan a rhowch Haida Gwaii yn ei le. Dyna oedd enw'r ynysoedd am filoedd o flynyddoedd cyn i Sais o'r enw George Dixon lanio yma yn 1787 a bedyddio'r cwbl lot ar ôl ei long. Nid yr hyfdra'n unig sy'n fy nghorddi, ond y fath ddiffyg dychymyg. Ystyr Haida Gwaii ydi 'Gwlad y bobl Haida' sy'n enw da iawn o ystyried y ffaith mai pobl llwyth yr Haida fu'n byw yma erioed. Ac mae'n enw sy'n cael ei ddefnyddio fwy a mwy yma rŵan, a ninnau mewn oes gallach, mwy ystyriol o draddoddiadau a hanes ein cyd-ddyn. A dwi wedi gwirioni ar y lle. Mae'n haeddu enw urddasol, arwyddocaol o'i hanes - cyn i 'ni' ei 'ddarganfod.' Dim ond y mymryn bach lleia dwi wedi'i weld yn ystod y 4 diwrnod fuon ni yma, ond roedd hynny'n ddigon i mi fopio.

Dychmygwch lwyth o ynysoedd bychain hardd yn goed i gyd, awyr las a môr glasach. Ychwanegwch eirth duon yn sglaffio mafon reit ar ochr y ffordd, ceirw yn eich pasio - a stopio i droi'n ôl a sbïo arnoch chi am hir, y bele (*pine marten*) cynta i mi ei weld erioed yn y gwyllt, eryrod penfoel yn hedfan heibio ac anferth o eog yn eu crafangau, a chanŵ mawr urddasol yn llawn o bobl llwyth yr Haida yn padlo ar draws fae Skidegate, a llais yr hen ŵr oedd yn canu a tharo'r drwm ym mlaen y canŵ i'w glywed yn berffaith, berffaith glir dros y tonnau. "Meddylia: mae 'na forfilod llwydion ac orcas yn heidio trwy'r bae yma bob gwanwyn, lathenni o lle rydyn ni'n sefyll rŵan," meddai Richard, ein tywysydd Haida. Ia, Richard. Mi gafodd pawb eu hailfedyddio efo enwau Cristnogol neu Ewropeaidd gan y cenhadon yn y 1860au. Fel yn hanes pob llwyth arall, roedd yr Haida'n hapus i fasnachu efo'r bobl wynion gynta ddaeth i'r ardal. Roedden nhw'n llwyth cryf, balch, yn *élite* o ryfelwyr go iawn. Roedden nhw'n feistri ar drin y coed mawr cedrwydd, yn cerfio'u canŵod allan ohonyn nhw, yn adeiladu pentrefi o dai mawr braf yn wynebu allan dros y môr, a pholion totem teuluol wedi eu paentio'n goch, gwyrdd a du yn sefyll yn gadarn o flaen pob tŷ. Mae'r hen luniau'n werth eu gweld. Fel cynifer o lwythi eraill yng ngogledd America, roedd ganddyn nhw ffordd o fyw oedd yn gweithio, ac roedden nhw a natur yn deall ei gilydd yn iawn.

Ond yn ara bach, roedd llywodraeth British Columbia yn busnesa fwy a mwy yn eu ffordd nhw o fyw, yn dechrau agor chwareli ar eu tir nhw ac ati, ac yn flin iawn bod yr Haida'n cwyno ac yn amharu ar y gwaith. Yr ateb oedd i ddod â chenhadon i'w mysg. Ac mi weithiodd. Mi gafodd eu polion totem eu chwalu; y drefn o gynnal *potlatch* (seremoni o ddathlu), eu dawnsfeydd, eu caneuon a'u straeon eu gwahardd; ac mi gafodd yr hen drefn siamanaidd ei sathru i ebargofiant. Ar yr un pryd, roedd 'na aur wedi cael ei ddarganfod yn Victoria, a dinasoedd yn codi dros nos ar y tir mawr, yn llawn dynion drwg a chwrw. Mi gafodd gŵyr ifanc Haida flas ar feddwi, ac roedd yr hen bentrefi'n diboblogi'n gyflym. Yn 1862, daeth yr hoelen olaf yn yr arch: y frech wen. O fewn dim, roedd cymunedau cyfan wedi marw. O'r 10,000 a fu, dim ond ryw 800 oedd ar ôl, ac roedd yr hen ffordd o fyw wedi ei chwalu'n llwyr. Yna, mi benderfynodd yr eglwys yrru'r plant i ysgolion preswyl ar y tir mawr, er mwyn i'r genod gael dysgu sut i fod yn forynion, ac i'r bechgyn i gael eu hyfforddi i weithio yn y melinau. Mae'n hawdd dychmygu'r effaith seicolegol gafodd hynny ar y plant, ond yn ddiweddar, mae 'na straeon sinistr iawn wedi codi am achosion o gamdrin rhywiol pan oedd y plant ar y tir mawr.

Yn wyrthiol, mae'r Haida wedi goroesi, a dros y 30 mlynedd dwytha, mae eu hunan hyder wedi codi i'r entrychion. Fel yr Unangiaid, maen nhw'n prysur atgyfodi'r hen ddraddodiadau, ond efo tipyn mwy o steil a llwyddiant, ac mae 'na alw anhygoel am eu celfyddyd - mi fethodd yr awdurdodau eu rhwystro rhag dal ati i ymarfer eu crefftau cerfio. Ges i ffit pan welais i brisiau eu breichledau aur ac arian - ond mae pobl yn fodlon talu crocbris am unrhywbeth Haida. Mae polion totem newydd sbon a hynod gelfydd yn cael eu codi ym mhob man, ac yn cael eu comisiynu o bellafion byd. Maen nhw hefyd yn mynd am hunanlywodraeth, yn ôl beth ddywedon nhw wrtha i. Mae'r achos llys yn mynd rhagddo ar hyn o bryd, ac mae 'na lwyth arall wedi llwyddo'n ddiweddar. Mae'r sefyllfa'n gymhleth, ac mi fydd hi'n ddiddorol gweld be' ddigwyddith. Dydi'r rhain ddim yn bobl ddof, gyfaill.

Roedd 'na gyfarfod pwysig o benaethiaid gwahanol lwythi o bob cwr yn digwydd bod yn Skidegate yr un pryd â ni - dyna pam fod y canŵ seremonïol allan ar y môr. Ond nid rhywbeth i'r twristiaid syllu arno mo hyn. Doedden ni'm yn cael amharu arnyn nhw mewn unrhyw ffordd. Mi gawson ni ganiatâd (ac anfoneb) i ffilmio'r canŵ, ond gorchymyn i beidio â ffilmio'r bobl ar y traeth. Mae ganddyn nhw eu hurddas, diolch yn fawr, a chwarae teg iddyn nhw hefyd, ddeuda i. Mi fyddai'n gas gen i weld yr Haida'n troi'n sioe taci ar gyfer twristiaid. Ond mae'r hen ddiwydiannau pysgota a choedwigaeth yn diodde ar Haida Gwaii, ac mi fydd yn rhaid iddyn nhw roi mwy o bwyslais ar dwristiaeth yn y dyfodol. Fydd hi ddim yn hawdd cadw'r ddesgl yn wastad. Ar hyn o bryd, maen nhw'n cynnal dawnsfeydd, sioeau a gweithgareddau i godi arian ar gyfer cael yr hen drysorau'n ôl i Haida Gwaii: yr hen drysorau a chyrff eu cyndeidiau gafodd eu dwyn gan archeolegwyr a'u gwerthu i amgueddfeydd tramor. Maen nhw'n cael eitha hwyl arni gydag amgueddfeydd dros y byd i gyd – ar wahân i un. Ac yn Llundain mae honno.

Mi fu bron i'r iaith Haida ddiflannu hefyd, ond bellach mae hi'n cael ei dysgu yn yr ysgolion. Dyma iaith sydd, gyda llaw, yn cael ei disgrifio fel *isolate* - iaith sy'n gwbl wahanol i unrhyw iaith arall. Ond gesiwch be'?

Mae ganddyn nhw lythyren fel ein 'll' ni! Dim ond mai fel 'hl' mae'n cael ei sgwennu.

Ffaith ddiddorol arall: mae de'r ynysoedd yn barc cenedlaethol hynod arbennig, yn Safle Treftadaeth Byd, a dim ond mewn cwch neu awyren mae modd mynd yno - am bris. Fuon ni ddim yno yn anffodus (y pris) ond dwi am ddod yn f'ôl yma, myn coblyn i. Mae'n rhaid i mi. Enw'r ardal ydi Gwaii Haanas. Iawn, ella bod angen ei ddeud yn gyflym i ddeall pam mod i'n hoffi'r enw gymaint, ond dim bwys, mae'n ddigon i mi. Dwi'n ei weld fel arwydd. Yn enwedig wedi i mi weld e-bost yrrwyd ar frys gan un o staff Teledu Telesgôp yn cyfeirio at Hai Gwanas... a mwy fyth wedi deall mai ystyr yr enw ydi "lle i ryfeddu." Dwi'n deud wrthach chi rŵan, mi fydd Gwanas yn mynd yn ôl i Gwaii Haanas. I adleisio Arnie (Schwarzenegger, sydd ar y teledu yma bob dydd ar hyn o bryd am ei fod o wedi penderfynu ceisio bod yn wleidydd): "I'll be back" - a hynny mewn *kayak*. Dyma fecca i unrhyw un sy'n mwynhau mynd mewn *kayak* môr. Mae o i fod yn brofiad bythgofiadwy efo'r holl ynysoedd bychain llawn polion totem hynafol a'r bywyd gwyllt rhyfedda. Mae gwyddonwyr yn credu bod yr ynysoedd wedi osgoi effaith Oes yr Iâ, felly mae'r planhigion a'r anifeliaid sydd yno wedi cael llonydd i esblygu mewn ffordd cwbl wahanol i'r tir mawr. Oherwydd hynny, ac olion yr hen bentrefi Haida, mae'r lle'n cael ei warchod mor ofalus ag Ynysoedd y Galapagos. Ac os oes arnach chi awydd mynd yno, rhaid paratoi ymlaen llaw. Dyma gyfeiriad e-bost defnyddiol rhag ofn i chi benderfynu yr hoffech gael profiad bythgofiadwy: gwaii.haanas@pc.gc.ca.

Be' arall dwi wedi ei ddysgu yma?

1) Mai'r amser gorau i ddod yma os am weld morfilod ydi rhwng mis Ebrill a mis Mehefin. Dyna pryd mae'r morfilod llwyd yn pasio heibio ar eu taith blynyddol o Baja, Mecsico i Alaska. Felly roedden ni rhyw ddeufis yn rhy hwyr. Tro nesa.

2) O ia, efallai bod y ceir mawr 4x4 teuluol sydd gyda ni yn y wlad hon yn edrych yn swish, ond maen nhw'n hynod anghyfforddus i'r sawl sy'n eistedd yn y cefn. Iawn i blant, neu gŵn o bosib, ond nid ar gyfer dau oedolyn fel Sioned a fi. Roedd y pic-yp gawson ni yn uffernol o anghyfforddus, yn enwedig pan roedd Richard Rees coesau-afresymol-o-hir yn gyrru. Ron i'n gorfod eistedd wysg fy ochr er mwyn cael lle i 'nghoesau, ac ar ôl treulio diwrnod cyfan yn gweld coed pinwydd yn hedfan heibio tra'n chwilio am fywyd gwyllt, ron i isio chwydu. Cyfanswm y chwilio: 1 arth ddu o bell, 2 garw a 20+ eryr penfoel (eto). Alla i ddim deud mai dyna'r diwrnod mwya difyr i mi ei dreulio ar y daith 'ma, er mor braf oedd gweld arth ddu yn ei chynefin. Wel, wrth ochr y ffordd a deud y gwir.

3) Mae amgueddfa'r Haida Gwaii yn Qay'llnagaay yn wych.

4) Mae hanes y gwahanol gerfiadau ar y polion totem yn hynod ddifyr,

e.e: mae 'na rai ag eirth arnyn nhw, sy'n dangos bod perchnogion y polyn yn perthyn i deulu'r arth. Pam? Wel, yr hanes ydi bod 'na ddynes wedi mynd allan i'r goedwig i hel mafon rhyw dro, ac mi ddigwyddodd sathru mewn... wel, cachu arth. Mi wylltiodd yn gacwn a diawlio'r arth adawodd ei fusnes mewn lle mor hurt i'r cymylau. Ond doedd yr arth ddim yn bell ac mi glywodd hi'n ei regi. "Reit 'ta," meddai'r arth, "dwi'n mynd i ddysgu gwers i hon." Aeth o ar ei hôl hi, ei dal a'i chludo'n ôl adre i'w ffau. Ond roedd yr arth yn hynod fonheddig efo hi, ac mi syrthiodd mewn cariad efo fo, a'i briodi. Rai misoedd yn ddiweddarach, dyma ddau fabi arth yn cyrraedd y byd. Ond toc wedi hynny, daeth brodyr y ddynes i'r goedwig i chwilio amdani. Fe wyddai'r arth eu bod nhw am ei ladd, ond doedd o ddim am greu anghydfod rhwng eirth a dynion, felly mi safodd o flaen ei ddau frawd-yng-nghyfraith a gofyn iddyn nhw adael iddo ganu cân i'w feibion. Fe gafodd wneud hynny, wedyn mi dynnodd groen ei blant oddi arnyn nhw a'u troi'n ddau fachgen hardd. "Rŵan, dwi am i chi fy lladd i," meddai. Wedi iddo farw, aeth y ddynes a'i phlant yn ôl i'r pentre efo'i brodyr. A byth ers hynny, mae eu disgynyddion yn rhoi arwydd yr arth ar eu polion totem.

5) Mae 'na aeron gwahanol eto fan hyn. Mi ges i flasu *thimbleberries* am y tro cyntaf. Hyfryd!

Hyd yma, o'r holl fannau dwi wedi eu gweld ar y llinell, Haida Gwaii a Rwsia sydd ar dop y rhestr o lefydd dwi wedi eu mwynhau ac am ddod yn ôl iddyn nhw. Ac os bydda i'n ennill y Loteri ryw dro, dwi isio polyn totem o Haida Gwaii yn fy ngardd.

Llun: Sioned Eleri Williams

"Dwi'n dweud wrthach chi rŵan, mi fydd Gwanas yn mynd yn ôl i Gwaii Hanas." (t.111)

Dydd Sadwrn 9 Awst 2003

Codi am bump bore 'ma er mwyn cychwyn i'r maes awyr am chwech, ond ar ôl hynna i gyd, chawson ni'm hedfan tan 10.15 oherwydd fod 'na niwl yn Bella Coola. Ond roedd y daith yn werth yr aros: awyren fechan 12 sedd oedd hi, efo dim lle i'r coesau (Richard druan) a'r mymryn lleia o fagiau eto, ond ron i wrth fy modd. Roedden ni'n hedfan reit trwy ganol y mynyddoedd, yn hyfryd o isel fel ein bod ni'n gweld yr eira, y rhewlifoedd a'r llynnoedd yn glir, ac nid dim ond trwy'r ffenestri bychain wrth ein hochrau ond trwy ffenest flaen yr awyren hefyd. Mae'n gwneud coblyn o wahaniaeth.

Tref fechan hynod hamddenol ydi Bella Coola, ar lan afon o'r un enw, mewn dyffryn ffrwythlon wrth draed y Coast Mountains. Llwyth y *Nuxalk* (nwchoc) oedd y brodorion gwreiddiol, pobl tipyn mwy hamddenol a llywaeth na'r Haida, a nhw oedd y bobl gyntaf roedden ni i fod i'w cyfarfod. Mi fuon ni'n aros am oes am y ddau efaill ifanc roedden ni wedi trefnu eu cyfarfod wrth yr orsaf betrol efo arwydd *Native/Non-native* y tu allan iddi i ddynodi nad ydi'r brodorion yn gorfod talu treth ar betrol. Pan gyrhaeddon nhw, roedden nhw mor ofnadwy o *laid-back* nes oedden nhw bron yn llorweddol. Ac roedden nhw'n siarad yn araf, was bach, efo seibiau hyd paragraffau yng nghanol eu brawddegau. Erbyn deall, dyna ydi ffordd y *Nuxalk* o siarad: meddwl cyn deud dim, a mynd rownd y byd i ddeud eu stori, ond synnwn i daten nad oedd 'na elfen o fariwana yn atalnodi sgwrs y ddau yma. A bod yn onest, dwi'n eitha sicr o hynny. Allwn i ddim peidio â gwenu fel giât wrth sgwrsio efo nhw.

Beth bynnag, roedden ni i fod i fynd efo nhw i ffilmio'r *petroglyphs* hynafol yn Thorsen Creek, ond roedden nhw wedi cael gwybod y bore hwnnw nad oedd yr hynafiaid am i ni ffilmio yno wedi'r cwbl am ei fod o'n lle sanctaidd. Roedd 'na groeso i ni fynd i'w gweld nhw, ond nid i'w ffilmio. Roedd 'na rai mwy sinigaidd yn ein criw yn meddwl mai isio mwy o bres oedden nhw; ond naci, ddim o gwbl, jest isio llonydd oedd yr hynafiaid yn y bôn, a dwi'n meddwl bod hynny'n wych. Iawn, mae'n boen ar gyfer y rhaglen, ond a bod yn gwbl onest, dwi'n reit falch nad ydyn nhw isio bod ar y teledu ac yn malio dim am gyhoeddusrwydd - mae'n chwa o awyr iach yn yr oes sydd ohoni. Mae'n f'atgoffa o erthygl yn y **Times** welais i ar y We neithiwr oedd yn honni bod angen i'r Eisteddfod Genedlaethol groesawu'r Saesneg er mwyn ei rhoi ar y map rhyngwladol. Ond fe gaiff yr awdur hwnnw fynd i grafu. Rhywbeth i ni ydi'r Steddfod a dydan ni ddim angen ei hyrwyddo'n fyd-eang, ac mae'r *Nuxhalk* yn amlwg yn teimlo'r un fath am eu traddodiadau nhw. Dallt yn iawn, hogia, medda ni, dim problem. Mi fuaswn i wedi licio mynd i'w gweld nhw beth bynnag, ond doedd ganddon ni ddim amser - roedden angen i ni ddod o hyd i rywbeth arall i'w ffilmio!

Mi fuon ni'n crwydro'r dre yn ffilmio ambell bolyn totem a phobl yn trwsio rhwydi pysgota wedyn. Mae'r rhan fwya o'r trigolion yn ennill eu bywoliaeth trwy bysgota am fod 'na lond gwlad o bob math o bysgod yma, yn y môr a'r afonydd: eog o'r enw Chinook, Sockeye, Coho a Chum, brithyll a physgodyn seimllyd o'r enw Ooligan. Beryg mai hwnnw falodd y rhwydi...

Ar y ffordd yn ôl i'r gwesty, dyma stopio wrth afon fechan a gweld ei bod hi'n berwi efo eogiaid anferthol yn brwydro'u ffordd yn ôl i fyny'r lli i ddodwy eu hwyau. Welais i 'rioed eogiaid mor fawr yn fy myw; roedd y rhan fwya ohonyn nhw'n hirach na fy mraich i, rhai yr un hyd â fy nghoes i.

Dydd Mawrth 10 Awst 2003

Mi wnes i bicio i amgueddfa Bella Coola bore 'ma, ac roedd 'na lond bws o ymwelwyr yno, gan gynnwys dynes gafodd ei geni yn Nhrelai, Caerdydd. Roedd hi wedi cynhyrfu'n lân o gyfarfod Cymraes 'go iawn'! Es i oddi yno'n teimlo reit sbesial.

Mi ges i hanes yr arloeswr Alexander Mackenzie yn yr amgueddfa. Mae'n deud yn un o'r tywyslyfrau mai Sais oedd o, ond naci wir, Albanwr o Stornaway yn yr Hebrides oedd o. Daeth yn enwog am mai fo oedd y cynta i frwydro'i ffordd reit ar draws Canada, trwy'r Rockies, draw i'r Môr Tawel, gan gyrraedd Bella Coola yn 1793. Fo gyhoeddodd y map cyntaf erioed o British Columbia yn 1801, ac roedd o'n rhyfeddol o gywir, hyd yn oed efo'r ychydig adnoddau oedd ganddo. Tipyn o foi.

Ond er iddo lwyddo i gyrraedd Bella Coola dros y tir mawr ganrifoedd yn ôl, mi fu'n rhaid i'r trigolion ddisgwyl tan 1953 cyn cael ffordd gall, un y gallai ceir a loriau ei defnyddio. Tan hynny, roedden nhw'n gorfod dibynnu ar gychod a cheffylau. Roedd y llywodraeth yn mynnu bod adeiladu ffordd i Bella Coola yn amhosib, 'dach chi'n gweld, mae'n ardal fynyddig ofnadwy. Ond roedd pobl Bella Coola yn benderfynol, ac yn y diwedd, mi benderfynon nhw adeiladu'r ffordd eu hunain.

Doedd ganddyn nhw fawr o bres, ond roedden nhw'n gwybod sut i weithio'n galed. Gŵr o'r enw Elijah Gurr oedd y brêns tu ôl i'r cynllun, a chynllun hyfryd o syml oedd o hefyd. Roedd 'na un tarw dur yn dod o'r gorllewin, ac un arall o'r dwyrain, a bu'r ddau yn torri eu ffordd trwy'r mynyddoedd nes cyfarfod yn y canol. Mi wnaethon nhw gyffwrdd bwcedi ar 26 Medi 1953. Heddiw, maen nhw'n galw'r ffordd yn The Freedom Highway a The Hill, a choblyn o allt ydi hi hefyd: mae graddau'r elltydd yn amrywio o 6% i 18% dros 30km, a byddai'n syniad cael gwneud eich brêcs cyn breuddwydio dod â lori neu garafan ar hyd y ffordd yma. Mae'n gwneud i Bwlch y Groes edrych fel yr M1.

Mi ges i gyfarfod mab Elijah, Melvyn, ac roedd yntau wedi bod yn aelod o'r tim greodd y ffordd. Chwythu'r graig oedd ei waith o - efo fawr ddim deinameit, am fod yr arian mor brin. Mi fydden nhw'n gweithio trwy'r dydd yn solat nes iddi dywyllu - doedd 'na ddim ffasiwn beth â goramser bryd hynny - a chysgu dan y sêr bob nos. Roedd ganddyn nhw joban i'w gwneud, a dyna fo. Mae o yn ei saithdegau rŵan ac yn dal yn rhyfeddol o ffit, yn dal i grwydro'r mynyddoedd i hela. Mae 'na beth wmbreth o fywyd gwyllt yma: eirth duon a brithion, elcod, ceirw, cwgars, bleiddiaid a choiotis, er enghraifft, ac er na welson ni'r un, mi ddangosodd Melfyn ei domen gompost i ni: roedd 'na ôl dannedd a chrafangau o gwmpas y ffens bren uchel o'r chwmpas: "Eirth brithion (*grizzlies*) neithiwr," meddai.

Dydd Llun 11 Awst 2003

Hedfan o Bella Coola yn ôl i Vancouver, yna dal awyren arall i Calgary. Llogi dau 4x4 a gyrru'n syth i Banff. Roedd y ddwy awr ar y ffordd yn braf iawn, golygfeydd hyfryd a'r car yn nefoedd i'w yrru hyd yn oed os oedd o'n awtomatic a'r drysau yn cloi eu hunain efo homar o glec ar ôl gyrru am ychydig eiliadau.

Dydd Mercher 13 Awst 2003

Diwrnod rhydd ddoe - tan bump beth bynnag - ac roedd o'n fendigedig. Codi'n hwyr, hwyr o 'ngwely anferthol a chael brecwast hyfryd o salad ffrwythau ac eog wedi'i fygu efo wy wedi'i botsio ar myffin. I'r dre wedyn i grwydro a siopa a dod o hyd i gaffi'r We gwych. Mae Banff yn f'atgoffa o Betws y Coed braidd, dim ond ei fod o'n fwy a fymryn yn fwy crand. Mae'n llawn o siopau awyr agored a swfeniriau ac ymwelwyr - yn enwedig Japaneaid. Mae'n ddigon braf yma, ond dim byd arbennig. Mi brynais i gwpl o anrhegion a mynd yn ôl i'r gwesty erbyn 5 i gyfarfod Elinor Fish, ein fficsar am y dyddiau nesaf. Roedden ni wedi trafod ymlaen llaw sut ddynes fyddai ag enw fel 'na, ac ron i'n siŵr mai dynes ganol oed efo sbectol fyddai hi, ond naci, blonden ifanc sy'n rhedeg mynyddoedd ydi hi. Roedd yr hogia' wrth eu bodd! Dros y trefniadau efo hi, swper a gwely, a gweld bod gen i ddolur annwyd. O na...
Heddiw: allan erbyn 9.00 i ffilmio'r *Cave & Basin National Historic Site*, sef man geni Parciau Cenedlaethol Canada, ac amgueddfa sy'n olrhain hanes Banff. Ond mae hynny i gyd reit ddiflas a bod yn onest, y peth mwya difyr am y lle oedd yr hen ffynnon gynnes oedd wedi bod yn gwella anhwylderau'r brodorion ers canrifoedd, ond gafodd ei darganfod gan ddau foi o'r rheilffordd yn 1883. Dydach chi'm yn cael mynd mewn i'r ffynnon yn fan 'na ond mae 'na un arall yn yr *Upper Hot Springs Pool* sy'n neis iawn. Doedd o ddim ar agor pan aethon ni yno. Diolch byth - don i ddim yn mynd i 'wneud Amanda' mewn bicini, ddim uffar o beryg. Dwi'm

cweit yr un siâp. Ond mi ges i roi fy nhraed ynddo fo, ac roedd o'n boeth, yn llesol ac yn braf iawn. Gobeithio y gwnaiff o les i'r dolur annwyd cyn iddo ddatblygu'n grachen fawr hyll.

Yn ôl i'r dre i ffilmio hwn a'r llall a sylwi nad oedden ni'n gallu gweld y mynyddoedd: mae 'na danau mawrion yn llosgi fan hyn hefyd, ac mae'n dipyn o argyfwng mewn rhai mannau.

Dydd Iau 14 Awst 2003

Codi am chwech er mwyn gallu ffilmio bywyd gwyllt. Mae'r dolur annwyd dan reolaeth (fydda i byth yn mynd i nunlle heb fy **Zovirax**) ond dwi ar drothwy homar o annwyd. Jest be' dwi ei angen. Aeth Elinor â ni i bob man o gwmpas Banff, rownd a rownd a rownd eto, o amgylch Llyn Minnewanka a phob dim, ond y cwbl welson ni oedd ambell afr a gwiwer resog (*chipmunk*). Ron i'n dylyfu gên ers meitin, ond roedd Jonathan wedi mwynhau bob eiliad. Tydi o'n rhyfedd be' sy'n plesio gwahanol bobl, 'dwch?

Ymlaen i Lake Louise wedyn, lle rydan ni'n cael aros (am ddim) yng ngwesty Château Lake Louise, un o'r llefydd mwya bendigedig i aros yn y Rockies i gyd. Roedd cyrraedd y lle yn ddigon o sioc: mae'n anferth o westy crand ar lan un o'r llynnoedd dela i mi eu gweld erioed, wedi ei amgylchynu gan y Rockies, a'r eira'n drwch ar hyd y copaon. Dwi mewn llofft efo gwely yr un maint â 'nghegin i adre, ac roedd 'na lond plât o fefus mewn siocled yn anrheg croeso i 'Ms Gwanas' ar erchwyn y gwely. Sut mae'r hanner arall yn byw, myn coblyn. Pan ddaeth dwy hogan ifanc heibio yn gofyn os on i isio iddyn nhw "*turn the bed down*", sbïais i'n hurt arnyn nhw. "*What for?*" medda fi. Gwenodd y ddwy a symud ymlaen. Don i 'rioed wedi clywed am y ffasiwn beth! Cael rhywun arall i dynnu cynfas fy ngwely i'n ei ôl? Fedra i ei wneud o'n hun, siŵr iawn! Ond roedd y lleill yn gyfarwydd â'r peth, mae'n digwydd yn aml mewn gwestai crand, mae'n debyg. Dwi'n amlwg heb fod mewn digon o westai crand.

Ta waeth, toc wedyn, mi ges i sioc ar fy nhin. Roedd 'na gnoc arall ar y drws: y *bellboy* efo 'nghês i. Roedd o eisoes wedi bod â chesys y lleill atyn nhw ac wedi deall ein bod ni'n Gymry, wedi holi os oedden nhw'n digwydd nabod y Bala. Mi yrron nhw'r hogyn ata i, on'd do? Yndw, dwi'n nabod y Bala, medda fi wrth y llanc melynwallt.

"*Don't suppose you know my grandmother?*" gofynnodd. "Meinir Burden?" Mi syllais arno fo am hir, a'r cogiau'n troi yn fy mhen ar ras wyllt. Nabod yr enw yna. Nabod yr enw yna'n dda.

"*Yes,*" medda fi yn araf a gofalus, "*she's my grandfather's sister.*" Chwaer taid Frongoch, Emrys Davies, tad fy mam, briododd weinidog o'r enw John Burden. Mi edrychon ni ar ein gilydd yn gegrwth, a sylweddoli ein bod ni'n gyfyrdyr. O'r holl westai yng Nghanada, o'r holl bobl sy'n aros yma (487

"Ymlaen i Lake Louise wedyn... un o'r llefydd mwya bendigedig... ar lan un o'r llynnoedd dela i mi eu gweld erioed, wedi ei amgylchynu gan Y Rockies..." (t.116)

stafell a 41 *suite*), o'r holl *bellboys* sy'n gweithio yma - mi ddigwyddodd o fod yn cario 'nghês i. Roedd fy mhen i'n troi am sbel. Dwi'n gwybod bod ein teulu ni'n hurt o fawr ond mae hyn yn dechrau mynd yn wirion. Pan on i yn Nigeria, ges i "S'mai, fi ydi dy Yncl Wil di!" a finna 'rioed wedi clywed amdano fo o'r blaen. Don i 'rioed wedi clywed am Andrew chwaith (dyna'i enw o) ond dwi'n nabod ei fam o - Ruth. Mae hi wedi bod yn gweithio yng Nghanolfan Hamdden Porthmadog, a ges i sgwrs efo hi'n y Ring yn Llanfrothen yn eitha diweddar. A sgwrs efo'i fodryb o, Irene, oedd yn rhannol gyfrifol am y ffaith 'mod i wedi mynd i wneud VSO ganol yr wythdegau. Mi drefnais i i'w gyfarfod o a'i gariad Marie yn y bar yn nes ymlaen, ac mi fuon ni'n sgwrsio am oes. Am ei fod wedi'i eni a'i fagu yng Nghanada, prin ydi ei Gymraeg, ond ei hoff eiriau ydi: 'Nain', 'diolch', 'Nos da' a 'Tyd o 'ne'! Mae o'n gweithio yma er mwyn gallu ariannu ei gwrs coleg flwyddyn nesa - mae o'n mynd i astudio cerddoriaeth, ac mae'n debyg fod ganddo lais tenor bendigedig. Ond yn bwysicach na hynny, mae o'n goblyn o foi iawn a dwi'n falch o ddeud ein bod ni'n perthyn.

Dydd Gwener 15 Awst 2003

Ges i ddeg munud mewn canŵ ar y llyn efo Andrew bore 'ma, cyn cael sgwrs efo nytar o arweinydd mynydd o'r enw Bruce, a thaith i Lake Moraine wedyn - sydd i fod yn ddelach na Lake Louise ond dwi'n anghytuno. O ia, a thra oedden ni'n ffilmio o flaen Lake Louise efo Bruce, pwy basiodd, yng nghanol y 10,000 o bobl sy'n dod yma'n ddyddiol i gerdded, canŵio neu jest i weld y llyn, ond y teulu Ellis o Fferm Llwyndyrus, oedd newydd fod yn darllen ein hanes ni yn Vancouver yn yr **Herald**! Ia, felly dyna'r Rockies i chi. Mae hi fel y Steddfod yma.
Roedden ni wedi gorffen ffilmio'n gynnar, felly aeth Richard a Jonathan am dro i fyny'r mynydd, aeth Sioned i nofio'n y pwll dwi'n meddwl, ac es i i 'ngwely. Dwi'n sâl. *Typical*. Dwi mewn lle hyfryd efo pob math o weithgareddau ar stepan fy nrws, a dwi'n rhy giami i wneud dim.

Dydd Sadwrn 16 Awst 2003

Dwi'm yn gwybod os ydi staff y lle 'ma'n annwyl a chlên beth bynnag, neu oes 'na elfen o fod yn perthyn i Andrew yn hyn, ond mi ddoth un o'r morynion â gwydraid o lemwn a mêl i mi neithiwr. Ron i isio crio.
Gadael Lake Louise a gyrru ymlaen i Jasper ar hyd yr Icefields Parkway. Mae'n ffordd hardd iawn, ond doedd gen i ddim 'mynedd sbïo. Roedd fy mhen i'n dal fel uwd. Cyrraedd mynydd Whistler i chwilio am farmotiaid. Welson ni'r un. *Quelle surprise*.
Gwely cynnar. Mae fy llygaid yn rhaeadrau pinc, a 'nhrwyn yn meddwl ei fod o'n dap - sy'n gwrthod cael ei ddiffodd.

Dydd Sul 17 Awst 2003

Roedd 'na *rodeo* yn Jasper neithiwr, damia. Mi fuaswn i wedi hoffi mynd, ond dyna fo, doedd 'na ddim siâp arna i i sbïo ar gowboi heb sôn am wenu ar un.

Rydan ni mewn gwesty ar lan llyn o'r enw Pyramid sydd wrth droed mynydd o'r enw Pyramid am ei fod o'r un siâp â phyramid. Reit amlwg a deud y gwir.

Cyfarfod warden o'r enw Caroline am wyth a threulio'r bore cyfan yn chwilio am anifeiliaid i'w ffilmio. Gweld dwy ddafad sydd ddim byd tebyg i ddefaid ac rydan ni wedi gweld llwyth o'r rheiny'n barod.

Ho-hym. Mae David Attenborough yn haeddu medal am ei amynedd. Does gen i ddim.

Ond roedd Caroline yn grêt, yn llawn gwybodaeth ac â'r cri mwya ofnadwy ar gyfer dychryn eirth pan fydd hi'n cerdded yn y mynyddoedd. Taswn i'n arth, mi fuaswn i'n rhedeg milltir. Roedd hi wedi penderfynu cyn ein cyfarfod ei bod hi isio i'r Gymraeg fod yn drydydd iaith iddi (mae pawb yn siarad Ffrangeg yma hefyd - o ryw fath). Mae hi'n meddwl bod 'na rywfaint o waed Cymraeg ynddi. Felly mi ddysgais i 's'mai', 'da' a 'iawn' iddi tra'n aros am elc i ddod i'r golwg (ddoth o byth) a sôn wrthi am gyrsiau Wlpan Nant Gwrtheyrn.

Roedd y mwg yn drwch yn y coedwigoedd eto - a fflamau'n amlwg mewn un man. Ond mae'r tanau hyn yn beth da, meddai Caroline. Mae'n rhywbeth sy'n digwydd yn naturiol yma, a does 'na neb yn ffysian am y peth oni bai fod 'na drefi a phentrefi o'r ffordd. Mae'n clirio'r hen ddyfiant ac yn rhoi cyfle i ddyfiant newydd godi. Ond gan fod 'na gymaint o sylw i'r tanau ar y teledu'n ddiweddar, mae niferoedd yr ymwelwyr i lawr yn arw yma.

Ron i wir yn edrych ymlaen at y prynhawn. O'r diwedd, ron i'n cael gwneud rhywbeth adrenalinaidd: rafftio ar yr afon Athabasca. Dyma fyddai uchafbwynt y daith trwy'r Rockies i mi. Dwi wedi rafftio ar afon Tryweryn ganwaith; hyd yn oed wedi ffilmio yno, ond mae'r afon Tryweryn fel nant fechan o'i chymharu â'r Athabasca. Ond och a gwae! Rafft fawr efo un set o rwyfau mawr oedd hi. Felly fyddwn i ddim yn cael padlo, dim ond eistedd yn sidêt yn gwylio'r un rhwyfwr wrth ei waith - am ddwyawr. Mae'n iawn ar gyfer pobl sydd isio profiad rafftio tawel, hynod ddiogel, ond nid person felly mohonof ac ron i wedi fy siomi'n arw. A bod yn onest ron i wedi pwdu'n rhacs. Mi wnes i drio dangos rhywfaint o ddiddordeb, ond nid actores mohonof chwaith, a dwi'n anobeithiol am ddeud celwydd. Felly pan ofynnodd y giaffar: "*You wanted something more exciting, didn't you?*" allwn i ddim gwadu'r ffaith. Ron i'n teimlo'n gas, ond mi wnes i addo deud yn blaen ei bod hi'n daith addas i blant dwy oed a gwyliau Saga (eu cwsmeriaid gorau fel mae'n digwydd), gan obeithio y bydd 'na lwyth o ymwelwyr o Gymru yn ei mentro hi efo nhw yn y dyfodol. Felly os 'dach chi am fynd i Ganada ac yn ffitio un o'r categorïau uchod, cysylltwch efo Jasper Raft Tours. Maen nhw'n griw annwyl dros ben.

O wel. O leia ges i badl bach mewn *kayak* heno. Mae modd eu llogi o'r gwesty, felly es i o amgylch yr ynys fechan ynghanol Llyn Pyramid lle welais i las y dorlan anferthol, llachar, a gweld - a chlywed – gwyach (*loon*) am y tro cyntaf yn fy myw. Mae'n gwneud sŵn gwirioneddol od. Dwi'n teimlo reit od hefyd. Diolch i'r annwyd aflwydd 'ma, mae fy ffroenau'n boenus o goch ac yn pilio. Dwi wedi gwneud fy ngorau efo hoff hufen Siân Lloyd (y peth wyth awr 'na sy' fawr mwy na Vaseline drud yn y bôn) a thaenu llwyth o golur drosto, ond dwi'n amau 'mod i wedi gwneud y sefyllfa'n waeth.

O ia, ddiwedd y prynhawn, roedden ni'n ffilmio o gwmpas tref Jasper, a be' welson ni gyferbyn â'r siopau? Elc. Llwyth ohonyn nhw'n pori'n hapus braf yng nghanol pawb.

Dydd Llun 18 Awst 2003

Cyrraedd maes iâ Columbia bore 'ma a chael fy siomi eto fyth. Ron i wedi disgwyl rhywbeth mwy... wel... trawiadol. Roedd Richard yn gwaredu, achos roedd o wedi gwirioni efo'r lle. Bosib 'mod i wedi cael fy sbwylio ar ôl profiadau o ddringo rhew ac eira yn yr Alban (a Chymru), ond wir yr, dwi wedi gweld gwell sioe o rew ac eira ar Foel Siabod. Ron i wedi disgwyl gallu cerdded dan dwneli o rew, gweld ffurfiau rhyfedd, prydferth o las a gwyrdd, crwydro dros y rhewlif; ond na, sioe i dwristiaid ydi'r lle. Iawn, mae'n rhewlif anferthol sydd yma ers 12,000 o flynyddoedd, mae'n gorchuddio 325km sgwâr ac yn 385m o drwch. Mae'r dŵr sy'n llifo allan ohono yn mynd i dri chefnfor gwahanol: y Môr Tawel, yr Arctig a Môr Iwerydd, felly mae o'n *hydrological apex*, a dim ond dau ohonyn nhw sydd yn y byd (mae'r llall yn Siberia). Ond 'dach chi'n mynd yno ar fws mawr 4x4 o'r enw *Snocoach*, a hynny mewn confoi, ac wedi cyrraedd, dydach chi ddim yn cael gadael un patshyn bach hirsgwâr penodol a dydach chi ddim ond yn cael aros 10-20 munud. Mi gawson ni aros yno'n hirach na hynny. Ron i'n teimlo fel dafad wedi cael ei chorlannu efo llond byseidiau o Japaneaid hurt bost a merched gwirion oedd yn cwyno eu bod nhw'n oer mewn stilettos a fflip-fflops. Rwyt ti ar rewlif, be' ti'n ddisgwyl?!

Erbyn deall, mae modd crwydro o ddifri ar droed efo tywysydd, ac mi fyddai hynny'n fwy o brofiad. Ond roedd y tri arall wedi mwynhau'n arw. Mae'n rhaid mai fi ydi o. Dwi ddim mewn hwyliau rhy dda.

Symud ymlaen i Drumheller fory - taith o ryw bedair awr yn y car.

O ia, mi welson ni arth ddu heddiw - heb drio. Roedd hi jest yn bwyta mafon wrth ochr y ffordd. Mae Richard yn ddyn camera hapus.

"Cyrraedd maes iâ Columbia y bore 'ma a chael fy siomi eto fyth... dwi wedi gweld gwell sioe o rew ac eira ar Foel Siabod." (t.120)

Llun: Richard Rees

Dydd Mawrth 19 Awst 2003

Mi ddeffrais am dri y bore efo'r pigyn clust mwya ofnadwy. Erbyn saith oedd o'n arteithiol ac ron i'n hanner byddar. Dwi'n delio'n eitha da efo poen fel arfer (neu'n licio meddwl 'mod i), ond roedd hwn yn erchyll. Don i jest methu peidio crio. Wrth lwc, roedd 'na ddoctor neis iawn o Dde Affrica yn fodlon fy ngweld i cyn i ni gychwyn am Drumheller. Mi edrychodd i mewn i 'nghlust efo'i declyn.

"*Ouch*," medda fo. Wedyn mi ddrysodd fi'n arw drwy sôn rhywbeth am "*coffin*". Be'? Dydi o 'rioed mor ddrwg â hynny? Ond gofyn os on i'n pesychu oedd o. O! Cyfuniad o'i acen De Affrica a'r ffaith 'mod i methu clywed efo 'nghlust dde. Fuon ni'n chwerthin am sbel, ond nath hynny fawr o les i 'nghlust i. Ta waeth, mae gen i "*nasty infection of the middle ear*", a dwi bellach ar dabledi gwrthfiotig a *decongestants* - ac $80 yn dlotach. Ond dwi'n teimlo gymaint gwell yn barod. Dwi'n poeni braidd 'mod i i fod i hedfan o Galgary i Winnipeg ymhen deuddydd, ond mi ddydwedodd y doctor y bydd hi'n iawn i mi hedfan. "*A part of your ear-drum might tear off, and some liquid might pour out of your ear, but it sounds worse than it is*," meddai. Y-hy. Diolch yn fawr am hynna. Dwi'n gobeithio mai tynnu 'nghoes i oedd o, ond dwi'n amheus rywsut.

Dydd Mercher 20 Awst 2003

Cyrraedd Drumheller neithiwr, tre eitha od yng nghanol Badlands Alberta. Mi wnes i fwynhau'r siwrne yma'n arw - caeau gwastad, melyn yn mynd ymlaen ac ymlaen am byth. Mi fyddai rhai'n deud ei fod o'n ddiflas, fel Ynys Môn anferthol, ond naci wir, roedd o'n ryddhad pur ar ôl cael cric yn fy ngwar dragwyddol yn y Rockies. Roedd 'na rywbeth hypnotig am y gwastadedd, rhywbeth oedd yn eli i'r llygaid. Ond erbyn cyrraedd Drumheller, mae pethau'n newid eto: rydach chi'n mynd am i lawr, i'r selar rhywsut. Tua 12,000-15,000 mlynedd yn ôl, roedd yr ardal yn afonydd a nentydd i gyd, a dros y canrifoedd, mi lwyddon nhw i gerfio'r siapiau rhyfedda allan o'r creigiau, fel bod Drumheller mewn dyffryn dwfn efo ambell lwmp od, amryliw yn sefyll allan yn gam yma ac acw. Mi ges i deimlad o *déjà vu* yma, ond erbyn deall, mae 'na nifer o ffilmiau mawr wedi cael eu gwneud yma oherwydd y tirwedd: ffilmiau cowbois, deinosors - a Jackie Chan. Mae'n lle gwahanol iawn ym mhob ffordd, ac wedi gwasgu pob cyfle posib allan o'r ffaith fod 'na ugeiniau o sgerbydau deinosoriaid wedi eu darganfod yma. Mae 'na fodelau lliwgar o'r creaduriaid ym mhob man, ar ganol pafin hyd yn oed, ac yma mae'r T Rex (ffug) mwya'n y byd. Roedd 'na rhywbeth reit *tacky* am y deinosoriaid 'ma i ddechrau, ond ar ôl sbel, es i'n eitha hoff ohonyn nhw. Mi fyddai Daniel, fy nai, wrth ei fodd yma.

Mae'r amgueddfa yn werth ei gweld hefyd, mae'n un o'r goreuon yn y byd, efo'r casgliad mwyaf yn y byd o sgerbydau deinosoriaid. Mae modd mynd ar *dig* archeolegol go iawn yma hefyd, ond mi fethon ni fynd i gloddio oherwydd y tywydd. Meddyliwch: dydi hi byth bron yn glawio yma, ond mi ddaeth hi'n storm neithiwr. Roedden ni newydd fethu'r *rodeo* hefyd; bechod, mi fyddwn i wedi mwynhau hwnnw, yn enwedig y gystadleuaeth *Mutton Bustin'*, lle mae plant dan bump yn cael eu rhoi ar gefn defaid, ac yn dal yn sownd... dyna i chi gystadleuaeth ar gyfer Sioe Sir.

Ond y lle mwya difyr yn y cyffiniau ydi pentre o'r enw Wayne. Roedd y lle'n berwi efo pobl a phyllau glo (a Chymry) ers talwm, ond dim ond ryw 34 o bobl sy'n byw yno rŵan. Mae 'na dafarn hyfryd ac enwog o'r enw **Last Chance Saloon** yno sy'n amgueddfa ynddi'i hun (tyllau bwledi yn y wal a phob dim) ac yn llawn cymeriadau - a'r stecen orau i mi ei chael trwy gydol y daith.

Dydd Gwener 22 Awst 2003

Aros yn Winnipeg neithiwr a gyrru i Winnipegosis yng ngogledd Manitoba heddiw. Doedd yr awyren o Calgary ddim yn broblem o gwbl i 'nghlust i. Er bod y boen wedi hen fynd, ron i'n dal yn fyddar, a 'nghlust i'n dal yn llawn sment, felly ron i'n poeni braidd, ond ches i'm poen o gwbl, ac on i'n meddwl bod fy lwc wedi troi o'r diwedd. Ho-ho. Wrth ailbacio fy nghês yn Winnipeg, mi wnes i sylwi bod 'na rywbeth mawr o'i le. Doedd fy mag dillad isa ddim yno. A dyma fi'n cofio 'mod i wedi rhoi'r bag mewn drôr yn y gwesty yn Drumheller... o na... dim ond un nicar glân oedd gen i i fy enw. Ac roedd fy mronglymau gorau i yn y bali bag hefyd! Roedd y lleill yn meddwl bod hyn yn hynod ddigri wrth gwrs, ond maen nhw'n meddwl bod y ffaith 'mod i wedi trefnu i westy Drumheller eu gyrru ata i efo *courier* (roedden nhw i fod i gyrraedd heddiw, ond dim byd hyd yma) yn fwy doniol fyth. "Mae o'n mynd i gostio ffortiwn i ti!" meddan nhw. Ylwch, nid petha rhad mo 'mronglymau i (mater o raid), a phrin 'mod i'n mynd i ddod o hyd i siop Rigby & Peller yn Winnipegosis. Er ei fod yn lle dymunol iawn, mae'n ffitio'r disgrifiad o dre 'un ceffyl' yn berffaith. Neu un elc yn yr achos yma. Maen nhw'n berwi yma mae'n debyg, ond naddo, dwi'm wedi gweld un eto.

Dydd Gwener 22 Awst 2003

Dim golwg o'r *courier* na 'nillad isa i.
Dydd Sadwrn 23Awst 2003

Wedi ffonio'r cwmni. Mae fy mronglymau ar goll yn rhywle yn Manitoba.

Dydd Sul 24 Awst 2003

Ffonio'r cwmni eto. Edrych yn debyg na wela i mo 'nillad isa i byth eto. *Commando* amdani. Dwi wedi gwneud mwy na phoeni am fy nillad isaf ers dydd Gwener; rydan ni wedi treulio deuddydd yn nhiriogaeth (dyna ydi *reservation* yn ôl [**Geiriadur yr Academi**] Bruce) y bobl *Ojibwe* yn Pine Creek ar lan llyn Winnipegosis. Doedd gen i'm syniad be' i'w ddisgwyl, ond ron i wedi meddwl y byswn i'n gweld polyn totem neu ddau neu o leia rhyw fath o arwydd o'u celfyddyd a'u hen ffordd o fyw. Ond doedd 'na'm byd. Mae Pine Creek yn bentre o ryw 1500 o bobl yn byw mewn tai bach digon carafanllyd, eitha pell o'i gilydd, a rhyw deimlad reit ddigalon i'r lle. Ond cymeriad canol oed o'r enw Nelson oedd ein cyswllt ni; un o gymeriadau mwya deinamig y gymuned, sydd bellach yn ddatblygwr economaidd Pine Creek. Yn y bôn, mae hynny'n golygu ei fod o'n ceisio trefnu gwaith ar gyfer pawb a chael pawb i fod isio gweithio - sydd ddim yn waith hawdd.

Mae 'na ryw gan mlynedd ers i'r cenedlaethau cynta (dydyn nhw ddim yn or-hoff o gael eu galw'n Indiaid, a dwi ddim yn gweld bai arnyn nhw) gael eu rhoi mewn tiriogaethau. "Roedd y Frenhines Ffictoria wedi gneud cytundebau efo ni," meddai Nelson, "ac wedi addo edrych ar ein holau ni.

Llun: Richard Rees

"Mae 'na dafarn hyfryd ac enwog o'r enw Last Chance Saloon *yno sy'n amgueddfa ynddi'i hun... a'r stecen orau i mi ei chael trwy gydol y daith."* (t.122)

Roedd yr eglwys a'i chenhadon wedi'n dysgu ni am y 'creawdwr cywir' a'r ffaith bod 'na ddiafol ac uffern ac wedi gyrru cenedlaethau o'n plant ni - gan fy nghynnwys i - i ysgolion preswyl, er mwyn ein gwneud ni'n ddinasyddion da ac ufudd. Rhyfedd, ynte?" medda fo. "Ganddon ni oedd y tir, a ganddyn nhw oedd y Beibl. Rŵan, ganddon ni mae'r Beibl a ganddyn nhw mae'r tir. Sut ddigwyddodd hynna?"

Mi gawson nhw ddarn bach 8x4 milltir o dir i drio crafu bywoliaeth allan ohono, a hwnnw'n dir sâl, anodd iawn ei ffermio, yn gymysgedd o graig, alcali, corsydd a dŵr. Oes, mae 'na hen ddigon o ddŵr. Mae'r pentre ar lan llyn, ond does 'na fawr ddim pysgod ar ôl wedi i'r cwmnïau mawr or-bysgota yno. Ac ers i gwmni dŵr Hydro adeiladu argae i'r gogledd, mae lefel y llyn yn mynd yn is ac yn is. Cwmni mawr arall sydd â'r hawl i drin coed yn yr ardal. Mae Nelson yn trio bob ffordd dan haul i greu gwaith yn Pine Creek, gwaith fyddai'n cadw ei bobl yn hunangynhaliol yn hytrach nag yn ddibynnol ar *hand-outs* o $150 y mis gan y Llywodraeth, ond mae biwrocratiaeth yn ei rwystro'n dragwyddol. Wrth gwrs, does 'na'm byd yn rhwystro unigolion rhag mynd allan i chwilio am waith drostyn nhw eu hunain, ac mae llawer yn gwneud hynny, er gwaetha'r hiliaeth yn eu herbyn sy'n dal i fodoli. Ond os ydyn nhw'n llwyddo, ychydig iawn ohonyn nhw sy'n dod 'nôl. "Dim ond ffyliaid fel fi sy'n dod 'nôl i drio helpu 'mhobl," gwenodd Nelson.

Ac wrth gwrs, tase pawb yn diflannu dros y gorwel fel 'na, buan iawn y byddai llwyth yr *Ojibwe* yn diflannu, yn peidio â bod. Oherwydd eu bod nhw i gyd efo'i gilydd, maen nhw'n dal i siarad eu hiaith eu hunain - roedd yr iaith frodorol yn fwy byw yno nac yn unrhyw le arall welais i. Ond does ganddyn nhw ddim diwylliant - dim byd gweledol beth bynnag, ac maen nhw mewn dipyn mwy o lanast na'r cenedlaethau cynta eraill rydan ni wedi eu gweld. Mae 'na broblemau lu yma - merched yn beichiogi yn eu harddegau, llosgach, alcoholiaeth, cyffuriau: "Weli di'r boi 'na fan 'cw?" meddai Nelson gan bwyntio at ŵr ifanc llywaeth iawn yr olwg yn crwydro'n ddiamcan ar hyd y lle. "Wedi piclo'i frêns efo cyffuriau pan oedd o'n iau." Mae'r rhain i gyd yn arwyddion o gymdeithas dlawd, ddigalon yn chwilio am bleser yn rhywle, rhywsut. Unwaith eto, mae 'na straeon fod y plant wedi cael eu camdrin yn ystod eu cyfnod yn yr ysgolion preswyl. Mae'n rhaid fod profiadau fel 'na wedi effeithio'n ofnadwy ar bobl ac yn egluro cryn dipyn o'u problemau nhw heddiw.

Dwi'n cofio'r Unangiaid yn Unalsaka yn deud gymaint hapusach ydyn nhw, gymaint iachach ers dechrau atgyfodi'r hen draddodiadau, y dawnsio, y creu. Dyna i chi brofi pŵer celfyddyd. Ond pan wnes i grybwyll hyn wrth Nelson, ysgwyd ei ben wnaeth o. "Mae'n pobl ni wedi hen golli'r hen ddiwylliant," meddai. "Mae'n rhy hwyr, a beth bynnag, rydan ni wedi moderneiddio. Mae pobl fel chi yn disgwyl i ni ddal i fyw mewn tipis ac iglws, 'tydach?" Ym... Ac maen nhw'n dal i gadw rhai o'r hen draddodiadau, diolch yn fawr, dim ond eu bod nhw'n gudd. Maen nhw'n dal i gynnal yr hen seremonïau traddodiadol i enwi babanod ac ati - ar ôl bedyddio'n gyhoeddus yn yr eglwys. "Yn ôl cyfansoddiad y wlad," meddai Nelson, "mae'n deud yn glir bod rhyddid i bawb sy'n byw yma i gadw ei grefydd ei hun - pawb ond y cenhedloedd cynta." Ond bellach, fel yn Siberia, mae eu crefydd gwreiddiol nhw, math o siamaniaeth, yn dod yn ei hôl yn gryf. Mae brawd Nelson yn siaman, ac mi gafodd yr hogia' gynnig i gymryd rhan mewn sesiwn yn y *sweathouse*. Rhyw fath o *sauna* ydi o mae'n debyg, a seremoni hir a dwys, a chyfle i buro'r corff a'r ysbryd ar yr un pryd. Gwrthod wnaeth yr hogia (babis - neu jest gwyddonwyr), a chafodd Sioned a fi mo'r cynnig. Rhywbeth i ddynion yn unig oedd y tŷ chwys. "Mae gan y merched eu *sweathouse* eu hunain," meddai brawd Nelson, "ond does 'na 'run wsnos yma, a ph'un bynnag, does gan ferched ddim gymaint o angen eu puro - maen nhw'n cael eu puro bob mis yn naturiol, yn ystod eu tymor cysegredig." *Sacred term* oedd ei union eiriau o. Swnio'n hyfryd, yntydi? Llawer, llawer gwell na'n termau hyll a phoenus ni am glwyfau.

Roedd Nelson yn falch iawn o un peth roedd o wedi llwyddo i'w wneud dros ei bobl, sef sefydlu casino bach yng nghanol y pentre. Wel, casgliad o beiriannau gamblo oedd yno mewn gwirionedd, rhai Las Vegas-aidd iawn yr olwg. Ym... onid ydi hyn yn creu problemau gamblo, gofynnais, o gofio'r problemau alcohol a chyffuriau sy'n bodoli eisoes? Mi gyfaddefodd Nelson bod y cyngor wedi bod yn trafod ai drwg ai da oedd y peiriannau, ond roedden nhw wedi dod i'r casgliad mai da oeddynt. Ac roedd 'na bosteri amlwg ar gyfer unrhyw un oedd yn teimlo bod y gamblo wedi mynd yn broblem iddyn nhw. "Ond ti'n gweld," meddai, "os ydi rhywun yn ennill, grêt, mae'r pres yn mynd i'w pocedi nhw eu hunain, ac os ydyn nhw'n colli, dydyn nhw ddim yn colli mewn gwirionedd oherwydd fod y pres yn mynd i'r gymuned; ni piau 90% o'r peiriannau 'ma." Roedden ni i gyd yn dal i weld y gamblo yn beth od, ond wedyn, be' ydi'r gwahaniaeth rhwng peiriannau Pine Creek a'n Loteri ni? Rhannu pres yn ôl allan i'r gymuned mae hwnnw wedi'r cwbl. Ac fel acw, pobl dlawd sy'n tueddu i drio'r loteri'n gyson. Ardaloedd tlawd (ar y cyfan) sy'n gwirioni efo *bingo* hefyd, ac maen nhw'n chwarae yn Pine Creek bob nos. Yr ysfa i ennill ffortiwn er mwyn dianc ydi o? Neu'r cyfle i gael 'chydig o gynnwrf yn eu bywydau. Dwi'm yn gwybod, wir. Mae'r sefyllfa mor gymhleth, a dim ond am ddeuddydd fuon ni yno wedi'r cwbl.

Mi fuon ni'n trio gweithio allan pam fod Pine Creek mor wahanol i bentrefi'r Unangiaid a'r Haida. A dyma sylweddoli: tra bo'r Unangiaid a'r Haida yn dal i fyw yn yr un lle ag y buon nhw erioed, dydi'r *Ojibwe* ddim. Pobl grwydrol oedden nhw, pobl oedd yn hela byffalo dros y paith, sydd bellach wedi eu cyfyngu i un sgwaryn bach o dir. Does na'm traddodiad yn perthyn i'r tir hwnnw, nid fan 'no oedd eu hynafiaid nhw, a doedden nhw 'rioed wedi arfer byw fel 'na. Dwi'm yn gwybod os gwnân nhw fyth ddod i arfer, ond efo pobl fel Nelson wrth y llyw, dwi'n meddwl y bydd pethau'n gwella. Mae 'na ysgol uwchradd ar fin cael ei chodi - ysgol fydd yn darparu addysg sy'n cynnwys hanes a iaith yr *Ojibwe*. Pan ddaeth yr ysgolion preswyl i ben, cafodd y plant *Ojibwe* eu gyrru i ysgolion cyhoeddus fel pawb arall, a chymysgu efo'r *non-natives*, chwedl Nelson. Ond roedd 'na broblemau yn fan 'no hefyd: hiliaeth, paffio ac ati. Ond beryg y bydd yr ysgol newydd 'ma'n *Catch 22* - ychydig iawn o'r athrawon sydd wedi cael addysg o safon. Ond dw i'n eitha siŵr y dôn nhw drwyddi'n y diwedd. Pwy sy'n deud mai'r system addysg 'safonol' ydi'r system orau beth bynnag?

Hefyd, mae'r neuadd *bingo* yn troi'n ganolfan sglefrio yn y gaeaf, ac mae pobl ifanc Pine Creek wedi dod o hyd i dalent newydd - hoci iâ. Nhw ydi pencampwyr Manitoba. Dim ond i chi roi llygedyn bach o falchder i rywun, mae hynny'n siŵr o dreiddio i agweddau eraill o'u bywydau, siawns? Dwi'n gobeithio, wir. Roedden nhw'n bobl hyfryd, annwyl, a dwi'n falch 'mod i wedi bod yn eu cwmni nhw.

Dydd Llun 25 Awst 2003

Am fod y llinell yn mynd trwy affliw o ddim byd ond coed a mwy o goed yn Ontario, rydan ni wedi hedfan dros y cwbl a glanio yn St John's, sydd reit wrth y môr ar ynys Newfoundland. Yn y bôn, rydan ni bellach wedi mynd o un pen o Ganada i'r llall, a môr yr Iwerydd sydd allan fan 'na, ac Iwerddon yr ochr arall iddo fo. Ond dydi St John's ddim ar y llinell, sy'n bechod, achos dwi wedi cymryd at y lle'n syth. Jest pasio drwadd yr ydan ni, ac o'r naw awr sydd ganddon ni yma, mi fyddwn yn treulio pump o'r rheiny yn ein gwelyau. Ond mi wnes i wirioni'n syth bin, o'r eiliad glywais i acen y gyrrwr tacsi yn y maes awyr. Roedd o'n gymysgedd bendigedig o *brogue* Gwyddelig, Saesneg Cernywaidd hen ffasiwn a Chanadian, yn *yea* a *thee* a *what I done* a *feckin'* i gyd. Roedd o'n piso chwerthin bob tro roedden ni'n deud 'Winnipeg'. "Wwwini-peg?! *You say it so cute!*" Cyril oedd ei enw o, ac roedd ganddo wyth o blant. Ond dim ond pymtheg oed oedd o'n priodi, a'i wraig yn ddwy ar bymtheg. Mae 'na 68 o wyrion gan ei fam, achos mi gafodd hi 16 o blant. Sut goblyn mae hi'n cofio'u henwau nhw i gyd? Ac ydyn, maen nhw'n Gatholigion o dras Gwyddelig. Roedd 'na *feckin'* ym mhob un frawddeg, pob cymal ganddo bron, ond mi ddywedodd mai dim ond yn ôl ac ymlaen o'r maes awyr fydd o'n mynd yn ei dacsi, dydi o byth, byth yn mynd rownd dre: gormod o bobl fudr, feddw sy'n mynnu bwyta'n y car a gwneud lol *"and cussin' an' swearin' all the time... I can't feckin' stand cussin' an' swearin'..."*
Mae 'na strydoedd culion, troellog yma, sy'n chwa o awyr iach ar ôl yr holl briffyrdd hirion, llydan, undonog sydd ym mhob man arall, ac mae'r adeiladau yn dlws ofnadwy, yn *saltboxes* pren wedi eu paentio'n las a choch, yn gymysg ag adeiladau mwy modern, crand. Mae ein gwesty ni'n ffantastig, efo pob math o adnoddau fel pwll nofio a *sauna*, ond wrth gwrs, does ganddon ni ddim amser i'w gwerthfawrogi nhw (sŵn Muttley-aidd dan fy ngwynt).
Roedden ni'n cyfarfod rhywun o'r Ganolfan Groeso yn nhŷ bwyta Djangos yn syth ar ôl cyrraedd, felly aeth Sioned, Rich a finna draw yno. Aeth Jonathan i'w wely. Dim stamina. Roedd y bwyd yn fendigedig ond ron i'n rhy flinedig i'w werthfawrogi'n iawn. Er hynny, mi ges i wydraid o win am chênj. Argol, roedd o'n neis. Ches i byth wybod enw'r ddynes oedd efo ni, ond mi wnes i gymryd ati hi'n arw. Roedd ganddi hithau'r acen Wyddelig, ond ddim chwarter mor gryf ag acen Cyril y gyrrwr tacsi. Mae'n debyg bod 'na 60 o wahanol dafodieithoedd yma, ac mae ganddyn nhw eu geiriau eu hunain, yn gwbl wahanol i weddill Canada, e.e: *streel* - person blêr; *whizzgigging* - cyfuniad o sibrwd a chwerthin, sef be' mae genod 12 oed yn ei wneud o hyd, ynde? Dwi'n hoffi hwnna'n arw.
Roedd y ddynes 'ma'n edrych fel Gwyddeles hefyd, efo'i gwallt hir, trwchus, du. Mi gawson ni beth o hanes yr ardal ganddi: roedd 'na Indiaid

ac Inuit yn byw yma ganrifoedd yn ôl, ac mi gyrhaeddodd y Llychlynwyr a sefydlu pentref yma yn 1000 OC. Mi gyrhaeddodd y Basgiaid yn y 1500au, ond pobl o dras Wyddelig a de Lloegr ymsefydlodd yma fwya, a hynny yn ystod yr ail ganrif ar bymtheg, a thon fawr arall eto ddechrau'r bedwaredd ganrif ar bymtheg. Ond yn wahanol i'r Cymry aeth i Batagonia ac ardaloedd eraill yn yng ngogledd America, dydi'r rhain yn gwybod nesa peth i ddim am eu tras a hanes eu cyndeidiau. Roedd y ddynes 'ma (dwi'n damio na ches i mo'i henw hi) yn meddwl mai cymysgedd o ddrwgweithredwyr a phobl oedd am gadw eu gorffennol yn dawel ddaeth i'r rhan yma. Difyr... mi wnes i ddigwydd holi os oedd 'na wrachod wedi dod draw. Edrychodd yn syn arna i. "*What made you ask that?*" Wel, digwydd gwybod mai yng nghanol yr ail ganrif ar bymtheg y cafodd gwrachod eu herlid, tua'r un pryd ag y daeth yr holl bobl i'r rhan yma o'r byd. O. Cymerodd sip arall o'i gwin a deud: "*That's weird. My mother's a witch...*" Es i'n groen gŵydd i gyd. Ron i isio holi mwy wrth reswm, ond roedden ni gyd jest â nogio, felly dwi'n meddwl y dof fi'n ôl yma ryw dro i wneud ychydig o ymchwil. Dwi wedi hanner sôn am ddilyniant i **Gwrach y Gwyllt**... A sôn am hynny, mae Richard wrthi'n darllen y nofel honno ar hyn o bryd. Mae'n brofiad braidd yn od bod yng nghwmni rhywun sy'n darllen fy llyfr i, yn enwedig pan mae o'n piffian chwerthin, codi ei ben a gwenu arna i.

Dydd Mawrth 26 Awst 2003

Codi am bedwar er mwyn dal yr awyren i Blanc Sablon (y bedwaredd awyren ar ddeg ar gymal gogledd America). Roedd 'na filwyr yn gadael y gwesty yr un pryd â ni. Newydd ddod yn ôl o Irac mae'n debyg. Roedden nhw'n griw tawedog iawn, i gyd yn dringo ar eu bws melyn heb ddeud gair wrth ei gilydd heb sôn am neb arall.

Wedi cyrraedd Blanc Sablon yn y niwl a'r glaw; ron i'n gegrwth o glywed pobl yn siarad y Ffrangeg rhyfedda efo'i gilydd. Dwi wedi clywed acen Quebec o'r blaen, ond roedd yr acen hon yn anhygoel. Ac yn Quebec mae Blanc Sablon. Roedden ni'n gorfod teithio am rai milltiroedd eto i gyrraedd Labrador. A dim ond i chi basio arwydd di-nod ar ochr y ffordd, rydach chi yno, felly mae'r iaith yn newid yn ôl i'r Saesneg, ac mae hyd yn oed yr amser yn newid - o awr a hanner. Awr a hanner?! Dwi'n dal wedi drysu braidd pwy sydd y tu ôl i bwy. Y cwbl dwi'n siŵr ohono fo ydi mai dim ond tair awr o flaen Cymru yr ydan ni rŵan.

Mi gododd y niwl erbyn y pnawn, jest digon i ni allu gwerthfawrogi'r tirwedd gwyllt a gwyrdd. Roedd 'na olygfeydd braf iawn o oleudy Point Amour lle lwyddon ni i weld morfilod cefngrwm. Wel, fwy neu lai. Dim ond gweld y dŵr yn cael ei chwythu i'r awyr yn y pellter ron i a bod yn onest. Ond mi fyddwn ni'n mynd allan i'r môr fory, ac maen nhw'n deud y byddwn ni'n garantîd o'u gweld nhw'n agos.

Tra'n ffilmio ar bont uchel pnawn 'ma, mi edrychodd Sioned yn rhyfedd arna i a deud: "Mae 'da ti rywbeth du ar dop dy drwyn." Pry oedd o, un mawr du, tebyg i forgrugyn hir, ac roedd o newydd fy mhigo i. Ron i'n gallu deud, achos roedd 'na farc coch lle roedd o wedi fy nhrywanu i, y sglyfath, jest rhwng fy nhrwyn a fy llygad, ac roedd o'n dechrau teimlo'n anghyfforddus. Erbyn hyn, mae o wedi chwyddo'n hyll iawn. A chredwch chi byth, ond mae gen i dri phigiad arall ar gefn fy mhen ac ar fy ysgwydd. Y diawlied! Dwi'n y blydi *wars* ar y trip yma.

Labrador ydi un o'r rhannau olaf o Ganada sydd heb ei archwilio'n llwyr, ac mae'n un o'r llefydd glanaf a mwyaf naturiol yn y byd. Tan y 1960au, dim ond chydig o Inuit, Indiaid brodorol a disgynyddion yr Ewropiaid cynta i ddod i'r rhan yma o'r byd (*liveyers*) oedd yn byw yma. Ond ers hynny, mae pobl wedi cael eu denu yma gan y cyfoeth o adnoddau naturiol: helwyr, pysgotwyr, pobl sydd jest yn mwynhau natur a bywyd gwyllt. Ond mae'n rhaid bod yn fath arbennig o berson i fyw mewn lle fel hyn Yn y gaeaf, mae'r môr yn rhewi - hyd at ddyfnder o dair troedfedd - ac mae 'na ryw dair troedfedd o eira yn disgyn ar y tir, ac yn aros yna am fisoedd.

Y môr sy'n rheoli bywyd yma o hyd a physgota oedd y prif ddiwydiant o bell ffordd nes i'r diwydiant penfras fynd i drafferthion dybryd yn y 1980au a'r 1990au. Maen nhw'n dal i bysgota, ond maen nhw wedi gorfod ceisio datblygu diwydiant twristiaeth bellach (swnio'n gyfarwydd...). Does 'na ddim gymaint â hynny o ymwelwyr yn dod yma eto ond mae'n poblogeiddio'n gyflym: mae 'na gynnydd o 37% wedi bod yn ystod y pum mlynedd dwytha. Dwi'n licio'r ffaith bod 'na gyn lleied o dwristiaid yma, a dwi'n falch 'mod i wedi cael dod yma cyn i'r heidiau gyrraedd. Mae o'n lle wirioneddol ddifyr, efo mynyddoedd gwyllt, afonydd cyflym, llynnoedd perffaith lân a choedwigoedd anferthol yn llawn o fywyd gwyllt - felly mae'r *Ramblers* ar eu ffordd, garantîd.

Mae'r *Aurora Borealis* i'w weld yn glir yma ddwy noson o bob tair - ond gan ei bod hi'n haf yma rŵan, mae'n anodd ei weld, a rhaid i mi ddeud, dwi'm wedi gweld affliw o ddim hyd yma. Ond ron i'n hoffi syniadau'r brodorion am y goleuadau rhyfedd hyn: mae'r bobl Inuit yn credu mai pobl yr awyr yn chwarae pêl ydyn nhw, ac mae'r *Ojibwe* yn credu mai fflamau'n cael eu codi'n uchel gan eu cyn-deidiau ydyn nhw, yn goleuo'r ffordd ar gyfer eneidiau pobl sydd newydd farw.

Bob gwanwyn a haf, mae 'na filoedd o fynyddoedd rhew yn nofio heibio cyn toddi yn y dŵr cynhesach i'r de-ddwyrain o Newfoundland. *Iceberg Alley* maen nhw'n galw'r rhan yma o'r môr. Ond yn anffodus, maen nhw i gyd wedi hen basio a thoddi erbyn hyn.

Dwi wedi prynu dau lyfr gan awduron lleol: **Rare Birds** gan Edward Riche o St John's, sy'n wirioneddol dda hyd yma; ffraeth a phigog efo hiwmor nodweddiadol o'r ardal. Mae'n debyg ei fod o wedi cael ei wneud yn ffilm efo William Hurt, a bod 'na fideo ar gael. Mi wnai 'ngorau i gael copi pan âi adre. **Random Passage** gan Bernice Morgan ydi'r llall; awdures arall sy'n byw yn St John's. Nofel hanesyddol ydi hon, am hanes cynnar y mudo i Newfoundland. Mae'n eitha tebyg i **Poldark** mewn ffordd, ac wedi cael ei haddasu'n gyfres deledu, ond i'w dangos yng Nghanada ac Iwerddon yn unig. Dwi'n reit flin am hynna - dwi isio'i gweld hi hefyd. Ron i a Mam wedi gwirioni efo **Poldark**.

Mi wnes i orffen **Round Ireland with a Fridge** ar yr awyren i Blanc Sablon - a'i adael yno. Naddo, ches i'm llawer o flas arno fo.

Rydan ni mewn B&B yn St Mary's Harbour rŵan (uffarn o siwrne hir ar hyd ffordd di-darmac, llawn tyllau) a dwi'n cael trafferth garw i ddeall acenion y cwpl sy'n rhedeg y lle. Mae'r rhain efo acen gryfach na Cyril y gyrrwr tacsi, hyd yn oed. Ac am ryw reswm, maen nhw'n cael mwy o drafferth i 'neall i na'r tri Hwntw sydd efo fi. Rhyfedd o fyd.

Dydd Mercher 27 Awst 2003

Deffro bore 'ma, sbïo yn y drych a chael haint. Mae fy llygad i wedi chwyddo go iawn. Dwi fel rhywbeth allan o ffilm arswyd. Ychydig iawn o fy llygad i sydd i'w weld rŵan, ac mae 'nhrwyn i wedi chwyddo hefyd. Felly mi lyncais i dabledi *antihisthamine* reit handi. Roedd wyneb Jonathan yn bictiwr pan ddois i i lawr i frecwast. Mi ddylai'r *antihisthamine* gael effaith yn o sydyn, ond yn y cyfamser, maen nhw'n mynd i osgoi ffilmio fy wyneb i.

Cyfarfod cyn-bysgotwr o'r enw Mike Earle am 8.00 bore 'ma, a draw â ni yn ei gwch cyflym i Battle Harbour, lle mae o'n guradur adnoddau. Roedd y môr fymryn yn arw a ninnau'n gyrru'n syth i mewn i'r gwynt, felly roedd y cwch yn waldio'n erbyn y tonnau fel diawl, a'n stumogau druan ni'n cael eu hysgwyd, was bach. Roedden ni i gyd braidd yn fregus erbyn cyrraedd. Roedd y *scrunchlings* ges i neithiwr yn gamgymeriad. Darnau o fraster mochyn wedi'u ffrio ydyn nhw, sy'n cael eu bwyta efo penfras. Ond roedd Lucky, y ci bach gwyn oedd yn y cwch efo ni yn hapus braf ei fyd. Mae'n debyg mai ci un o gyfeillion Mike oedd o, ond daethpwyd o hyd i gwch hwnnw un diwrnod efo dim byd ond y ci yn udo ynddo. Roedd ei gyfaill wedi boddi, ac mae Mike yn edrych ar ôl Lucky byth ers hynny. Mi wnes i gymryd ato fo'n arw - fo a Lucky. Roedd o'n edrych ac yn ymddwyn yn debyg iawn i 'mrawd, Geraint.

Lle tebyg i Ynys Enlli ydi Battle Harbour, mewn ffordd: hen bentre pysgota gafodd ei wagu yn y 1960au, sydd bellach wedi cael ei adnewyddu yn gofeb i'r hen ddiwydiant - ac yn fath o bentre gwyliau yr un pryd. Pan gyrhaeddon ni, roedd yr haul yn tywynnu, yr awyr yn las, a'r adeiladau pren efo'u waliau gwynion a'u toeau cochion yn sgleinio'n groesawgar.

Dwi'n meddwl i ni gyd syrthio mewn cariad efo'r lle. Yr unig ffordd o'i gyrraedd ydi efo cwch neu awyren, a hynny dim ond rhwng mis Mehefin a mis Medi (mae'r rhew a'r eira yn drwch weddill y flwyddyn) - felly mae'n dawel, unig a gwyllt yno.

Mae'n bosib bod y Basgiaid wedi defnyddio'r lle fel porthladd mor bell yn ôl â'r 1500au, ond yn y 1770au y cafodd ei sefydlu fel porthladd go iawn sef pan gyrhaeddodd teulu Mike. Daeth yn ganolfan brysur ar gyfer pysgotwyr penfras, morloi, eog a phennog. Datblygodd yn bentre go iawn, efo teuluoedd, siop, ysgol ac eglwys, ac erbyn canol y 19eg ganrif, roedd 'na gymuned o 300 yn byw yma drwy'r flwyddyn, a miloedd o bysgotwyr yn pasio drwodd bob dydd. Roedd o'n fywyd caled, creulon efo môrladron yn dwyn llongau cyfan, y tywydd yn gallu bod yn echrydus, a'r enillion yn aml yn fychan iawn, iawn. Fyddai neb byth yn defnyddio arian, a byddai llawer o drigolion Labrador yn marw heb weld pres erioed. Y drefn oedd bod y masnachwyr yn rhoi nwyddau i bob pysgotwr ar ddechrau'r tymor: rhwydi, rhaffau, bwyd, dillad ac ati. Ar ddiwedd bob tymor, byddai'r masnachwr yn gwneud ei syms: yn gosod pris ar y pysgod, yn gweithio allan faint oedd arno fo i'r pysgotwr, yn tynnu'r swm hwnnw allan o'r ddyled am y nwyddau a roddwyd, ac yn rhoi unrhyw beth oedd yn weddill iddo fel bwydiach ac ati. Ond yn amlach na pheidio, byddai'r pysgotwyr mewn dyled gydol eu hoes, a'u dyledion yn cael eu hetifeddu gan eu plant. Mae'r byd creulon yma'n cael ei ddarlunio'n arbennig o dda yn **Random Passage**, y llyfr brynais i: a dwi'n difaru 'mod i heb brynu'r dilyniant iddo fo rŵan.

Mi fyddai Robert E. Peary yn galw yma ar ei deithiau i'r gogledd: i'r Ynys Las (*Greenland*) yn 1893-1895 ac 1898-1902, ac ar ei ymgais gyntaf i gyrraedd Pegwn y Gogledd yn 1905-06. Ac oddi yma, o'r orsaf Marconi, y cysylltodd efo'r **New York Times** i ddeud ei fod o wedi cyrraedd y pegwn yn 1909. A dyma lle bu'r gynhadledd i'r wasg i geisio penderfynu pwy gyrhaeddodd y pegwn gyntaf (os o gwbl), Peary neu Cook.

Beth bynnag, fe grebachodd y diwydiant penfras, ac fe gafodd y trigolion eu hel i'r trefi mawrion. Digwyddodd hynny i nifer o bentrefi ar hyd yr arfordir. Roedd edrych ar ôl cymunedau mor anghysbell yn boen ac yn niwsans i'r llywodraeth. Ond ers i'r lle gael ei atgyfodi, mae 'na rai o'r hen deuluoedd yn dal i ddod yn ôl yma yn yr haf i gael blasu'r hen ffordd o fyw eto - o fath. A dwi ddim yn eu beio nhw. Mae 'na rywbeth arbennig am y lle.

Mi gawson ni ginio bendigedig yn y Battle Harbour Inn. Mae'n dod â dŵr i'r dannedd jest wrth gofio'r blas. Math o ginio dydd Sul oedd o, efo cyw iâr a darn o gig moch, ond efo pethau eraill, hyfryd a gwahanol fel pwdin pys a dau fath o bwdin siwat o'r enw *duff*, un efo mwyar duon, y llall efo resins, i gyd yn nofio mewn grefi ysgafn, perffaith. *Jigg's Dinner* maen nhw'n ei alw o, ond dwi'n amau'n gryf bod hwn yn *Jigg's Dinner* pum seren. Roedden ni'n pedwar yn gytûn mai dyna'r pryd gorau i ni ei gael eto. Gewch chi gadw eich tai bwyta drud efo'ch ffrils a'ch ffidlan - does 'na'm byd tebyg i fwyd go iawn.

Mae ymwelwyr yn gallu aros yn y gwesty neu rentu un o'r tai. Roedden ni i fod i aros yno dros nos, ond dydi rhagolygon y tywydd ddim yn wych ac allwn ni ddim fforddio cael ein dal yno. Damia. Mi fyswn i wedi rhoi'r byd am gael deffro yn fan 'na. Fel 'na mae hi weithie...

Ond roedd Mike yn deud na fydden ni cweit mor hapus yno mewn tywydd garw. Mae'n gallu bod yn uffernol yno. Ac yn y gaeaf, mae popeth yn rhewi'n gorn, "*up to six feet under ground*!" medda fo. "Sut oedd pobl yn claddu'r meirwon ers talwm 'ta?" gofynnais. Gwenodd. Eu halltu nhw, meddai, a'u claddu wedyn pan fyddai'r tir yn meirioli fis Mehefin. Meddyliwch!

I ffwrdd â ni wedyn, allan i'r môr mawr i chwilio am forfilod. A gesiwch be'? Welson ni'r un.

Felly yn ôl â ni i St Mary's Harbour a'r B &B. Mae dynes y lle, Sharon, yn ddynes a hanner. Mae'n gogydd gwych, hyd yn oed yn pobi ei bara ei hun, ac mae'r tŷ fel pin mewn papur, ond mae'n cyfadde ei bod hi'n casau'r haf a gorfod edrych ar ôl ymwelwyr. Mae hi'n ysu am y gaeaf, achos dyna pryd mae hi'n cael gwneud be' mae hi isio'i wneud: hela. Mae'n dipyn o crac-siot mae'n debyg, yn saethu hwyaid yn ddidrafferth, ond elc a charibŵ hefyd, ar ei phen ei hun bach, ac yn dod â'r cyrff yn ôl ar ei sgidŵ. Wrth ei gwylio'n hwylio brecwast yn ei ffedog, a hithau mor fechan, mae'n anodd ei dychmygu'n llusgo elc ar hyd y lle, ond mae 'na olwg reit wydn arni erbyn meddwl. Hela morloi ydi hobi gaeaf Shaun y gŵr, mi fydd o'n eu saethu o'r cwch ar y fflatiau iâ. "*It's fun*," meddai. Don i ddim yn rhy hoff o'r syniad yna; a deud y gwir, roedd y syniad yn troi arna i. Ond eto, ron i'n derbyn bod Sharon yn saethu elc. Pam ddylwn i boeni mwy am forloi nag elc a charibŵ? Ydw i wedi cael fy nghyflyrru gan luniau teledu o forloi efo llygaid mawr diniwed yn gwaedu ar yr eira gwyn? Ond dwi'n meddwl mai'r gwahaniaeth ydi mai un elc mae rhywun yn ei saethu ar y tro, ond yn ôl disgrifiad Shaun, maen nhw'n saethu pob morlo welan nhw ar y rhew, ugeiniau a mwy ar y tro, a phan ddywedodd o ei fod o'n hwyl garw, ron i'n ei ddychmygu o a'i ffrindiau yn swigio lager o gan a rhowlio chwerthin wrth dynnu ar y triger. Ond wedyn, pa hawl sydd gen i i feirniadu ffordd o fyw sy'n bod ers canrifoedd?

Wedi deud hynny, mi ges i awgrym gan Mike nad oedd ganddo fawr o 'fynedd efo rhai o drigolion yr ardal, pysgotwyr crancod yn bennaf (swydd Shaun fel mae'n digwydd). "Maen nhw'n gwneud eu ffortiwn," meddai Mike, "ac er eu bod nhw'n gwybod bod crancod yn mynd yn uffernol o brin yma, does ganddyn nhw uffar o ots. *I'm alright, Jack*,' ydi hi," meddai, "maen nhw i gyd efo homar o dŷ mawr crand, pic-yp *posh*, *trust funds*, a phopeth wedi'i dalu amdano - dim morgais - dim byd." (Erbyn meddwl, mae tŷ Shaun a Sharon yn anferthol, yn newydd sbon danlli ac mae'r pic-yp anferthol yn sgleinio.) "Dim bwys sut fydd pysgotwyr y dyfodol yn gwneud eu bywoliaeth," meddai Mike (roedd o'n mynd i hwyl), "dim bwys be' maen nhw'n ei neud i'r amgylchedd. Hen bobl ddiog, hunanol... maen nhw'n pysgota yn yr haf, yna mae'r eira'n dod ac maen nhw'n ista ar eu tinau. Joban ista ar dy din ydi pysgota rŵan beth bynnag - popeth ar gyfrifiadur a hydrolics. Dydych chi prin yn gwlychu'ch dwylo. Ddim fel ers talwm, pan on i'n pysgota penfras. Ti'n gallu nabod y teip: hen foliau cwrw mawr ganddyn nhw..." Erbyn meddwl, dydi Shaun ddim yn denau iawn. Hm...

Mae'r tabledi'n gweithio. Mae'r chwydd wedi mynd lawr reit dda, ond dwi'n dal fymryn yn fyddar ar ôl y pigyn clust. Argol, mae'n bryd mynd adre.

Llun: Richard Rees

"Lle tebyg i Ynys Enlli ydi Battle Harbour, mewn ffordd: hen bentre pysgota gafodd ei wagu yn y 1960au, sydd bellach wedi cael ei adnewyddu yn gofeb i'r hen ddiwydiant..."
(t.130)

Dydd Iau 28 Awst 2003

Diwrnod olaf o ffilmio. Aeth Sioned a Jonathan i'r maes awyr yn Blanc Sablon bore 'ma, gan fod 'na gymhlethdod efo'r bagiau. Awyren fach, fach ydi hi, a does 'na'm lle i'r holl gêr fory, felly mae Sioned wedi gorfod mynd efo'u hanner nhw heddiw. Mi fydd yr hwch lwcus yn cael diwrnod cyfan yn St John's! Felly mi fu Richard a finna'n ffilmio drwy'r dydd yn Red Bay a chyfarfod Jonathan nes ymlaen.

Roedd y niwl fel uwd ar hyd y ffordd ofnadwy o St Mary's Harbour bore 'ma ond mi gododd yn fendigedig wedyn. Roedd harbwr Red Bay yn edrych yn wych, cychod lliwgar yn dod i mewn yn araf drwy'r tarth fel rhywbeth allan o ffilm, adar o bob math yn y dŵr reit o flaen fy nhrwyn i, a be' ddigwyddodd? Bu farw batris fy nghamera.

Dim ond 260 o bobl sy'n byw yn Red Bay, bron bob un ohonyn nhw yn ddisgynyddion uniongyrchol o'r pysgotwyr ymsefydlodd yma o gwmpas 1830. Ond roedd 'na Ewropeaid wedi bod yn byw yma ymhell cyn hynny. Yn 1978, daethpwyd o hyd i dair llong Fasgaidd ar waelod yr harbwr. Roedden nhw mewn cyflwr rhyfeddol o dda oherwydd fod y dŵr mor oer, ac o dan un o'r llongau mawrion hyn, roedd 'na *chalupa*, cwch bychan 26 troedfedd roedd y morwyr yn ei ddefnyddio i fynd allan ar ôl morfilod. Roedd y cwch yn dderw, yn gyfan - fwy na heb - a bellach mae i'w weld yn yr amgueddfa leol efo bob math o greiriau eraill o'r cyfnod. Unwaith y daethpwyd o hyd i'r llongau, mi fu 'na gloddio o ddifri, gan ddod o hyd i bob math o bethau: llestri, casgenni, teclynnau haearn, darnau o esgyrn morfilod wedi eu llosgi, y cwbl yn profi bod 'na hyd at 2,000 o ddynion o Wlad y Basg yn byw a gweithio yma yn y 1500au.

Roedd olew morfilod yn hynod werthfawr yn y 16eg ganrif; roedd angen miliynau o alwyni ar gyfer lampau, sebon, paent ac ati. Roedd y Basgiaid wedi bod yn hela morfilod ers canrifoedd, ac wedi iddyn nhw sylweddoli bod 'na nifer fawr o forfilod ar hyd arfordir Labrador, mi ddechreuon nhw drefnu teithiau yno'n flynyddol. Mi fyddai pob tymor yn para rhyw wyth mis, ac yn ystod y cyfnod hwnnw, mi fyddai'r pysgotwyr yn dal y morfilod yn eu miloedd tra bu eraill yn gwneud casgenni a pharatoi gweithfeydd i droi'r braster yn olew ar y tir. Wedyn, mi fydden nhw'n ei gadw mewn casgenni a dod â'r cyfan yn ôl i Ewrop. Mi fu'n ddiwydiant proffidiol iawn tan y 1600au, pan ddaeth y cyfan i ben am resymau sy'n dal yn aneglur. Maen nhw hefyd wedi dod o hyd i fynwent efo 140 o gyrff dynion rhwng 20 a 40 oed ynddi. Doedden nhw ddim wedi cael eu claddu - felly mae'n bosib mai rhai o'r criwiau arhosodd yno'n rhy hir oedden nhw, gan gael eu cau i mewn gan y rhew. Mi fydden nhw felly wedi llwgu neu rewi i farwolaeth.

Mae'r arddangosfa yn yr amgueddfa yn wirioneddol ddifyr, ac mae'n debyg fod y bobl roddodd y *chalupa* yn ôl at ei gilydd wedi rhyfeddu at ddawn y gwneuthurwyr. "Mae'n gyfuniad o bic-yp a char rasio Fformiwla Un," meddai un, "wedi ei ddylunio i fod yn gyflym a hawdd ei drin, ond yn gwch i'w weithio ar yr un pryd." Uffar o fois oedd y Basgiaid.

Ar y ffordd yn ôl i'r de, mi stopiodd Richard i ffilmio'r tirwedd, felly mi es i allan am dro a dod o hyd i lond gwlad o lus mawrion, hyfryd - a chael fy mhigo'n fyw gan y blydi pryfed duon 'na eto. Dwi'n teimlo fel yr *Elephant*

Man rŵan; mae 'na dri phigiad ar fy nhalcen wedi ymuno efo'i gilydd ac mae 'na un arall wrth fy nghlust ddrwg sy'n fy ngwneud i hyd yn oed yn fwy byddar. A does gen i ddim tabledi *antihisthamine* ar ôl! Wedi dod o hyd i Jonathan, aethon ni am fwyd i ddisgwyl am yr awyren yn ôl i St John's, ac mi wnes i ffendio bod modd cael tabledi *antihisthamine* yn yr ysbyty yno. A haleliwia, maen nhw'n rai hynod, hynod gryf. Briliant! Teimlo'n well yn barod. Er gwaetha'r pryfed milain, dwi wedi mwynhau Labrador yn arw. Mae'n dlws, mae'n dawel ac mae'n wahanol. Mae'r bobl, eu hacen, eu bwyd a'u hagwedd at fywyd yn hyfryd o hen ffasiwn a syml, fel teithio mewn peiriant amser, bron. A dwi'n meddwl bod Battle Harbour yn lle delfrydol i encilio a jest mwynhau bod yn fyw. Mi allwn i fod wedi treulio wythnosau yno'n hapus iawn fy myd. Mi ddywedodd y teithiwr Jacques Cartier yn 1534 ei fod o o'r farn mai dyma *"la terre que Dieu donna à Cayn"* (y wlad roddod Duw i Cain) ond yn fy marn i, o'i gymharu â llefydd twristaidd fel y Rockies, mae'n nefoedd.

TAITH PEDWAR

16 Medi - 21 Medi 2003

Dydd Mawrth 16 Medi 2003

Cyrraedd Dingle ddoe, ar ôl gyrru'r holl ffordd o Landeilo a jest a chwydu ar y *vomit comet* o Abergwaun i Rosslare. Taith hir, flinedig. Iechyd, mae Iwerddon yn llydan, ond mae'n werth pob milltir. Dwi wastad yn mwynhau fy hun yn Iwerddon. Gwlad fel 'na ydi hi, ynde? Ac mae'r bobl wastad mor glên - pawb - waeth ble'r ewch chi. Dwi'n edrych ymlaen yn arw at yr wythnos fyddwn ni yma, ond chawson ni ddim dechrau rhy dda. Roedden ni i fod i groesi i Ynysoedd y Blasged bore 'ma, ond er ei bod hi'n ddiwrnod braf, heulog, roedd y gwynt yn rhy gryf a doedd y fferi ddim yn gallu mynd â ni. Fflamia! Dwi wedi bod yno o'r blaen ac ron i'n gwybod be' roedden ni'n ei golli. Mae'n dlws a thawel efo awyrgylch digon tebyg i Ynys Enlli neu Battle Harbour, sydd ddim yn syndod oherwydd fod hanes y tri lle yn ddigon tebyg. Roedd 'na gymuned fywiog yma am ganrifoedd, ond oherwydd fod bywyd mor anodd yma a'r bobl ifanc yn gadael am y tir mawr a'r Unol Daleithiau, bu'n rhaid i'r ynyswyr olaf adael yn 1953. Lle i fynd â thwristiaid yn yr haf ydi o rŵan, pan mae'r cwch yn gallu croesi... ac os ydach chi'n lwcus, mi allwch chi aros yno dros nos.

Mae Ynys Blasged Fawr yn enwog oherwydd i rai o'r trigolion sgwennu hunangofiannau yn y 1920au ar 1930au, llyfrau sydd bellach yn glasuron: **Twenty Years a' Growing** gan Muiris Ó Súilleabháin, **Peig** gan Peig Sayers a **The Islandman** gan Tomás Ó Criomhthain. Dwi wedi darllen y ddau gyntaf ac maen nhw'n fendigedig. Roedden nhw'n sgwennu'n syml am y bywyd oedd yma, hanes a thraddodiadau'r ynys, y gwaith caled bob dydd a'r *craic* gyda'r nos, yr anturiaethau a'r llongddrylliadau - a hynny i gyd yn yr iaith Wyddeleg. Mae'r fersiynau Saesneg wedi llwyddo'n rhyfeddol i roi blas yr iaith Wyddeleg wreiddiol, ac maen nhw wedi eu cyfieithu i sawl iaith erbyn hyn.

Ar y tir mawr yn Dunquin, mae 'na ganolfan, *Ionad an Bhlascaoid Mhóir*, sy'n werth mynd iddi, yn enwedig os nad ydi'r tywydd yn gadael i chi groesi draw i'r ynys ei hun. Maen nhw'n dangos ffilm deimladwy iawn am hanes yr ynysoedd mewn sawl iaith, gan gynnwys y Gymraeg, efo llais Ioan Roberts drosto; mae 'na arddangosfa efo lluniau a chreiriau hefyd, llyfrgell a siop lyfrau helaeth a chaffi efo cacenni a bara soda gwirioneddol flasus. Mi fyddai'n braf gallu cael rhywbeth tebyg ar gyfer Ynys Enlli (dwi'n siarad fel un sydd wedi methu croesi i fan 'no droeon a phwdu'n rhacs) ond mi fydda i angen pres mawr. Rhyw ddydd efallai...

Mi brynais i lyfr o'r enw **To Hell and Barbados** gan Sean O'Callaghan yn y siop lyfrau. Don i'n gwybod dim am hyn nes i mi sbïo'n sydyn drwy'r llyfr, ond mae'n frawychus. Mae'n debyg fod dros 50,000 o Wyddelod, yn ddynion, merched a phlant wedi cael eu gyrru i Barbados a Virginia rhwng 1652 a 1659, gan Cromwell, i fod yn gaethweision. Carcharorion gwleidyddol oedd rhai ohonyn nhw, a phlant gafodd eu rhwygo o freichiau eu rhieni Catholig er mwyn eu gyrru dramor i anghofio eu ffydd a phob arlliw o'u hunaniaeth. Yn ôl un o'r pamffledi gafodd eu dosbarthu yn Lloegr cyn ac ar ôl y Rhyfel Cartref: "*The Irish, anciently called Anthropophagi (man eaters)... are the very offal of men, dregs of mankind, reproach of Christendom, the bots that crawl on the beast's tail... yea, cursed be he that maketh not his sword drunk with Irish blood.*"

Bu farw nifer ohonyn nhw o'r gwres, salwch, y chwipio didostur a blinder llethol. Roedd rhai o'r meistri Protestanaidd yn casáu'r Gwyddelod Catholig â chas perffaith (dim rhyfedd, os oedden nhw'n credu pamffledi fel yr un uchod). Doedden nhw ddim hyd yn oed yn eu cyfrif fel Cristnogion ac roedden nhw'n eu trin fel anifeiliad. Mae disgynyddion y caethweision Gwyddelig yn dal yn y Caribi, ond maen nhw mewn stâd ofnadwy o hyd. Maen nhw'n cael eu galw'n *Red Legs* oherwydd bod y rhai cyntaf wedi cyrraedd mewn cilts a'u coesau wedi llosgi'n goch yn yr haul, ac maen nhw'n byw mewn cymunedau bychain clos, tlawd, a byth yn croesawu dieithriaid. Does gan y gymuned groenddu ddim parch atyn nhw o gwbl, dydyn nhw'n cael fawr o addysg ac mae alcoholiaeth yn broblem enfawr. Fydd darllen y llyfr 'ma ddim yn waith pleserus, ond dwi isio gwybod y gwir, a dwi'n flin mod i ddim yn gwybod dim o'r hanes cyn rŵan. Ond dyna fo, newydd ddechrau dysgu am hanes fy ngwlad fy hun ydw i mewn gwirionedd.

Mi wnes i drio perswadio'r lleill y dylen ni fynd i grochendy Louis Mulcahy jest i fyny'r ffordd (wedi bod yno o'r blaen a gwario ffortiwn – mae ei stwff o'n fendigedig), ond methu wnes i. Y ffilmio sy'n dod gynta, damia! Felly yn ôl â ni am Dingle ac ymlaen i draeth Inch, lle ffilmwyd **Ryan's Daughter** a **Far and Away** (yr un efo Tom Cruise a Nicole Kidman). Mae'n draeth gwirioneddol hyfryd, ond wnes i 'rioed ddeall pam fod cynifer o bobl yn heidio i weld llefydd fu unwaith mewn ffilm. Mae'r Americanwyr yn tyrru yma jest i weld y traeth – nid i nofio na thorheulo, jest i sefyll yna. Pawb at y peth y bo. Ond dyna wnaethon ninnau hefyd a bod yn onest – dim amser i chwarae. Yn ôl â ni i Dingle, ac i far Foxy Johns, tafarn sy'n gwbl nodweddiadol o'r drefn Wyddelig: mae un ochr yn far ac mae'r ochr arall yn siop – siop bob dim yn yr achos yma, bob dim o drapiau llygod i hoelion a welintyns. Roedd 'na lanast yna, was bach, ond roedd y boi'n gwybod yn iawn lle'r oedd bob dim. Roedd ochr y bar dipyn taclusach, ac yn llawn o ddynion lleol oedd yn cael peint ar ôl gwaith cyn mynd adre at y wraig. Dynion fel Les, paentiwr wrth ei alwedigaeth a rwdlyn go iawn. Fo holodd o ble on i'n dod. "*Wales*," medda fi. "*Oh, I worked there once*," meddai, "*in a place called... um... Warsaw.*" Dwi'n meddwl mai Wrecsam oedd o'n ei feddwl. Roedd 'na griw o Americanwyr yno hefyd, wedi gwirioni efo'r ffaith ein bod ni'n dod o Gymru – ac yn siarad Cymraeg. Roedden nhw'n glên iawn, ond dwn i'm... doedd gen i'm llawer o 'fynedd sgwrsio efo nhw – efo'r Gwyddelod on i isio siarad. Ydi hynna'n gas?

Mi ofynnais i'r dynion lleol eraill (oedd yn fymryn yn fwy sobr na Les) os oedden nhw weithiau yn 'laru efo'r holl ymwelwyr oedd yn heidio i mewn yno. Nag oedden. "Dim ond am bedwar mis maen nhw yma, a ph'un bynnag, dwi wrth fy modd yn sgwrsio efo gwahanol bobl." Fel 'na mae'r Gwyddelod i gyd, dwi'n meddwl. Mae pob gweinydd yn hyfryd, pob siopwr yn wên o glust i glust, ond mae'r bobl yn y stryd yn hynod annwyl hefyd. Hm. Tydan ni ddim fel 'na yng Nghymru, nac 'dan? Dowch 'laen, byddwch yn onest. Oni bai eich bod chi'n gweithio yn y busnes ymwelwyr ac yn bod yn glên oherwydd rhesymau economaidd, faint ohonoch chi sy'n awchu am sgwrs efo criw "Aw, gee"-aidd o Americanwyr? Ydach chi 'rioed wedi dechrau sgwrs (gyfeillgar) efo Brummies yn eich tafarn leol neu ar y stryd? Dwi'n gwybod 'mod i'n euog o beidio â gwneud. Dwi'n osgoi twristiaid hynny fedra i. Pan dwi'n cymryd eu pres nhw am wersylla acw, dwi'n sylweddoli eu bod nhw'n gallu bod yn bobl ofnadwy o ddifyr, ond dwi'n tueddu i anghofio hynny pan dwi allan yn dre neu isio paned mewn llonydd yn y Milk Bar. Mae 'na wahaniaeth mawr rhyngom ni a'r Gwyddelod; maen nhw'n bendant yn fwy cyfeillgar na ni. Pam, does gen i'm clem. Ai'r Gwyddelod sydd jest yn fwy busneslyd na ni? Neu ai ni sy'n swil ac yn dueddol o gadw'n hunain i ni'n hunain? Beth bynnag ydi'r gwahaniaeth, mae'n denu'r ymwelwyr i Iwerddon yn eu miloedd - a'r rheiny'n frid hollol wahanol i'r ymwelwyr rydan ni'n eu cael: llond byseidiau o Ffrancwyr ac Eidalwyr - ac Americanwyr wrth gwrs. A phawb yn mynd adre i ddweud wrth eu ffrindiau am y croeso cynnes gawson nhw yn Iwerddon. Mae ganddon ni dipyn i'w ddysgu, on'd oes?

Mi berswadiais y lleill i ddod am swper i un o'r tai bwyta blesiodd fi'n arw y tro dwytha i mi fod yma. Ron i'n siŵr mai'r Green Door oedd ei enw o, ond, naci, yr Half Door ydi o, jest fod y drws wedi ei baentio'n wyrdd. Ron i wedi cael *turbot* bendigedig yno'r tro dwytha, ond doedd o ddim ar y fwydlen y tro yma. Felly ges i benfras. Doedd o ddim cystal â'r *turbot*, ond mae o'n dal yn dŷ bwyta neis iawn.

Dydd Mercher 17 Medi 2003

Gadael Penrhyn Dingle a gyrru tua'r gorllewin, heibio i dref Killorglin lle mae ffair wallgo wyllt ganol Awst bob blwyddyn: ffair Puck. Mi fues i yno rai blynyddoedd yn ôl, ac roedd o'n brofiad a hanner. Maen nhw'n deud bod y ffair yn ddyddio'n ôl i'r oes baganaidd, pan fydden nhw'n coroni bwch gafr yn enw'r duw haul Celtaidd, Lugh. Mae eraill yn deud ei bod hi wedi cychwyn ar ôl i lwyth o eifr garlamu drwy'r dre i'w rhybuddio bod Cromwell a'i fyddin ar eu ffordd. Beth bynnag, maen nhw'n dal i goroni gafr, gwerthu ceffylau a gwartheg (a bob affliw o bob dim) yn y stryd ac wedyn yn meddwi'n dwll am ddeuddydd. Dwi'n cofio mai yn fan 'no glywais i'r stori am Americanwr yn holi pwrpas y polyn hir wrth droed y bar mewn tafarn. "O... wel, ti'n gweld," atebodd gŵr lleol, "fan 'na mae'r *leprachauns* yn clymu eu ceffylau."

Roedden ni ar gwrs golff hynaf Iwerddon erbyn 9.30: cwrs golff Dooks, sefydlwyd yn 1889. Mae'n bosib mai yma yn Iwerddon y ganwyd golff. Roedd y Celtiaid cynnar yn chwarae *hurling* 'nôl yn y 12fed ganrif, ac mae *hurling* ddigon tebyg i golff, fymryn yn gynt falle, a pheryclach, ond mae'r ffon rywbeth tebyg. Mae 'na dair miliwn o Wyddelod yn chwarae golff, dros hanner y boblogaeth! A phan yn Rhufain... felly es i am wers sydyn efo rheolwr Dooks, Declan Mangan, coblyn o gês, ac mi wnes i fwynhau fy ngwers yn arw, a dysgu 'chydig o Wyddelig yr un pryd. *Arîsh* ydi 'eto', ac mi glywais i hwnnw dro ar ôl tro, ar ôl tro yn anffodus. Ia, iawn, roedd fy 'nreif' i'n anobeithiol (mae'r siot waetha mewn hanes ar gof a chadw ar gamera) ond chwarae teg, ron i dan bwysau, 'toeddwn? A dim ond deg munud o hyffordiant ges i. Chwilio am esgusodion? Fi? Ond mi ges i hwyl dda ar y pytio, felly dwi am ddechrau chwarae o ddifri un o'r dyddiau 'ma. Pan ga' i gyfle. Pan fydda i wedi ymddeol efallai. Ac mae cwrs golff Dooks yn fendigedig, hyd yn oed yng nghanol byseidiau o Americanwyr ar wyliau golff, hyd yn oed yn y glaw. Do, mae'r tywydd wedi troi, ond mae hynny i'w ddisgwyl yn Iwerddon, chwarae teg.

Ymlaen â fi i Killarney, man geni yr Ŵyl Ban Geltaidd, lle mae'r enwau mawr wedi ennill gwobrau dros y blynyddoedd: Eryr Wen, Geraint Griffiths, Enya, Y **Chieftains**, y **Dubliners** - a Merched Uwchllyn. Mae hi'n dre ofnadwy o brysur bob haf, a'r ymwelwyr yn heidio yma fesul byseidiau. Mae 'na fwy o le i aros yn y dre yma nac yn unrhyw dre arall y tu allan i Ddulyn. Ond a bod yn onest, mae'r dre ei hun yn ddigon di-nod. Y Parc Cenedlaethol ydi'r gwir atyniad: 10,000 hectar o goed a mynyddoedd, hen adeiladau a llynnoedd (ac mae Tir na n'Og dan un o'r llynnoedd gyda llaw). Mae o'n lle delfrydol i fynd am dro, boed ar droed, ar feic neu efo cert a cheffyl. Mae 'na geirw coch yn crwydro'n rhydd yma (ond naddo, welson ni'r un) ac mae'n debyg eu bod nhw yma ers Oes yr Iâ, dros 10,000 mlynedd yn ôl.

Mi fuon ni mewn noson o ganu a dawnsio Gwyddelig yn y Gap of Dunloe wedyn, mewn lle o'r enw Kate Kearney's Cottage. Byddai Kate y cadw *sibín* yma, sef tafarn anghyfreithlon, ar gyfer pobl fyddai'n pasio trwy'r Gap yn yr 1800au. Sioe ar gyfer ymwelwyr oedd hi yn y bôn, ond roedd y bobl leol wedi heidio yno am y *craic* hefyd. Roedd 'na griw o bobl y pentre yn rhoi arddangosfa o'r *polka* i ni, ond roedd hi'n berffaith amlwg mai mwynhad oedd y cyfan iddyn nhw, nid sioe *tacky* i'r twristiaid. "Dydan ni'm yn cael nosweithiau fel 'ma yn y gaea," meddai un ohonyn nhw wrtha i. "Does 'na'm digon ohonan ni bobl leol i lenwi'r lle heb yr ymwelwyr, felly rydan ni'n gwneud y mwya o'r cyfle drwy'r ha'." Naddo, wnes i'm dawnsio. Dwi'm yn or-hoff o dwmpathau; atgoffa fi'n ormodol o nosweithiau arteithiol yng Ngwersyll Glan-llyn.

O ia, mi welodd Sioned lamp Louis Mulcahy yn un o siopau Killarney pnawn 'ma. Mi wirionodd, a'i brynu'n syth. Ddeudis i'n do?!

Dydd Gwener 19 Medi 2003

Ar ôl diwrnod llwyd, gwlyb a digon di-ddim ddoe, mae heddiw wedi bod yn grêt: sesiwn o flasu whisgi yn hen ffatri Jamesons yn Middleton bore 'ma, a rasus milgwn heno. Ond y whisgi 'na'n gyntaf: mae gen i dystysgrif i brofi 'mod i'n flaswr whisgi swyddogol rŵan. Lol ar gyfer ymwelwyr ydi hynny wrth reswm, ond roedd o'n hwyl garw, a'r *Master Distiller* Barry Crockett yn fonheddwr go iawn. Mi ges i grwydro'r hen adeiladau efo fo yn gynta, ac wedyn blasu gwahanol fathau o wisgi, a wir i chi, mae fersiwn y Gwyddelod yn llawer, llawer neisiach na stwff yr Alban a'r Unol Daleithiau. Un ai hynny neu roedden nhw wedi rhoi sebon yn y samplau. Gyda llaw, y ffordd Albanaidd o sillafu'r enw ydi *whisky*; *whiskey* (efo 'e') ydi'r stwff Gwyddelig. Wyddwn i 'rioed. A phan ddigwyddodd o sôn fod pob awdur, pob bardd a phob artist sy'n byw yn Iwerddon yn sbario gorfod talu treth, roedd fy ngên i ar y pafin. Meddyliwch! Dim ceiniog o dreth! A hynny ers ugain mlynedd mae'n debyg. Dyna i chi genedl wâr, dyna i chi genedl sy'n dallt be' 'di be'. Ydi, mae'n ddigon i wneud i chi ystyried codi pac, myn coblyn. Ond mae'n siŵr bod 'na dipyn o gymryd mantais o'r system, pobl yn sgriblo ryw lyfryn neu limrig sydyn a chyhoeddi eu bod nhw'n fardd dros nos.

Ta waeth, ymlaen â ni wedyn i dre hanesyddol Youghal (Iôl) ar gyfer y rasus milgwn. Doedden nhw ddim yn dechrau rasio tan 19.50 (ia, 19.50 ar y dot, nid 20.00) felly mi fuon ni'n crwydro'r dre am 'chydig – yn y glaw. Fan yma roedd porthladd Capten Ahab yn fersiwn John Huston o'r ffilm **Moby Dick**, ac yn 1588, Syr Walter Raleigh oedd Maer y dre. Fo ddaeth â baco a thatws i'r rhan yma o'r byd, ac yn ôl y sôn, yn Youghal blannodd o'r daten gynta. Mi geisiodd o smocio cetyn yma un noson hefyd, ond pan gerddodd morwyn i mewn i'r 'stafell a gweld yr holl fwg, meddyliodd ei fod ar dân, felly mi daflodd hi lond bwced o ddŵr drosto fo.

Roedd hi'n dal i fwrw glaw pan es i draw i'r trac rasus milgwn, ond er gwaetha'r tywydd, roedd 'na dorf fawr yno, yn deuluoedd oedd wedi dod am yr hwyl a dynion mewn capiau stabl oedd wedi dod i wneud pres. Mi ges i sgwrs efo Margaret, perchennog ci smart iawn o'r enw Sooty Black, a phenderfynu rhoi *euro* neu ddau ar hwnnw. Colli wnaeth o. Ond roedd y boi drws nesa i mi newydd ennill cant o *euros*, felly wedi cael tips ganddo fo, mi rois i gwpl o *euros* ar ras arall – a cholli eto. Dyma sylweddoli toc bod 'na griw o ddynion wedi gwisgo'n rhyfedd iawn o 'nghwmpas i – tîm rygbi o Lundain mewn crysau Hawaiian a theis blodeuog, oedd yn edrych reit bathetig yn y fath dywydd. Mi ges i goblyn o hwyl efo nhw beth bynnag. Mae hogia rygbi wastad yn fois iawn, dim ots o ble maen nhw'n dod. Ron i'n cael fy nhemtio'n arw i aros allan efo nhw, ond... y ffilmio sy'n dod gynta, ac mae ganddon ni ddiwrnod hir yn Waterford fory. Felly es i adre'n hogan dda. Damia.

Dydd Sadwrn 20 Medi 2003

Don i ddim yn disgwyl mwynhau'r trip i ffatri wydr Waterford, ond mi wnes i. Roedd 'na ddau reswm: yn gyntaf, don i ddim yn hoffi gorfod bod yn un o lond bws o bobl yn cael eu tywys o gwmpas fel defaid gan dywysydd efo meicroffon (alla i'm deud wrthach chi gymaint dwi'n casau hynna), yn ail, ron i yng nghwmni dyn o'r enw Skippy. Phillip Sheridan ydi ei enw o go iawn, ond un o Awstralia oedd ei dad o. Un o'r meistri chwythu (os mai dyna ydi *master blower*) ydi Skippy, ddechreuodd weithio'n y ffatri pan oedd o'n 15 oed. Mae o yn ei 50au rŵan, ac yn gweithio ar gynlluniau John Rocha. Ia, cynllunydd dillad ydi hwnnw fel arfer, ond mae o wedi arallgyfeirio. Ta waeth, roedd bod yng nghwmni Skippy yn donic, dwi'm wedi chwerthin gymaint ers talwm. Yn anffodus, alla i'm dyfynnu ei eiriau mewn print. Defnyddiwch eich dychymyg. A phan ges i wers chwythu gwydr ganddo fo, ron i yn fy nyblau. Roedd pawb arall hefyd pan welson nhw fy mowlen rhosod i. Dydyn nhw'm yn gadael i ymwelwyr roi cynnig ar chwythu bellach (yr hen reolau Iechyd a Diogelwch 'na), ond mi wnaethon nhw adael i mi wneud. Yn anffodus. Mi ddysgais i derm lleol – gwneud *hêms* o rywbeth, sef gwneud llanast llwyr ohoni.

Mae enw gwydr Waterford yn gyfystyr â'r safon uchaf bosib ers dros ddwy ganrif, a champweithiau o'r gwydr yma sy'n cael eu rhoi'n aml fel gwobrau i bencampwyr byd – pobl fel Michael Schumacher a Tiger Woods, Pete Sampras a Steffi Graf. Mae gan Nelson Mandela ddarn hefyd, a Thywysog Cymru a phob arlywydd yr Unol Daleithiau ers dyddiau Eisenhower. A rŵan mae gen i un hefyd. Mi doddais i'n llwyr pan roddodd Skippy barsel bach i mi. Don i ddim yn licio'i agor yn syth o flaen pawb, ond mi wnes i hynny y funud gyrhaeddais i'r car. *Coaster* i ddal potel win oedd o, ac ron i wedi sylwi arnyn nhw ar y silff yn barod. Roedden nhw ar *special offer* am E3.95...

Dydd Sul 21 Medi 2003

Dwi ar y fferi yn ôl am Abergwaun a Llanymddyfri. A rhyfedd o fyd, Cymro glân gloyw o Sir Fôn ydi capten y llong: David Farrell. Dwi newydd gael bod yn y stafell lle maen nhw'n rheoli pob dim, cael gweld sut mae'r cyfrifiaduron yn gweithio, sbïo ar y siartiau ac ati. Don i'n deall dim wrth gwrs, ond roedd o'n ddifyr er hynny, a'r olygfa o'r ffenest flaen yn wefreiddiol: Sir Benfro! Dwi bron adre, ac mae'r daith anferthol, anghygoel 'ma bron ar ben. Mae'n anodd credu 'mod i wedi bod reit rownd y byd, ond do, mi fues i, ac mi welais i lefydd na freuddwydiais i erioed y byddwn i'n eu gweld yn fy myw. Dwi wedi cyfarfod â phobl hynod glên (a hynod annifyr!) – a chyfyrder na wyddwn i ddim amdano. Dwi wedi blasu'r pethau rhyfedda, wedi gweld cyfoeth anhygoel - a thlodi - wedi cael fy nghyfareddu (ocê, a fy niflasu...), ac wedi dysgu gymaint, mae 'mhen i'n troi. Roedd hi'n daith hir, flinedig, ond gwefreiddiol, a dwi'n bendant am fynd yn ôl i Rwsia a Haida Gwaii ryw ddiwrnod. Ond wyddoch chi be'? Does 'na unlle yn debyg i gartref, a dwi mor, mor falch mai yng Nghymru, yng nghefn gwlad Meirionnydd, dwi'n byw. Mae'n braf gallu codi pac a theithio, ond y daith orau un ydi'r daith am adref. Ga i fynd adre rŵan plis?